PUBLICITÉS À LA CARTE

Jacques Dorion
Jean Dumas

PUBLICITÉS À LA CARTE

Pour un choix stratégique des médias publicitaires

Nouvelle édition mise à jour

Université
de Montréal

Faculté de l'éducation permanente
Formation à distance

Les Presses de l'Université de Montréal

Catalogage avant publication de Bibliothèque et Archives nationales du Québec et Bibliothèque et Archives Canada

Dorion, Jacques, 1948-
    Publicités à la carte : pour un choix stratégique des médias publicitaires
    2ᵉ éd.
    (Paramètres)
    Comprend des réf. bibliogr. et un index.

    ISBN 978-2-7606-2228-9

    1. Plans médias. 2. Médias et publicité. 3. Publicité dans les journaux. 4. Publicité sur Internet. 5. Campagnes publicitaires. I. Dumas, Jean. II. Titre. III. Collection : Paramètres.

    HF5826.5.D67 2010   659.1'11   C2010-941383-0
    HD4901.C68 2010   331   C2010-940737-7

Dépôt légal : 3ᵉ trimestre 2010
Bibliothèque et Archives nationales du Québec
© Les Presses de l'Université de Montréal, 2010

Les Presses de l'Université de Montréal reconnaissent l'aide financière du gouvernement du Canada par l'entremise du Fonds du livre du Canada pour leurs activités d'édition.

Les Presses de l'Université de Montréal remercient de leur soutien financier le Conseil des arts du Canada et la Société de développement des entreprises culturelles du Québec (SODEC).

Imprimé au Canada en août 2010

TABLE DES MATIÈRES

PRÉFACE DE LA DEUXIÈME ÉDITION

Le hasard a voulu que nous achevions ce livre au moment où disparaissaient, l'un après l'autre, Paul Martel, président de la première agence média québécoise, et Jacques Bouchard, chef de file de la publicité francophone. L'enthousiasme de ces deux défricheurs aura incité les publicitaires plus jeunes à oser. Oser quitter les chemins anglo-saxons bien balisés pour s'adresser spécifiquement aux annonceurs, médias et consommateurs de chez nous. C'est grâce à un tel élan que le *placement* média, d'intervention de courtage qu'il était, s'est transformé en *gestion* média, discipline plurielle qui emprunte aux sciences sociales tout autant qu'à l'économie.

Il y a vingt-cinq ans, il fallait l'entrain d'un Gilles Caron, directeur d'agence plein de sagesse, pour inciter un débutant à créer sa propre entreprise. La profession n'avait pas encore pleinement fait sa marque ; celui qui commençait devait donc avoir beaucoup de passion — une passion qui le guide encore — pour convaincre les entrepreneurs québécois de remettre leurs campagnes publicitaires entre les mains d'une agence qui irait jusqu'à porter sur ses épaules la responsabilité de leur budget. Aujourd'hui, la segmentation de la publicité en création, d'une part, et gestion, de l'autre, est reconnue. Mais il aura fallu un quart de siècle de démonstrations répétées pour que les entreprises n'hésitent plus le moindrement à confier leurs investissements à ces agences. Si l'on reconnaît, aujourd'hui, que la qualité de leur expertise engendre un rendement accru, il est bon de se rappeler, dès les premières lignes de cet ouvrage, qu'une telle prise de conscience ne s'est pas faite toute seule.

Au fil des ans, les agences de gestion média ont appris à relever un autre défi de taille, la défection croissante du public face à la saturation publicitaire. Les nouvelles technologies aidant, le consommateur d'aujourd'hui veut désormais choisir sa publicité. Il faut savoir répondre aux attentes de gens plus instruits, plus critiques. D'où le mot d'ordre qui a donné vie à ce livre : « *Ne pas s'imposer, mais se faire inviter.* » D'où aussi l'importance d'un service de recherche pour trouver des façons originales de susciter, chez le consommateur devenu sélectif, le réflexe nouveau d'*inviter*.

Si l'on doute encore du rôle majeur que joue une agence de gestion dans le processus publicitaire, il suffira de réfléchir à ceci : (1) le nombre croissant d'heures que la population passe autour des médias constitue pour les annonceurs une opportunité qu'on ne peut exploiter n'importe comment ; (2) l'émergence de médias nouveaux (Internet, quotidien gratuit, téléphone intelligent) entraîne une fragmentation accrue des auditoires, ce qui impose un partage différent des occasions publicitaires ; (3) seule une bonne compréhension des préférences médias propres aux diverses catégories de consommateurs permet de porter le message au bon endroit, au meilleur coût. Il faut une longue expérience de ces trois postulats pour être en mesure de guider l'annonceur vers les choix les plus sûrs. Compétence qu'on reconnaît désormais aux agences de gestion média. C'est d'une telle exigence dont il sera question dans ce livre.

* * *

La plupart des ouvrages qui, comme celui-ci, s'adressent prioritairement à un public étudiant, comportent, outre leur contenu didactique, des éléments pédagogiques facilitant l'intégration des notions à retenir. Il s'agira, par exemple, d'exercices, de résumés, d'études de cas, de questions et réponses, de précisions en encadré, d'illustrations, de jeux de couleurs, de schémas. Ici, le soutien pédagogique vient d'abord du texte lui-même, qui prend la forme d'un journal de stage.

Amené tout naturellement à s'identifier à la stagiaire, le lecteur se reconnaîtra spontanément dans les bons coups de cette débutante et se dissociera de ses maladresses. Dans une même démarche, il parviendra donc non seulement à absorber la théorie et la pratique de la matière enseignée, mais aussi à lui donner un sens pour sa propre carrière. Conformément aux meilleures règles de la pédagogie, il passera de l'ignorance au savoir, puis au savoir-faire et au savoir-être.

Que la rédaction participe aussi clairement à l'apprentissage n'est pas courant. En effet, dans ce genre de publication, on n'attend habituellement de l'écriture qu'une contribution instrumentale. Autrement dit, il suffit que les mots et les phrases expriment correctement les concepts à communiquer. Or, la langue écrite peut transmettre beaucoup plus que les seules idées. Elle est également en mesure d'atteindre l'ensemble de la personne, de provoquer des réactions et de disposer à l'action. Par les multiples genres littéraires qu'elle explore (ici, celui d'une fiction réaliste), elle facilite l'assimilation de la matière enseignée, depuis l'information factuelle initiale jusqu'à une prise de conscience, ce qui dépasse les possibilités d'un simple exposé théorique. Quand un domaine du savoir s'acquiert de cette manière, on ne peut plus l'oublier.

Pourquoi, alors, pareille mise en valeur de l'écriture n'est-elle pas plus répandue ? C'est qu'elle exige, tant de la direction universitaire que du spécialiste de la discipline enseignée, une reconnaissance explicite de son potentiel. Se situant bien au-delà d'une simple révision linguistique, cette nouvelle place faite à la rédaction se traduit, dans le concret, par l'acceptation qu'un rédacteur professionnel participe à la conception même du projet, puis à chacune des étapes de sa mise en forme. Ce qui suppose qu'on lui fera pleinement confiance pour adapter le contenu au contexte de lecture (ici, le cadre d'une formation à distance).

Pour le présent ouvrage, nous devons à une heureuse conjonction des astres d'avoir pu créer et maintenir sans faille la relation harmonieuse nécessaire au déploiement d'une telle approche. Les autres façons d'apprendre n'ont pas été négligées pour autant. Elles ont simplement été reportées vers un Cahier d'apprentissage électronique, destiné aux étudiants inscrits.

✳ ✳ ✳

Nous ne saurions clore ces propos sans remercier les nombreuses personnes dont le soutien a rendu possible la publication de cet ouvrage, tant chez Carat Canada (en particulier Ody Giroux, Lucie Gauvin et Thierry Gamelin), qu'à la Faculté de l'éducation permanente de l'Université de Montréal. À nos épouses respectives, Denise Lépine et Hélène Robert, ira notre plus chaleureuse gratitude. Depuis des années, elles nous soutiennent dans des tâches où la réussite frôle constamment l'échec impitoyable ; nous nous sommes toujours sentis portés par leur solidarité. Durant les quinze mois de préparation de cet ouvrage, c'est aussi leur patience que nous avons souvent mise à l'épreuve. Voilà autant de raisons de leur dédier ces pages.

* * *

La publication d'une deuxième édition fournit l'occasion de mesurer les services que l'ouvrage a rendus aux lecteurs depuis sa publication. Nous avions voulu miser sur l'intelligence des étudiants ; nous pouvons dire que nous avons gagné notre pari. Cette mise à jour s'inscrit dans la même démarche. On y trouvera des retouches mineures à tous les chapitres, pour tenir compte du passage du temps, mais surtout une refonte complète du chapitre 9, consacré à la publicité numérique, secteur qui s'est considérablement développé en peu d'années. Cette réédition a été réalisée avec le précieux concours de Geneviève Guay et de David Béland, de Carat.

La Faculté de l'éducation permanente de l'Université de Montréal salue la sortie de cet ouvrage de référence du cours PBT2210D – *Gestion des médias publicitaires*. Ce cours du Certificat de publicité est offert à distance. Dans ce cadre, en plus de cet ouvrage de référence, les étudiants ont accès à un Cahier d'apprentissage et ont la possibilité d'obtenir le soutien pédagogique d'une personne-ressource.

Bonne lecture.

Pour tout renseignement sur le Certificat de publicité :
http://www.fep.umontreal.ca/publicite/

Pour tout renseignement sur le cours à distance PBT2210D :
http://www.formationadistance.umontreal.ca/PBT2210D.html

MISE EN CONTEXTE

Si percutante que soit une publicité, elle ne sera efficace que si elle est vue, lue, entendue. Vos voisins de bureau vous parlent sans doute régulièrement d'annonces géniales — ou, au contraire, mal ficelées —, présentées à la télé, à propos desquelles vous ne pouvez rien dire puisqu'elles ont échappé à votre attention. Ou bien vous étiez distrait quand elles sont passées en ondes ou bien vous regardiez une autre émission ou encore le récepteur était tout simplement éteint. Il en est autant des messages étalés dans un journal que vous n'avez pas lu, dans un magazine que vous n'avez pas eu le temps d'ouvrir ou sur quelque panneau publicitaire édifié le long d'une autoroute que vous n'empruntez jamais. On voit par là à quel point il est essentiel pour tout **annonceur** de choisir un moyen de communication qui garantira que le public visé sera là pour recevoir son message.

> **Annonceur**
> Toute entreprise ou tout organisme qui recourt à la publicité pour faire connaître ses produits et services.

Si essentielle est cette garantie, qu'on a créé un secteur d'activités publicitaires spécialisé dans l'art de sélectionner, au cas par cas, le véhicule le plus fiable, parfois plusieurs en concomitance, pour chaque type de message et de budget. Le **placement média** — l'art de placer un message publicitaire dans le média qui lui convient le mieux — était né.

> **Placement média**
> Achat, dans une perspective publicitaire, d'une portion de l'espace ou du temps dont disposent les médias.

1. UN OUVRAGE DOUBLEMENT INNOVATEUR

Dire que le placement média est un art, c'est mettre en lumière la finesse dont doivent faire preuve les agences médias pour transformer un geste administratif en véritable stratégie. Par le choix d'un environnement médiatique favorable, elles assurent au message une vaste audience et un degré élevé d'efficacité. C'est de cela qu'il sera question dans ces pages. Mais pas n'importe comment. Nous traiterons du placement média en suivant les voies les plus nouvelles. Et ce, doublement : tant sur le plan du fond que sur celui de la forme.

Une façon originale de considérer le placement média

Discrète, à l'origine, la publicité a progressivement envahi les médias, au point où, désormais, nombre de consommateurs la fuient par toutes sortes de subterfuges. On les comprend. Tout comme dans les marchés publics d'autrefois, c'est à qui s'affichera le plus bruyamment. Dans cette crépitation permanente, le mot d'ordre des publicitaires est « *Comment s'imposer* » plus fort que les autres. La limite a été atteinte à *Times Square* à New York, tellement inondé de néons qu'on y célèbre plus une fête de la lumière qu'on n'y distingue les produits annoncés.

Vous découvrirez ici une autre voie, plus en douceur : « *Comment se faire inviter* » par le consommateur. Il s'agit d'une tendance en forte croissance du placement média. En parcourant ces pages, vous apprendrez que les gens d'aujourd'hui ne sont pas fermés à la publicité, qui les aide à choisir parmi la multitude de biens et de services mis à leur disposition, mais qu'ils sont jaloux de leur intimité et de leur autonomie. Ils veulent choisir eux-mêmes, plutôt que d'entendre décréter par d'autres : « *Ce qui est le mieux pour vous...* » La publicité d'aujourd'hui se doit de respecter cette exigence, sous peine d'être rejetée. Nous souhaitons que le présent ouvrage vous serve de guide sur cette piste non complètement explorée, qui fait encore peur à nombre d'annonceurs.

Une façon originale de traiter le sujet

Une approche novatrice du placement média appelait naturellement une présentation inventive du sujet. Nous avons volontairement quitté la voie didactique, qui « *impose* » son contenu, pour aborder plutôt le langage chaleureux de la fiction, qui « *s'invite* » dans vos loisirs. Quoiqu'il s'agisse bien d'une étude soigneusement documentée, nous n'avons pas voulu présenter la matière selon une séquence déductive et linéaire. Nous avons plutôt imaginé un scénario, construit une intrigue, raconté une histoire, pour tout dire, agi en publicitaire. C'est ainsi qu'au lieu de répartir notre matière en chapitres, nous invitons le lecteur à parcourir, pendant treize semaines, le journal d'une stagiaire virtuelle travaillant pour une agence média imaginaire.

Comment se déroule ce stage ? Le synopsis prévoit qu'au fil de son séjour en agence, la jeune femme — aussitôt les acteurs présentés (*semaine 1*) — sera affectée à deux campagnes publicitaires, l'une assez simple et à petit budget, demandée par un annonceur local (*semaines 2 à 6*), l'autre complexe et à budget considérable, à l'intention d'un annonceur national (*semaines 7 à 12*). À travers ces deux exemples, la stagiaire apprendra de quelle manière l'on procède pour sélectionner, dans l'immense panoplie de médias disponibles, les opportunités publicitaires les plus efficaces. Elle s'entraînera aussi aux formules de mesure d'**auditoire** largement utilisées dans le milieu de la publicité.

Auditoire/Lectorat

Au sens large, portion d'une population (délimitée sur les plans géographique et sociodémographique) qui a été exposée à un même message publicitaire, quel que soit le média. Au sens restreint, application de cette définition à la télévision et à la radio ; pour les médias imprimés, on parlera alors plutôt de **lectorat**.

Ces équations lui permettront de comprendre pourquoi telle publication, telle page, telle tranche horaire, telle émission particulière ou telle affiche placée à tel endroit, risque mieux qu'une autre d'atteindre l'auditoire visé par l'annonceur. Au fil de ses affectations, elle découvrira en quoi la nouvelle approche de la publicité — « *Comment se faire inviter* » — se distingue des méthodes traditionnelles. À la fin, elle réfléchira sur les grands enjeux de la profession de planificateur média (*semaine 13*). En cours de route, elle se sera rendu compte que le placement média est vraiment un art, qui exige une sensibilité fine à l'air du temps, à la mode changeante, aux tendances que seule l'avant-garde du public peut pressentir qu'elles « marcheront » demain. Anticiper, voilà le plus grand talent de l'expert en placement média.

Cet ouvrage est-il pour vous ?

Qu'est-ce qui vous a fait prendre cet ouvrage sur la tablette de la librairie où il attendait votre passage ? Soit vous appartenez à cette partie de la population qui veut toujours en apprendre davantage, qui a constamment besoin de trouver de nouvelles explications aux choses et qui, pour cette raison, s'interroge sur tout, ne tient jamais rien pour acquis. Au point de vous demander : « *Pourquoi la publicité prend-elle une place si considérable dans la société ?* » Grâce à un texte clair, facile à comprendre, proche de la réalité quotidienne, le présent ouvrage devrait vous apporter des réponses... et, sans doute, d'autres questions. Mais ce ne sont pas les questions qui vous font peur.

Soit encore vous êtes un commerçant peu habitué aux méandres de la publicité. Vous ne pouvez pourtant pas y échapper pour vous faire connaître. Or, l'espace publicitaire coûte cher. Comment savoir si l'argent que vous y mettez vous rapportera plus que la dépense encourue ? La lecture de cet ouvrage vous initiera aux façons de faire les plus prometteuses. Après avoir mis à jour vos connaissances en ce domaine, vous serez mieux équipé pour comprendre en quoi l'intervention des agences médias, à titre d'intermédiaire, peut vous éviter des placements inutilement coûteux.

Mais peut-être étudiez-vous en communication, en marketing ou en publicité. Vous avez alors besoin de mieux saisir le rôle spécifique de la stratégie et du placement média dans l'ensemble des processus commerciaux. Vous constituez donc notre troisième — et principal — public. Car le présent ouvrage fait le tour de ce segment spécifique de la publicité qu'on appelle *Gestion des médias publicitaires*. Et il le fait avec une préoccupation critique, comme il convient pour une formation de type universitaire.

2. UNE ATTENTION RIGOUREUSE AU SENS DES MOTS

La publicité est faite d'images... et de mots « qui font image ». C'est donc, à sa manière, un lieu culturel axé sur l'évolution de la langue, ce qu'ont su reconnaître les grands artisans du français d'aujourd'hui.

> « *C'est surtout dans les messages publicitaires que l'on remarque de nos jours des nouveautés dans le vocabulaire ou la syntaxe. On peut même avancer que les publicitaires sont aujourd'hui les seuls, avec les poètes — mais lit-on beaucoup les poètes ? —, à utiliser sans complexes les possibilités du français et à oser innover. [...] Il faut croire que ce qui frappe dans le message publicitaire, c'est précisément la forme linguistique dans laquelle il est formulé, puisqu'il arrive parfois que l'accroche publicitaire soit si bien trouvée que tout le monde retient la formule et oublie le nom du produit. [...] Soucieux d'utiliser au mieux toutes les possibilités de l'instrument de communication qu'est la langue, le monde de la publicité semble avoir pris les devants pour oser se libérer du carcan où des siècles de bon usage l'avaient enfermé.* »
>
> Henriette Walter, *Le français dans tous les sens*, Paris, Robert Laffont, 1988, p. 332-333.

Devant une appréciation aussi généreuse, il serait gênant, dans cet ouvrage, de mettre la langue française à mal, notamment en matière d'anglicismes et de « faux amis ». Nous savons bien que le milieu a régulièrement recours à des raccourcis fautifs, comme *estimé* (qui confond des sens aussi divers que *prévisions budgétaires, évaluation, devis* et *estimation*). C'est pourquoi nous chercherons le plus possible à leur substituer l'expression juste.

Toutefois, si des horreurs comme *closé* (pour *conclu*) ou *implémenté* (pour *mis en œuvre*) doivent être bannies chaque fois que le français peut prendre la relève, certains mots à image, comme *jingle, pitch* ou *turnover* sont tellement intégrés au langage du métier qu'on ne peut les ignorer. Peut-être certains d'entre eux obtiendront-ils, un jour, leur citoyenneté dans notre langue, à l'instar du mot « média » et de ses dérivés qui se sont laissé franciser sans trop de résistance. C'est ainsi que la publicité contribue à faire évoluer la langue.

Par ailleurs, comme toutes les disciplines, la publicité utilise un vocabulaire qui donne aux mots un sens spécifique, plus ou moins éloigné de celui du dictionnaire. C'est pourquoi, nous les définirons — nous avons déjà commencé à le faire — à leur première occurrence et en ferons rappel en annexe. Il faut toutefois porter une attention immédiate aux trois expressions autour desquelles s'est constitué le cours universitaire auquel cet ouvrage vous introduit : *gestion, médias* et *publicitaires.*

Gestion

Pour comprendre le sens que le placement média donne au mot **gestion**, il faut d'abord imaginer le défi que doit relever tout publicitaire. Les emplacements susceptibles d'accueillir de la publicité ont beau être innombrables, les meilleurs sont aussitôt couverts d'annonces. Restera-t-il seulement un petit coin pour en ajouter une autre ? Et alors, celle-ci sera-t-elle visible, tant une multitude d'autres se disputent l'espace ? Vous aurez saisi que le mot « gestion », entendu en ce sens, renvoie à l'idée d'habileté. Comme on parle de « gestion d'un virage difficile » ou de « gestion d'une affaire délicate », la bonne gestion média est le talent de choisir ce qui convient le mieux dans des circonstances ingrates.

C'est d'abord cette signification que nous attribuons au mot « gestion » dans le contexte de cet ouvrage. Il y en a toutefois une seconde, plus commune, où « gestion » désigne l'administration générale d'une activité. Ainsi, la gestion d'un projet de publicité, c'est sans doute le choix du meilleur véhicule, mais c'est aussi l'application des procédures complexes qu'exige la réalisation d'une campagne publicitaire, depuis le plan marketing jusqu'au plan média, depuis le devis préliminaire jusqu'à l'évaluation finale, avec considération des interactions, des coûts et de multiples autres données concrètes. En ce second sens, la gestion fait appel à la fois à l'intuition, à une application intelligente des analyses statistiques, à un talent de négociateur, à une compétence comptable et à une bonne connaissance de protocoles souvent stricts.

« Gestion » s'oppose alors à « création ». La démarche publicitaire comporte, en effet, deux volets distincts. Alors que la création construit un message qu'on espère aguichant, la gestion s'assure que ce message sera transmis au consommateur de la façon la plus opportune. Dans les pages de ce livre, il ne sera qu'accessoirement question de la qualité du message lui-même, donc de l'aspect créatif. Nous montrerons plutôt comment la façon de gérer les rapports avec les médias joue un rôle décisif dans la communication de ce message.

Gestion

Façon de mener les tâches d'une activité professionnelle. Appliquées à la gestion média, ces tâches visent la mise en valeur optimale d'un message publicitaire dans les médias.

Médias

Il faut vous faire part, ici, des maux de tête que nous a causés le mot **média**. Il s'agit, comme chacun le sait, d'un terme relativement jeune (il n'a guère plus de soixante ans) et qui n'a sans doute pas encore atteint sa pleine maturité. D'origine anglaise, *mass media*, il est né avec la télévision quand les recherches en sciences sociales ont fait apparaître l'ampleur inattendue de l'influence qu'avait ce nouveau moyen de communication sur les mentalités. On l'appliqua ensuite, rétrospectivement, aux moyens de communication plus anciens, la presse, la radio, le cinéma. La caractéristique principale d'un média consistait alors en ce qu'un émetteur unique et puissant s'adressait à un auditoire massif et passif.

Ce concept de départ de « média » fut vite dépassé. Par un glissement dû, sans doute, à une confusion avec le mot « médium », il perdit sa signification sociale originelle pour en venir à désigner le support technique : on se mit à parler de « média lourd » (qui exige beaucoup d'équipement), comme le cinéma, qu'on opposait à « média léger », comme le téléphone (surtout s'il est sans fil). Observez qu'un téléphone n'est pas du tout un moyen de diffusion « de masse », ce qui confirme le changement de sens du mot « média ». Selon cette logique, tout support physique qui permet à un message d'aller d'un émetteur à un récepteur peut être appelé « média ». C'est pourquoi certains — qu'on pourrait qualifier d'extrémistes — l'ont même appliqué à l'air, qui porte les sons de la parole d'un interlocuteur à l'autre.

Puis vint Internet. Ce média a comme caractéristique principale d'établir un réseau universel d'échanges de messages en tout sens. Dès lors, tout un chacun peut communiquer privément (le courriel) ou en public (le groupe de discussion) d'un simple clic d'une souris. N'importe qui peut rédiger un blogue, publier un journal ou créer sa station de radio. On ne sait plus qui est émetteur et qui est récepteur. On ne sait plus quand le domaine privé cède le pas à la sphère publique.

En quelques décennies seulement, le vocable « média » se sera donc revêtu de plusieurs sens, et son évolution ne semble pas terminée. Il est en train de passer du concret à l'abstrait. Jugez par vous-même : dans le langage du métier, on fait désormais « du » média, comme dans cet énoncé : « *En publicité, il faut savoir parler média.* » Plus encore, on utilise également ce mot comme attribut : « *Nombreux sont les univers médias.* » Cette mutation a évidemment des conséquences sur le plan grammatical.

Mais, puisque définir consiste à tracer les limites d'un mot, de quelle façon la publicité enserre-t-elle le mot « média » pour qu'on puisse, dans un ouvrage comme celui-ci, attribuer à ce vocable une signification nette ? Il faut savoir que toute communication ne passe pas nécessairement par les médias. Les maraîchers qui annoncent leurs légumes dans les marchés publics font de la communication on ne peut plus directe, c'est-à-dire sans aucune médiatisation.

Dans cet ouvrage, nous attribuerons prioritairement, mais pas exclusivement, le nom de « média » aux techniques bien connues (radio, journal, télévision, Internet, etc.) qui relaient les messages d'un émetteur central à une multitude de récepteurs. Nous insisterons donc sur la notion de « masse », qui fut à l'origine de ce mot. Le flou du vocable n'en sera pas éliminé pour autant. Car il s'appliquera aussi bien à une catégorie de moyens de communication (exemple : le journal) qu'aux véhicules de cette catégorie (*La Presse, Le Journal de Montréal, Le Devoir*). Nous aimerions être plus précis. Mais il faut bien parler la langue du milieu ; et le milieu préfère ces approximations.

Ajoutons que, pour le publicitaire, les médias se butent à une autre limite : ils ont une bouche mais pas d'oreilles ; autrement dit, ils parlent, mais n'écoutent pas... ou si peu. Tout ce qu'ils savent faire en publicité, c'est s'adresser à votre raison, à vos sentiments, à vos émotions, puis espérer que le chatoiement des messages vous fera réagir de la meilleure manière qui soit, c'est-à-dire en achetant le produit annoncé. C'est pourquoi ils doivent multiplier les astuces pour planter le clou du message dans votre tête.

Les médias qu'on associe à la publicité peuvent sans doute atteindre des millions de personnes en une seule intervention. En revanche, la plupart d'entre eux transmettent les messages anonymement, ce qui réduit leur efficacité si on les compare au contact direct. Comme ils agissent d'une façon artificielle sur une masse de consommateurs, leur « gestion » exige une connaissance avancée des techniques statistiques.

Média

Tout procédé utilisé par l'humain pour transmettre un message. Vague, ce mot peut désigner tout autant une entreprise d'information (ex. : *La Presse, TVA*) qu'un support technique (ex. : la presse écrite, la télévision) et même une attitude face à la communication (ex. : il faut penser média) ; de concret, le mot devient alors abstrait. Souvent utilisé comme attribut d'un nom, il s'accorde alors en nombre avec ce nom à la manière d'un adjectif (ex. : un planificateur média, des planificateurs médias).

Publicitaire

Ce mot est parfois utilisé comme substantif, pour désigner une personne qui, à un titre ou un autre, fait de la publicité. Mais on le rencontre plus souvent dans sa fonction d'adjectif. Dans le cadre de la présente nomenclature, il est associé à « média ». La question qui se pose alors est la suivante : « *Les médias sont-ils donc de simples véhicules **publicitaires** ?* »

Pour clarifier notre réponse, nous dirons d'abord qu'il existe deux applications à l'expression « médias publicitaires ». Il y a les médias dont l'objectif est de communiquer toutes sortes de messages, soit d'information, soit de distraction, et qui y ajoutent des messages publicitaires simplement pour payer en partie le coût de leurs autres catégories de messages. C'est le cas de la plupart des médias auxquels nous avons quotidiennement accès : les journaux, la radio, la télévision, le cinéma, Internet, etc. Si on les appelle ici « médias publicitaires », c'est uniquement en considération de la portion de publicité qu'ils véhiculent.

Il y a ensuite les médias qu'on pourrait appeler « essentiellement » publicitaires, vu qu'ils ont comme raison d'être exclusive de transmettre de la publicité de consommation. Citons ici, en particulier, l'affichage, les supports commerciaux comme *Pages jaunes* ou *Public-Sac* ou cette multitude de dépliants qui vous tombent sous la main et qui n'ont d'autre destination que de vous faire consommer. Certaines émissions de télé, comme *Shopping TVA*, appartiennent également à cette catégorie.

> **Publicitaire (adj.)**
> Qui utilise les ressources d'un média pour faire connaître et apprécier un produit, un service ou une idée.

Vous découvrirez, en parcourant ces pages, que la frontière s'amenuise de plus en plus entre les deux catégories de médias. De plus en plus, en effet, la publicité s'insinue dans le contenu informatif et récréatif des médias ; ce qui n'est pas sans poser la question des limites entre information, divertissement et publicité.

* * *

Au terme de ce préambule, il ne nous reste plus qu'à remettre entre vos mains le « *Journal d'une stagiaire* ». Partagez les efforts d'une femme travailleuse dans son exploration, parfois difficile, des nouvelles voies de la stratégie du placement média. Il va sans dire — vous l'aurez sûrement déjà déduit —, que toute ressemblance avec des personnes, des agences ou des campagnes existantes serait purement fortuite.

PROLOGUE

C'est aujourd'hui que j'entreprends enfin ce stage en agence média auquel je me suis inscrite il y a plus d'un an. J'ai tant attendu cette journée et maintenant je l'appréhende. Treize semaines, qui s'ouvriront sur un emploi... ou sur l'abandon d'un rêve. Comment ne pas ressentir un peu d'anxiété ?

La façade du bâtiment de pierre qui loge l'agence est monumentale ; c'est un peu l'image de marque du Vieux-Montréal. À l'observer de la rue, on ne peut s'empêcher de remonter le temps jusqu'à cette époque lointaine où la prospérité d'un commerce se reflétait dans des murs à la fois robustes et finement ouvragés. Le portail impressionne, le hall d'entrée encore plus. Le plafond forme une voûte. Les lambris d'acajou dégagent chaleur, majesté et, dirais-je, autorité. Les lourds fauteuils de cuir semblent être là depuis des siècles. J'imagine quelque Écossais du *Golden Square Mile*, cigare dans une main, brandy dans l'autre, haut-de-forme posé sur un guéridon, discutant expansion maritime avec son vis-à-vis.

C'est justement dans l'un de ces fauteuils trop grands pour moi que la réceptionniste m'a invitée à m'asseoir en attendant de rencontrer mon responsable de stage, mon tuteur, mon mentor. Seule la sonnerie répétée du téléphone rompt le silence de cette salle feutrée. Décidément, j'ai beau faire la fière, je dois reconnaître que je suis intimidée. Je n'ai pas le cœur à lire les magazines spécialisés qui, dans des encarts au graphisme audacieux, promettent le succès à quiconque utilisera la version améliorée de tel logiciel de sondage ou recourra à tel groupe international de recherche en marketing.

Une adjointe vient me chercher pour l'entrevue d'accueil. Le paysage change alors radicalement quand je passe sans transition de l'immeuble ancestral à une sorte de rallonge sans personnalité qui occupe ce qui a dû être, autrefois, la vaste écurie de cette maison bourgeoise. Enfilade de cubicules tous semblables où des gens vêtus sans soin particulier s'affairent devant leur ordinateur, écouteur à l'oreille, la pile de leurs documents formant une haute colonne instable. Bienvenue dans les coulisses d'une agence média !

1ʳᵉ SEMAINE DE STAGE

Les acteurs

L'homme qui me reçoit, mon tuteur pour les treize prochaines semaines, me paraît plus âgé qu'il ne l'est sans doute, avec sa courte barbe poivre et sel soigneusement coupée. Il me dit avoir fondé cette agence et l'avoir dirigée jusqu'à sa retraite. On lui laisse aujourd'hui une place au Conseil d'administration, poste plutôt honorifique, ainsi qu'un petit bureau où il peut venir à sa guise et se remémorer le passé. *« Avec vous*, précise-t-il, *je penserai plutôt à l'avenir. »* Je crois que nous allons nous entendre.

1. L'AGENCE MÉDIA

Mon mentor me fait asseoir. J'énumère rapidement les établissements où j'ai étudié, et parle de mes rares incursions dans le monde des communications. Il écoute mes propos tout en consultant le curriculum vitæ qu'il tient entre ses mains. Puis, sans transition : *« Avant toute chose, vous aimeriez sans doute visiter l'agence. »* On ne saurait mieux dire : j'attends cette occasion depuis si longtemps. Je sens que j'ai une personnalité média.

Il existe plusieurs catégories d'agences de publicité

Avant d'entreprendre la tournée des bureaux, mon guide me précise que, puisque la publicité comprend de multiples volets, l'expression « agence de publicité » recouvre plusieurs réalités. Certaines agences, dites « à services complets », offrent l'ensemble des activités publicitaires sous un même toit. Mais la plupart se spécialisent plutôt dans un seul domaine, faisant appel aux autres pour les tâches différentes et complémentaires. L'agence qui vient de m'accueillir œuvre dans un secteur bien défini.

« Voici d'abord quelle sorte d'agence nous ne sommes pas. » Et il se met à énumérer.

« *Nous ne sommes pas une agence "de création". Celle-ci se spécialise dans la confection des messages publicitaires. Elle met l'accent sur la* **ritournelle** *ou* **jingle**, *sur la* **signature**, *sur le* **slogan**, *sur la voix, sur le choix des mots et sur les effets sonores ou visuels, c'est-à-dire tout ce qui peut marquer l'imagination et provoquer le désir. C'est un univers à dominante artistique où règnent créatifs, rédacteurs, photographes, comédiens, graphistes et illustrateurs.* »

Ritournelle publicitaire ou jingle

Trame sonore ou chanson courte et répétitive qui accompagne toutes les communications d'un annonceur. À sa simple écoute, les consommateurs en viennent à identifier l'annonceur.

La traduction française officielle de cette expression est « sonal ». Elle est peu usitée. En revanche, l'emprunt à l'anglais *jingle* est d'usage fréquent.

Signature

Composition d'éléments qui forment le fil conducteur ou l'identité des diverses communications d'un annonceur, autant à travers les campagnes publicitaires et les médias qu'en magasin. Il peut s'agir d'un logo, d'un agencement de couleurs, d'un slogan ou d'un jingle.

Slogan

Brève phrase où un annonceur résume, par une formule choc, l'idée principale qu'il souhaite qu'on retienne de son message.

« *Nous ne sommes pas non plus une "agence de contrôle" (ou* AOR *pour* Agency of Record). *Celle-ci supervise l'usage des sommes investies par un annonceur auprès d'autres agences. À dominante comptable, elle rassure l'entreprise ou, au contraire, la prévient des risques de dépassement des coûts.*

Par ailleurs, certaines entreprises possèdent leur propre service de publicité, appelé familièrement "agence maison". Celle-ci se consacre soit à la création, soit à l'achat média, soit à la supervision, mais rarement à toutes ces tâches à la fois. Dans des domaines voisins, on connaît également les agences de marketing, de commandites, de relations publiques. Chacune d'elles, d'une manière ou d'une autre, cherche à "positionner" les entreprises, tant publiques que privées. »

Même si, face à un message publicitaire, le grand public est surtout sensible à l'aspect création, il faut savoir que 80 % des investissements que ce message a requis ont été consacrés au placement média. La création ne compte que pour environ 17 %. Le reste (3 %) est affecté à la recherche.

Qu'est-ce qui distingue une agence média ?

Comment l'agence où je me trouve — l'agence média — se distingue-t-elle de toutes celles-là ? Elle se consacre exclusivement au choix des médias les plus efficaces pour la communication d'un message publicitaire aux objectifs déjà définis. L'agence média fait de l'achat média (un travail de courtier : négociation des meilleurs emplacements au meilleur prix). Elle achète du temps ou de l'espace dans les médias. Son attention se concentre principalement sur la **gestion média**. Cette activité requiert de bien connaître l'effort de visibilité entrepris par le client… et par ses compétiteurs. *« Seule une agence média est en mesure de faire le lien entre les diverses activités publicitaires de l'annonceur et d'harmoniser les médias utilisés, tout en ayant l'œil sur ce que les concurrents essaient de réaliser. »*

> **Gestion média**
>
> Mise au point de stratégies publicitaires centrées sur la relation entre les médias et le public visé par l'annonceur. L'agence média gère un budget en fonction d'un plan élaboré par l'agence et approuvé par le client.

Voilà soudain mon guide intarissable. Il affirme que l'agence média assure une visibilité exceptionnelle à l'annonceur. En effet, elle met l'accent sur les médias fréquentés par les personnes que cet annonceur cherche précisément à atteindre. Grâce à des études poussées sur la fréquentation des médias, elle arrive à connaître le potentiel publicitaire de chaque émission, de chaque page de magazine, de chaque panneau d'affichage, pour une catégorie spécifique de consommateurs. Évidemment, m'explique-t-il, il est essentiel de présenter au client à la fois un bon message et un bon placement dans les médias. *« Mais, à la limite, on peut toujours récupérer un message un peu faible en le plaçant dans les médias les plus porteurs. Alors que le message le mieux ciselé risque de perdre une bonne part de son efficacité s'il est présenté dans des médias mal choisis. »*

Exemple de résonance médiatique

Pour atteindre son public cible, l'annonceur *Golden-Palace.com* a fait preuve d'originalité en « tatouant » avec une encre très résistante son adresse Internet sur le dos de certains boxeurs lors de combats télédiffusés. Comme les médias n'ont pas manqué de rapporter cette astuce, la visibilité du message en a été accrue d'autant. L'usage pédagogique que nous en faisons ici ajoute encore quelque peu à sa notoriété.

L'importance de la recherche média

Mon guide s'enflamme : « *Une agence média accordera toujours une grande importance à son service de recherche* », dont les études permettent de suivre à la trace l'évolution des médias, émission par émission, magazine par magazine, de manière à toujours choisir la meilleure demi-heure, la meilleure demi-page. Semaine après semaine, l'agence média observe ainsi les tendances et prévoit les **occasions** qui s'annoncent les plus prometteuses.

Occasion

Moment précis (tel jour, telle heure) où une annonce est diffusée (ou placée) dans un média.

« *Au moment de l'exécution, du fait qu'elle maintient sur une base continue des liens avec les grandes entreprises de communication, l'agence média obtiendra habituellement les meilleurs créneaux au meilleur prix. Il lui sera même possible de faire accepter par les médias — parce qu'ils lui font confiance — des initiatives publicitaires qui sortent des sentiers battus. Ainsi, je me souviens des longs messages de deux minutes de la Chambre des notaires du Québec, qui étaient insérés dans l'émission télévisée de Radio-Canada* Tout le monde en parle. *Pierre Légaré évoquait, entre autres, le divorce et ses conséquences pour mieux vanter le rôle du notaire dans un message intitulé…* « Personne en parle ».

Le responsable de stage poursuit sur sa lancée… c'est sa carrière qu'il décrit sans trop s'en rendre compte. Si les agences médias sont aujourd'hui à l'avant-garde de la publicité, c'est parce qu'elles ont patiemment mesuré, année après année, les réactions des médias aux mouvements d'humeur des consommateurs. Elles ont parallèlement toujours cherché de nouvelles façons d'acheminer les messages.

Alors que le commerçant ne cessait de leur réclamer : « *Pouvez-vous placer mon message au meilleur endroit pour qu'il s'impose au consommateur ?* », elles ont répondu : « *Nous pouvons faire mieux encore : nous pouvons placer votre message de telle façon que ce soit le consommateur qui vous invite chez lui.* » C'est pourquoi l'agence où je fais ce stage a développé un secteur de créativité — du type recherche et développement — axé sur l'exploration de nouveaux filons en matière d'approche publicitaire.

La répartition des tâches

« *Permettez que je vous décrive brièvement les principales occupations de notre personnel.* » J'observe à gauche et à droite tandis que nous traversons les corridors. Peu de regards croisent le mien : l'écran d'ordinateur prime. Mais il suffit que mon mentor adresse la parole à quelqu'un pour qu'il engage la conversation ou réponde par un sourire. De brèves explications sont données en allant de l'un à l'autre, et j'arrive à saisir quelque peu l'ensemble des tâches qu'on exécute dans une agence média.

Le directeur général est la tête dirigeante de toutes les activités de l'agence ; il coordonne, planifie. Il gère les relations avec les clients et contribue à en trouver de nouveaux. Lorsqu'il y a compétition entre agences pour l'obtention de nouveaux mandats publicitaires, il joue un rôle déterminant dans l'élaboration d'une proposition, communément appelée ***pitch.***

> ### Pitch
> Proposition faite à un annonceur à la recherche d'un fournisseur de services, soit pour une campagne publicitaire, soit, plus largement, pour une période donnée d'activités publicitaires.
>
> Réalisé dans un contexte hautement concurrentiel, le *pitch* met de l'avant les qualités distinctives et le dynamisme de l'agence, son aptitude à répondre aux attentes de l'annonceur. On n'hésite pas, pour ce faire, à recourir aux techniques de communication les plus séduisantes.
>
> L'utilisation du terme anglais est largement répandue dans le milieu de la publicité, mais on utilise aussi parfois l'expression « présentation (ou campagne) spéculative ».

Le directeur de la recherche et les analystes suivent l'évolution des médias, à travers les données issues des sondages radio, télévision et imprimés, ainsi que des renseignements fournis par les banques de données. Ils en extraient diverses données quantitatives qu'ils compilent et retournent en tout sens pour y percevoir des tendances ; c'est pourquoi ils travaillent avec des logiciels spécialisés.

Les planificateurs médias sont les intermédiaires entre les annonceurs et l'agence. On les appelle aussi **directeurs de compte**. À la lumière des recherches de l'équipe précédente, ils définissent une stratégie média fondée sur les objectifs et le plan marketing des clients. Ils ont comme principal défi d'élaborer un plan bien défini tout en faisant preuve d'imagination et de rigueur. Leur rôle est de plus en plus essentiel, étant donné l'encombrement publicitaire accru et la complexité des marchés.

Le directeur des achats est à la tête d'une pyramide conduisant à l'exécution des plans de campagne préparés par les planificateurs en coordination avec les annonceurs et les créateurs. Il fournit les barèmes de coûts publicitaires rattachés à chacun des médias et négocie des ententes de budget et de diffusion entre les clients importants et, par exemple, les réseaux de télévision. C'est lui qui intervient lors de litiges entre acheteurs et diffuseurs. Il est, en quelque sorte, un tampon entre les diverses parties.

Les acheteurs portent bien leur nom puisqu'ils « achètent » les emplacements publicitaires disponibles dans les médias, ce pour quoi ils doivent s'avérer d'excellents négociateurs. Dans le cadre du plan établi, ils comparent les médias concurrents et sélectionnent la combinaison ou le *mix* optimal en fonction des émissions et des tranches horaires les plus performantes (à la télévision et à la radio) ou des pages les plus visibles (dans les publications et dans Internet). Une fois l'achat terminé, les acheteurs démontrent que la transaction répond bien au plan initial. À la parution du résultat des sondages, ils font des analyses qui confirment ou infirment l'efficacité de la campagne.

Les estimateurs traduisent les achats en données informatisées de manière à produire un calendrier média (détails de la campagne publicitaire dans un média) et un devis (coût total de la campagne) selon les achats effectués. Ils insèrent tout changement survenant en cours de campagne ; de tels changements peuvent provenir tant des planificateurs ou des acheteurs que des médias ou des annonceurs. Par ailleurs, ils vérifient les contrats des diffuseurs, qui doivent refléter avec exactitude les achats réalisés. Enfin, en collaboration avec l'administration, ils s'assurent que les factures expédiées au client sont en tout point conformes aux achats.

Schéma des activités d'une agence média

1. *Briefing* de l'annonceur.

2. Réunion de planification stratégique de l'agence de création avec l'agence média.

3. *Débriefing* avec des équipes élargies des agences (VP stratégie, directeurs de compte, directeurs artistiques, etc.).

   L'agence média analyse les documents de recherche liés à la cible et aux comportements d'achat.

4. L'agence média conçoit le plan et entame des discussions avec les partenaires : les médias et les maisons de représentation.

   Les médias et les maisons de représentation soumettent des propositions à l'agence média dans le but de générer l'impact média souhaité.

5. Arrimage des stratégies entre l'agence de création et l'agence média.

6. Présentation de la stratégie média et de la stratégie de création à l'annonceur, confrontation des idées et approbation.

7. Négociation avec les médias et les maisons de représentation, achat de l'espace publicitaire ou du temps d'antenne.

8. Suivi des diffusions et post-analyses de la campagne (qualitatives et quantitatives).

Mon guide m'informe que j'aurai, dès la semaine prochaine, l'occasion d'entamer des contacts avec plusieurs des personnes qui occupent ces diverses fonctions. « *Vous verrez alors,* précise-t-il en guise de conclusion, *comment un plan d'affaires conduit à un plan marketing qui, lui-même, donne lieu à un plan média.* »

C'est ainsi que s'achève ma première journée de stage. Au moment où je passe la porte de l'agence, mon mentor me rattrape à pas vifs : il avait oublié de me dire quelque chose d'important. « *Souvenez-vous bien : un message publicitaire non lu, non vu, non entendu par le consommateur n'existe pas. C'est pourquoi une agence média est si importante.* » J'ai treize semaines devant moi pour me le répéter.

L'éthique du métier

Quand, le lendemain matin, je retrouve le responsable de stage, ses tout premiers mots sont pour me mettre en garde, comme si une question délicate l'avait empêché de dormir : « *Au moment d'installer un nouvel appareil domestique — téléviseur, ordinateur, lave-vaisselle —, avez-vous remarqué que le regard bute immanquablement sur une affichette au titre sévère : "Aver-*

tissement", "Danger", "Attention", "Note importante"? *Vous commencez à lire l'avis pour découvrir aussitôt une suite d'injonctions débutant invariablement par "Ne pas…" Car cet appareil d'allure si conviviale que vous venez d'acheter pourrait facilement se transformer en tueur — explosion, décharge électrique — si vous ne suiviez pas les directives du fabricant.* » Il me regarde droit dans les yeux : « *Je pourrais en dire tout autant de ce stage.* » Il m'explique alors que ces treize semaines seront vite passées, à découvrir comment le choix du bon média est la clé d'une campagne publicitaire pleinement efficace. Tout ce temps, je ne devrai jamais oublier, pourtant, les risques éthiques inhérents au monde de la publicité.

« *Notre métier en est un d'intermédiaire entre, d'une part, les clients annonceurs qui sont parfois les plus grandes puissances commerciales ou politiques et, d'autre part, les conglomérats de médias. Un métier d'équilibriste où l'astuce est souvent reine.* » Il y a beaucoup d'argent en cause, beaucoup de pouvoir dans la balance. « *Ce peut même devenir un beau sujet de roman, tant il y a place pour des intrigues nouées à l'issue imprévue.* » Je pense aussitôt à l'ouvrage de Claude Cossette : *Un loup parmi les loups* (Septentrion, 2005). « *Vous devez vous prémunir, dès le premier jour, contre les tentations, qui ne manqueront pas, de vous laisser séduire. Car la compétition est féroce et les crocs-en-jambe nombreux.* » C'est que, dans cette joute, la publicité a besoin des médias pour véhiculer les messages des annonceurs à la population, mais les médias, aussi, ont besoin de la publicité, non seulement pour s'épanouir, mais pour survivre.

> Lorsque vous payez votre exemplaire du journal au dépanneur ou votre abonnement au camelot, cet argent couvre à peine les coûts du papier, de l'encre et les frais de distribution. Le nerf de la guerre pour les revenus, c'est la publicité.
>
> *Le Soleil*, 11 septembre 2004

Symbiose entre publicitaires et médias

Si des revenus publicitaires plus considérables signifient, théoriquement, plus de marge de manœuvre pour produire un journal, une radio ou une télé de qualité, ils constituent aussi une tentation plus forte de soumettre le contenu (articles, émissions) aux intérêts des annonceurs qui les font vivre. « *Or,* continue-t-il, *celui qui contribue financièrement veut avoir part aux décisions. Il s'assurera donc que les médias qu'il soutient de sa publicité ne dérogent pas à ses convictions profondes.* » Me croyant peut-être naïve, il tient à me rappeler que le choix de nouveaux sujets d'émissions ou d'articles, tant au petit écran que dans les pages d'un quotidien, n'est pas inspiré exclusivement par quelque curiosité qu'auraient manifestée les téléspectateurs ou les lecteurs. Il tient aussi à l'espoir de vendre toujours plus de temps d'antenne ou de colonnes de journal aux annonceurs.

Sur le coup, j'ai l'impression qu'il veut me décourager de poursuivre dans ce métier. Je suis inondée d'expressions à saveur inquiétante : pensée unique, usurpation des médias, lavage de cerveaux, contrôle de l'auditoire, élimination de la concurrence, abus de pouvoir. Puis, je me dis qu'il s'agit plutôt d'une mise à l'épreuve. Je saurai bien trouver l'équilibre entre ces forces qui s'affrontent et au milieu desquelles la publicité se débat. Pour le fondateur de cette agence, la question éthique ne se pose plus dès que publicitaires et médias ont compris que chacun a besoin de l'autre. Les uns et les autres sont soumis aux mêmes impératifs de la consommation. « *Nous devons nous habituer à vivre en symbiose.* »

Au cours de ce stage, on m'expliquera comment utiliser les médias pour que le public en vienne à désirer ce que je lui proposerai. Est-ce bien, est-ce mal de chercher ainsi à pénétrer dans le cerveau des gens pour les influencer ? À mon avis, il ne faut pas faire de la publicité le bouc émissaire d'un choix de société. Elle n'est qu'un rouage d'un phénomène beaucoup plus large.

Le directeur de stage m'avertit, comme pour conclure mes réflexions : « *Je ne vous répéterai pas, semaine après semaine, qu'il existe des règles de comportement à observer en matière de publicité, qu'il y a des limites à ne pas dépasser, que la fin ne justifie pas les moyens. Comme pour le téléviseur, l'ordinateur ou le lave-vaisselle dont je vous parlais tout à l'heure, un avertissement de danger n'est pas superflu. Cette mise en garde devrait suffire.* »

2. LES ANNONCEURS

C'est le lendemain de cet avertissement que mon guide organisera une entrevue avec la directrice générale, « la grande patronne » des activités de l'agence. « *Au premier chef, les artisans du placement publicitaire défendent les achats d'un annonceur auprès du **représentant des ventes** d'un média. C'est leur tâche immédiate.*

> **Représentant des ventes**
>
> Personne chargée par un média de vendre du temps ou de l'espace publicitaire à un annonceur, soit directement, soit par l'intermédiaire d'une agence média.

Mais voyons les choses d'un peu plus haut : le publicitaire est d'abord un intermédiaire entre l'entreprise, son point de départ, et le consommateur, le point d'arrivée. Tout le reste ne constitue que la route suivie pour aller d'un point à l'autre. Avant de vous jeter dans l'action, il vous faut d'abord connaître les attentes dominantes des entreprises et celles des consommateurs d'aujourd'hui. » Commence alors un riche exposé. Voici ce que j'en ai retenu.

Les entreprises s'attendent à un retour rapide sur investissement

Plus que jamais les entreprises exigent des résultats rapides en matière d'augmentation de ventes. En fait, la nature du marché boursier et la nervosité, voire l'impatience, des investisseurs font que l'horizon pour obtenir des résultats se rapproche constamment. Le rendement rapide de chaque dollar compte, et les budgets jadis compartimentés (publicité, marketing direct, etc.) sont désormais le plus souvent intégrés : pour l'entreprise, c'est d'abord une question de meilleur rapport coût/bénéfice.

Comment les annonceurs répartissent traditionnellement leurs dépenses de communication marketing au Québec	
Publicité	47 %
Marketing direct et promotion	38 %
Commandite d'événements	5 %
Foires commerciales	4 %
Recherche marketing	3 %
Relations publiques	3 %

Sensible aux économies, l'annonceur exerce un contrôle accru sur ses investissements, avec comme conséquence des modifications plus fréquentes dans le partage de sa publicité entre plusieurs médias. Les responsables marketing des entreprises sont d'ailleurs mieux formés que jadis. Ils s'intéressent davantage à l'évolution des mesures d'auditoire, allant jusqu'à suivre eux-mêmes des cours sur le fonctionnement des médias. Dans ce contexte, le rôle de l'agence est plus que jamais de proposer le meilleur *mix*-média au meilleur coût.

Mix-média

Amalgame de plusieurs médias complémentaires utilisés dans le cadre d'une campagne publicitaire ou d'un plan de communication afin de créer une synergie pour rejoindre un groupe cible précis.

Entreprises et agences sont condamnées à innover

Tout comme l'éventail des médias s'élargit, la curiosité de l'annonceur se fait plus attentive, entraînant un besoin d'innover et de se distinguer. Déchirée entre les procédés éprouvés et l'attrait de nouvelles formes de publicité qui peuvent aller jusqu'aux super-commandites, l'entreprise s'intéresse à toutes les façons d'utiliser les médias. Ainsi, par exemple, aura-t-elle pris note du succès ou de l'échec des concurrents qui ont adopté Internet avant elle.

« Cette tendance à vouloir impérativement maintenir les coûts au plus bas ne fait évidemment pas notre affaire. » En effet, certains grands conglomérats de médias, aux techniques « agressives », n'hésitent pas à contourner les agences pour offrir leurs services directement à l'annonceur sans frais d'intermédiaire. *« C'est à nous de démontrer à l'entreprise que notre compétence protège l'annonceur grâce à notre service de recherche centré sur la différenciation des auditoires. Quel est l'avantage de payer moins cher si on n'atteint pas le consommateur ciblé ? »*

Autre phénomène à considérer : à la suite de la mondialisation des échanges économiques et de la propriété des entreprises, bien des annonceurs font face à une uniformisation des méthodes et à une centralisation des décisions. Ainsi voit-on de plus en plus de messages publicitaires pensés à New York pour la planète entière et ne se distinguant les uns des autres que par la langue de présentation ; certains même contournent cette ultime exigence en présentant des messages sans paroles. En outre, les grandes firmes s'associent souvent à des chaînes de télévision, ou font appel à des vedettes, de manière à rapprocher les deux images dans la tête du consommateur.

Dernière observation : pour devenir **top of mind**, l'annonceur doit circonscrire des groupes cibles aux caractéristiques particularisées (en fonction de leur origine, de leurs intérêts, de leurs caractéristiques socio-démographiques, de leur style de vie, voire de leur orientation sexuelle).

> **Top of mind**
>
> L'entreprise à laquelle le consommateur pense en premier au moment de se procurer un bien ou un service.
>
> La traduction de cette expression par l'Office québécois de la langue française, « premier cité », est peu usitée.

Cette attention aux exigences des consommateurs amènera vraisemblablement l'entreprise à se montrer sensible aux tendances en émergence, notamment en matière d'environnement et d'alimentation, et à se soucier plus que jamais de la « rectitude politique ». Ainsi, à l'expression « réchauffement de la planète », elle substituera « changements climatiques », tournure qui heurte moins. « *Qui, selon vous, permet à l'entreprise d'aller ainsi à la rencontre du consommateur ?* » Je fais un signe de tête. « *C'est bien cela. Les agences de publicité.* » L'agence de création se tient constamment à l'affût des nouvelles tendances. L'agence média, « *la nôtre* », mène les enquêtes requises pour découvrir à travers quels créneaux médias on atteindra le mieux les consommateurs qui correspondent à ces tendances.

« *Je m'arrête ici pour aujourd'hui, conclut la directrice. Tout au long de ce stage, il vous sera donné de mieux connaître les attentes des entreprises en matière de publicité. En retour, vous aurez souvent à leur faire comprendre que l'attitude des consommateurs a connu une évolution considérable, ces dernières années, et qu'elles ne peuvent plus désormais se satisfaire des approches publicitaires qui avaient fait autrefois leur succès.* »

3. LES CONSOMMATEURS

Nouvelle journée, nouvelle rencontre avec la directrice générale. *« L'invasion des médias par la publicité découle de la promotion toute récente de la consommation au rang de loisir collectif. »* De tout temps, l'humanité a trouvé du plaisir à se procurer de l'accessoire… certains disent du superflu, d'autres de l'inutile. Cette activité demeurait toutefois marginale ; on s'y adonnait les jours de fête et de foire. Le plaisir d'acheter a pris une ampleur accrue avec l'avènement de la société industrielle, alors que la production à la chaîne a rendu aisément accessibles des produits autrefois rares et coûteux.

De citoyen à client

Aujourd'hui, l'essor d'une classe moyenne nantie, qui en est venue à confondre « besoin » et « désir », a placé la consommation au centre de la vie sociale. On ne dit plus « citoyen », mais « consommateur », on ne parle pas de « classe sociale », mais de « marché ». À l'école, au musée, à l'hôpital, il n'est plus question d'« élève », de « visiteur » ou de « patient », mais de « client ». Dans les entreprises, la place du **directeur marketing** croît sans cesse.

> **Directeur marketing**
>
> Personne responsable des études et recherches menant à la mise en place d'outils et de moyens d'action susceptibles de promouvoir un bien, un service ou une idée (un plan marketing). Le directeur marketing cherche à agir tant sur le produit, son prix et sa publicité que sur le réseau de distribution et sur le consommateur lui-même.

Notre existence semble graviter autour de l'heure d'ouverture des commerces. Le magasinage est devenu un but de sortie en famille ; tout centre commercial qui se respecte offre, en supplément, des stands, des manèges, des garderies et autres activités récréatives pour enfants : il faut les habituer jeunes à fréquenter ces lieux. La détente qu'apportent les émissions de télé vise, donc, moins à reposer le public travailleur de ses pénibles heures de labeur qu'à préparer le public consommateur à ses joyeuses heures de magasinage.

Je me sens dédouanée. Ce n'est pas la publicité qui a créé la domination de la consommation, mais la poursuite d'une « qualité de vie », rendue possible grâce à des revenus qui croissent plus vite que le coût des biens de première nécessité. Puisque les gens ont développé un goût insatiable pour les emplettes, au point de ne plus savoir quoi choisir dans la pléthore de produits que leur font miroiter les centres commerciaux, la publicité leur vient en aide en orientant leurs désirs.

Mais justement, qu'ont-ils de si particulier les consommateurs contemporains pour que les annonceurs se donnent tant de mal pour les atteindre ? Tout d'abord, ils sont nés et ont grandi avec la publicité. Alors, non seulement sont-ils difficiles à impressionner, mais — démocratie directe oblige — ils veulent désormais dialoguer avec l'annonceur. Ce dernier ne peut donc plus imposer un produit, car il est désormais de plain-pied avec le consommateur. Et aujourd'hui, ce consommateur ne rejette pas la publicité, comme certains l'affirment. Il la sélectionne plutôt et pose ses exigences : « *Vendez-nous ce que "nous" voulons, non ce que vous voulez nous imposer.* » S'il n'est pas satisfait, il possède désormais les outils pour éliminer la publicité traditionnelle, à la télé en particulier. Et il précise : « *Venez nous rencontrer là où "nous" sommes, pas là où vous aviez l'habitude de nous donner rendez-vous.* »

C'est ainsi qu'on aura vu des vedettes utiliser la publicité d'une marque pour lancer une chanson, assurant ainsi la promotion de leur nouveau disque aux frais d'un tiers. Cette tendance s'est tellement amplifiée, ces dernières années, que certains réseaux de télévision ont créé le poste de **directeur de la créativité média**, qui fait le lien entre le directeur de la programmation et celui des ventes.

Directeur de la créativité média

Personne chargée par un média de suggérer des façons originales d'y insérer de la publicité. Ces suggestions viennent souvent des agences médias.

De marché de masse à marché de niche

Autrefois, l'entreprise « poussait » son produit vers le consommateur, qui n'avait d'autre choix que de l'accepter tel quel ou de le refuser. Aujourd'hui, c'est le consommateur qui « tire » l'annonceur vers lui en indiquant ce qu'il veut ; et ce qu'il veut est de plus en plus personnalisé. C'est déjà le cas d'appareils aussi complexes que les ordinateurs. Certains vont même jusqu'à prétendre que le sur-mesure s'appliquera bientôt aux biens le plus traditionnellement uniformisés, comme l'automobile. Cette tendance lourde a des conséquences majeures pour les publicitaires. Il n'y a pas saturation de consommateurs, il n'y a que déplacement. Auprès de certains groupes cibles, les supports traditionnels (radio, télé, journaux) perdent leur position dominante au profit des sites Internet, des magazines spécialisés et des quotidiens gratuits.

« *Ah! "gratuit", voilà un autre mot clé de notre époque. Après l'État-providence, c'est le commerce-providence. On veut télécharger de la musique gratuitement, on réclame les rabais d'après Noël dès l'Halloween.* »

Il faut se faire à l'idée que l'échange annonceur/consommateur est devenu un duel à forces égales. « *Le consommateur veut dorénavant décider par lui-même. Les firmes n'ont d'autre choix que de s'adapter, à mesure que les consommateurs passent d'un média à l'autre et consacrent plus d'heures aux médias.* » La directrice générale aurait pu ajouter : « *Les publicitaires aussi.* » Mais elle continue ses explications. « *... On est ainsi passé de 10 heures hebdomadaires en 1900, à 50 dans les années 1980, 60 en 2000 et bientôt 80 heures par semaine consacrées aux médias. Bref, plus il y a de médias différents, plus la consommation augmente !* »

Évolution du nombre d'heures consacrées, chaque semaine, aux divers médias, de 1900 à 2020

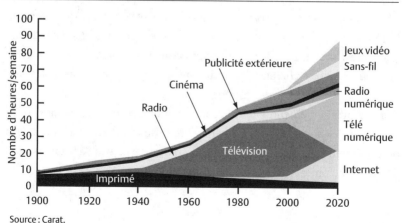

Source : Carat.

Évolution

En 1900, nos aïeux consacraient quelque 10 heures aux médias chaque semaine. Il s'agissait alors essentiellement d'imprimés, notamment de quotidiens, et de publicité extérieure. La fréquentation hebdomadaire moyenne des médias a été en croissance constante depuis cette époque. Cependant, l'arrivée puis l'essor de la télévision ont marqué une première accélération de la courbe. Depuis 2000, les médias de l'ère numérique ont provoqué un nouveau bouleversement. Conséquence : notre consommation de médias devrait être en moyenne de quelque 85 heures en 2020 (avec une tendance de plus en plus forte à utiliser ou consommer plusieurs médias simultanément) sur un total de 168 heures « disponibles » dans une semaine.

Que de maux de tête, ici encore, pour le planificateur média ! Le public lui échappe. Il change aussi vite que la mode. Vous le croyiez ici ? Eh bien ! il est là maintenant. Ou plutôt, il est à plusieurs endroits en même temps. La société classique était stratifiée en classes, alors que la moderne est éclatée en dizaines de sous-groupes, ce qui impose des recherches poussées d'identification. C'est la fin de la diffusion de masse. De « marché », on est passé à « segment », puis à « niche ». Avec Internet, le public qu'on cherche à atteindre se réduit souvent à quelques individus. Le numérique modifie peu à peu les habitudes des consommateurs en matière de consommation des médias. De plus, les gens consomment parfois plus d'un média à la fois.

Le conditionnement du consommateur

Pour l'entreprise d'aujourd'hui, le *statu quo* n'est pas un choix. L'équilibre de son rapport avec le consommateur s'est déplacé en faveur de ce dernier. Elle n'a pourtant pas dit son dernier mot. Car elle possède depuis toujours une arme à haute efficacité : le conditionnement. Elle sait bien que la nature humaine n'a pas changé ; les individus seront toujours sensibles aux influences. Reste à trouver la bonne manière.

Le conditionnement, l'annonceur y a toujours recouru, tenant pour acquis que le consommateur suivait un processus mental strict, qui va de la perception initiale d'un objet comme source de désir, jusqu'à la satisfaction de savourer l'objet enfin obtenu.

Processus psychologique d'achat du consommateur

1. Il reconnaît un besoin.

2. Il cherche à s'informer.

3. Il analyse les options.

4. Il décide d'acheter.

5. Il évalue son achat.

Source : George E. Belch, Michael A. Belch, Michael A. Guolla, Pierre Balloffet et François Coderre, *Communication marketing : une perspective intégrée*, Chenelière-McGraw-Hill, Montréal, 2005, page 102.

Plus fondamentalement, l'analyse classique de la psychologie du consommateur s'inspira longtemps de la pyramide des besoins de Maslow. C'est même devenu, avec le temps, l'archétype des multiples présentations simplifiées des motivations profondes de l'humanité.

Aujourd'hui, dans notre société, les deux premiers paliers de ce modèle – (1) les besoins physiologiques et (2) le besoin de sécurité et de protection – sont si bien comblés par la protection sociale qu'on peut déjà passer aux niveaux supérieurs. Mais comme les besoins des rangs plus élevés – (4) le besoin d'estime et de reconnaissance et (5) le besoin de s'accomplir – constituent plus un mouvement de soi vers l'autre que de l'autre vers soi (à l'inverse des paliers 1 et 2), la zone ouverte à l'influence de la publicité se restreint désormais au troisième type de besoins : (3) le besoin d'appartenance et d'amour. D'où l'exploitation croissante du besoin de chaleur humaine dans la publicité actuelle. D'où, aussi, des choix médias qui favorisent le sentiment d'appartenance, comme l'affichage, sur un T-shirt, d'une marque à laquelle le public visé s'identifiera.

Le conditionnement joue sur l'association du produit à un objet agréable pour le consommateur. Il est dit « opérant » ou « instrumental » quand l'individu, influencé par son environnement, se conditionne lui-même. Il ne reste plus alors à l'annonceur qu'à entretenir cette belle image par le « renforcement ». Il peut même aller plus loin avec le « façonnage », enchaînement de renforcements qui aboutit à une modification profonde des comportements.

Ce n'est pas l'annonceur seul qui influence le consommateur, c'est aussi son environnement social, son «groupe de référence». Dans un milieu donné (famille, cercle d'amis), les divers rôles, dans le processus d'achat, sont instinctivement distribués selon les compétences de chacun : (1) l'initiateur, (2) l'informateur, (3) l'influenceur, (4) le décideur, (5) l'acheteur, (6) le consommateur. Lors de l'achat d'un *iPod* pour un adolescent, nous pourrions dire que celui-ci en est l'initiateur, le conseiller du magasin d'électronique est l'informateur, les amis de l'adolescent sont les influenceurs, les décideurs sont conjointement les parents et l'adolescent, l'acheteur sera l'un des parents et le consommateur sera, bien évidemment, l'adolescent.

Les limites du conditionnement

Une fois perçue la faille par où il lui est possible d'entrer dans le cerveau du consommateur, l'annonceur doit trouver la façon d'y faire pénétrer son message. Il peut s'aider d'un modèle théorique de la communication comme celui-ci : (1) émetteur, (2) codage, (3) message, (4) décodage, (5) récepteur, (6) bruit, (7) rétroaction. Il analyse alors soigneusement chacune de ces composantes pour trouver la voie la plus prometteuse. « *Ou plutôt, il confie cette tâche à une agence média, comme la nôtre, dont c'est précisément une spécialité.* » La recherche média permet de déceler, entre autres, à quel « émetteur » tel public sera le plus sensible ou quel « bruit » risquera le plus de l'éloigner. On choisira les créneaux de diffusion en conséquence. On peut même franchir un pas de plus en conditionnant l'émetteur en question pour qu'il corresponde le plus étroitement possible aux contours du consommateur ciblé. Cette intervention assurera une force de frappe considérable au message, le conditionnement agissant alors tant du côté de l'« émetteur » que de celui du « récepteur ».

Le conditionnement béhavioriste n'est pourtant pas automatique, il est même trop limité aux comportements observables pour rendre compte du jeu complexe des forces psychologiques qui sous-tend toute communication. Le conditionnement agit, en fait, sur des gens déjà gagnés à la consommation. Et, c'est au niveau subconscient que la publicité trouve sa puissance de conviction.

En matière de consommation, il ne faut surtout pas sous-estimer le coup de cœur apparemment inexplicable. Qu'un produit nouveau devienne soudainement à la mode, le voilà aussitôt considéré comme nécessaire. Toutes les étapes « théoriques » du processus d'achat (reconnaissance de besoin, recherche d'information, analyse des options, etc.) se télescopent. Il n'y aura même pas d'évaluation post-achat.

L'identification du groupe cible

De la notion de consommateur, la directrice générale me fait maintenant passer à celle de **groupe cible,** fondamentale en publicité. Qui cherche-t-on à rejoindre par le message publicitaire ?

Groupe cible
Portion d'une population (délimitée de façon géographique ou sociodémographique) qu'un annonceur cherche à séduire par son message publicitaire.

L'annonceur définit le type de personnes dont est constitué son groupe cible : âge, sexe, type d'emploi, niveau d'instruction, langue parlée, etc. Il circonscrit ensuite la région géographique où vit ce groupe cible : tel quartier, telle ville, telle province, etc. Le plus possible, ces catégories recouvrent celles dont usent déjà les médias ou les services de recherche. Il en ressort des données qui guident vers la sélection du média le plus susceptible de transmettre le message publicitaire aux personnes visées.

La directrice générale ajoute que des organismes spécialisés se chargent, de nos jours, d'analyser l'attitude de groupes choisis de consommateurs à l'égard de tel ou tel produit. Quatre outils leur permettent de se faire une bonne idée des comportements et des tendances : (1) l'entrevue en profondeur lors d'un échange non directif ; (2) la technique psychologique dite « projective » où l'on invite l'interviewé à projeter ces états intérieurs sur un objet extérieur ; (3) le test d'association entre un stimulus et le premier mot qui vient à l'esprit ; (4) les interactions d'un groupe de discussion qui se prononce sur un produit, une idée, un service ou quelque autre enjeu.

« Une approche que j'aime bien, parce que vraiment centrée sur les effets de la publicité, a été baptisée AIDA : (1) Attention, (2) Intérêt, (3) Désir,

(4) Achat. » En effet, il revient à la publicité d'aider le client à franchir les trois premières de ces quatre étapes. D'autres modèles existent, mais tous en viennent invariablement à conclure que le consommateur passe par des stades de type cognitif, puis affectif et finalement comportemental (l'acte d'acheter).

C'est pourquoi, comme on le découvre tous les jours, les messages publicitaires sont de types différents, selon qu'on vise à informer le consommateur sur un nouveau produit ou à le faire courir l'acheter. Ce qu'on sait moins c'est qu'à chacun de ces types de messages correspond un placement média particulier, selon qu'on privilégie la **portée**, pour faire connaître le produit au plus grand nombre, ou la **fréquence moyenne**, pour marteler le message dans la tête des personnes déjà prédisposées à se le procurer.

Portée

Nombre total de personnes *différentes* atteintes par un média au cours d'une période et dans un marché donnés. Ce relevé peut porter sur l'ensemble de la population ou sur un groupe cible. Dans ce dernier cas, il permet à l'annonceur de savoir combien de personnes du groupe visé ont (statistiquement) été exposées au message. La portée est exprimée en nombre absolu ou en pourcentage.

Quand la portée est considérée pour l'ensemble d'une campagne publicitaire dans divers médias, on parle de « portée totale nette », de « portée nette cumulative », d'« auditoire cumulatif » ou d'« auditoire sans duplication », toutes expressions synonymes. La portée totale nette est donnée en nombre absolu.

Fréquence moyenne

Nombre moyen de fois où les *mêmes* personnes ont consulté un média (ou entendu ou vu une émission en particulier) au cours d'une période donnée. Ce relevé permet de savoir combien de fois les membres d'un groupe cible ont été exposés à un calendrier de diffusion d'un message publicitaire.

La directrice générale s'arrête. Elle sent bien qu'il ne me sera pas facile d'assimiler d'un coup une telle avalanche d'informations. Mon guide, qui a l'art d'arriver au moment où une entrevue est sur le point de s'achever, prend aussitôt le relais : « *Passez un moment au Centre de documentation. Observez-y tous les modèles théoriques que les spécialistes ont mis au point. Il y en a des dizaines. Essayez de les comprendre. Puis de les oublier… car ce ne seront toujours que des constructions de l'esprit. Utiles, sans doute, mais subordonnées à votre propre intuition.* »

4. LE PAYSAGE DE LA PUBLICITÉ AU QUÉBEC

Une autre journée passe, et je me félicite de plus en plus de m'être engagée dans ce stage. Je ne manque pas d'en faire part à mon mentor. « *Ce n'est encore qu'un début. Si vous êtes si empressée à assimiler ces quelques éléments de connaissances générales, j'imagine déjà votre enthousiasme quand vous serez dans le feu de l'action.* » Pour l'instant, il m'invite à rencontrer son successeur à la présidence du Conseil d'administration de l'agence, « *un homme que j'ai formé moi-même et qui est aujourd'hui bien meilleur que moi* ».

Poids des médias dans l'industrie de la publicité au Québec

D'entrée de jeu, le président s'excuse de me recevoir brièvement, mais il prend le temps de me démontrer l'importance du secteur d'activités auquel je serai associée durant mon stage. « *Nous aurons bien l'occasion de bavarder de nouveau.* »

« *Quatre-vingts pour cent et plus du budget qu'un annonceur investit dans la publicité va à l'achat de temps (radio et télévision) ou d'espace (journaux, magazines, panneaux, Internet). Deux milliards de dollars en recettes publicitaires au Québec! On n'a donc pas droit à l'erreur.* » Le coût, chaque année, d'un super-hôpital, juste pour faire saliver les consommateurs devant une marque de bière ou un mobilier dernier cri, payable « *en douze versements faciles* ». Je n'ai guère le temps de digérer cette donnée vertigineuse : le président a déjà réorienté la conversation.

Le grand public est surtout sensible aux messages eux-mêmes. C'est bien normal. Pourtant, tout importante qu'elle soit, la conception d'une publicité est la partie la moins coûteuse pour les publicitaires. « *Le coût d'une annonce à la télé, aux heures de grande écoute, ou dans les quotidiens nationaux peut s'avérer prohibitif.* »

C'est pourquoi encore, un phénomène s'est particulièrement accentué à la fin des années 1990 et au début des années 2000, celui de la **convergence** média, tant sur le plan du « contenant » (réseaux de télévision, journaux, magazines), que sur celui du « contenu » (information, divertissement, publicité).

Convergence

Exploitation, en parallèle, de plusieurs entreprises de communication, visant à développer leur complémentarité. L'objectif est de ramener sans cesse le consommateur au même conglomérat.

Plusieurs grandes sociétés ont acquis ou lancé de nouveaux médias afin de multiplier leurs forces comme entreprises et de créer une synergie entre leurs entités. Je pense à Astral Media (20 services de télévision, 82 stations de radio, 8000 faces d'affichage extérieur et 100 sites Web), son affichage extérieur et ses radios (*Radio Énergie* et *RockDétente*), mais aussi à Quebecor avec TVA, le portail *Canoë*, les quotidiens *Le Journal de Montréal* et *Le Journal de Québec*, sans oublier les magazines de Publications TVA. Cette opération est, au départ, réalisée pour des motifs financiers afin de créer des leviers et regrouper l'offre média. De vastes nébuleuses se sont alors développées, et la frontière s'estompe peu à peu entre la rédaction (journal, magazine) ou la programmation (radio, télévision), d'une part, et la démarche publicitaire (annonce, placement de produit), de l'autre. Le président précise, songeur : « *À l'expérience, il s'avère toutefois que le rendement des " packages " de convergence n'est pas aussi élevé que certains l'espéraient. Il ne suffit pas, pour les propriétaires des médias, de faire miroiter les avantages de la convergence. Une fois cette convergence engagée, il faut qu'ils la fassent fonctionner de façon efficace.* »

Les débuts du placement publicitaire

Le président, qui semblait si occupé tout à l'heure, trouve soudain le temps de disserter sur la publicité, moteur de ses intérêts professionnels. Ce domaine, il n'aura pas à me convaincre qu'il le connaît bien. Il me montre, soigneusement encadrée et fixée au mur, une reproduction du *Halifax Gazette*, du 23 mars 1752. On y voit trois annonces indiquant sobrement la marque de commerce d'un produit et son prix. « *Tels furent les débuts du placement publicitaire au Canada.* » L'affichage devait rapidement suivre. En effet, des clichés pris au milieu du XIXᵉ siècle montrent des publicités peintes sur des bâtiments pour annoncer des produits de consommation courante ; au premier rang, des marques de cigares.

Quoi qu'il en soit, ce sont les grands bonds techniques dans l'industrie de l'imprimerie, au début du XXᵉ siècle, qui ont permis à la publicité de prendre son essor. La toute première agence au Canada fut fondée à Montréal — en 1889 — par Anson McKim. Elle portait le nom bilingue de McKim Advertising Limited/Publicité McKim ltée. À leurs débuts, les agences de publicité servaient surtout de courtiers en espaces dans les journaux, espaces revendus, avec profit, à des annonceurs. Ces agences se préoccupaient peu du contenu des annonces, leur rôle se limitant à informer le public de l'existence du produit et à en indiquer la marque. Autrement dit, le placement média (l'unique média étant alors le journal) a précédé la recherche et la création publicitaire.

La naissance de journaux à grand tirage — quand les presses permirent un rythme rapide d'impression — a ouvert l'ensemble des foyers à la publicité. Les premières émissions de radio, au début des années 1920, en transformèrent considérablement la présentation. L'évolution se poursuivit plus brusquement avec l'arrivée de la télévision en 1952.

D'autres facteurs ont, depuis lors, accéléré encore la croissance publicitaire. Ainsi, le développement du réseau routier (et l'engouement pour l'automobile) dans les années 1950 et 1960 a favorisé la multiplication des panneaux d'affichage ; l'arrivée de la micro-informatique au début des années 1980 (et d'Internet dans les années 1990) a ouvert un nouveau front publicitaire, plus près du consommateur.

Conséquence des nouveaux styles de vie sur la publicité

L'émergence de nouveaux styles de vie a fortement influencé la valorisation d'approches publicitaires qui ne ressemblent guère à celles du passé. « *De nos jours, presque tout peut servir à diffuser un message publicitaire, jusqu'aux marches d'un escalier roulant.* » Les entrepreneurs s'ingénient à inventer de nouveaux supports pour des groupes cibles de plus en plus réduits, alors que les communicateurs recherchent constamment des moyens originaux de diffuser leurs messages.

Qu'il s'agisse d'affiches apposées sur le mobilier urbain (autobus, bancs de parc, poubelles), d'un logo serti dans un terrain de football ou au fond d'un trou au golf, de diffusions radio en direct depuis un magasin ou d'une inscription (tantôt sur un napperon, tantôt sur un blouson d'athlète), tout est prétexte à diffuser une publicité. Ces façons de faire originales font-elles mieux vendre ?

« Il faudra un certain temps pour le savoir, car les outils pour mesurer leur efficacité ne sont pas précis. Quoi qu'il en soit, l'essentiel de vos activités visera ce qu'on appelle les médias "conventionnels". La télévision, les journaux, la radio, les magazines, les réseaux d'affichage et, désormais, Internet font partie de cette vaste tribu. C'est à ces médias que vous vous attarderez particulièrement. »

Et il se met à m'exposer pourquoi. Ces médias sont les plus répandus ; ils se sont implantés et développés d'une manière soutenue au fil du temps. Certains occupent même le marché depuis plus d'un siècle. Tous jouissent de protocoles publicitaires et de normes d'utilisation stables. On y trouve des tarifs structurés ; les transactions font appel à un vaste éventail d'intervenants réunis par une même norme, ce qui facilite la cohérence. Ils ont le potentiel d'atteindre un très grand nombre d'individus d'un groupe cible donné. Ils sont dotés d'outils de mesure fiables pour évaluer le nombre et la nature des personnes susceptibles d'être exposées au message publicitaire. Pour tout dire, on est en terrain sûr.

« Conventionnel — ou traditionnel — ne signifie pourtant pas sans place pour la créativité. Les médias conventionnels offrent amplement d'espace au renouvellement de l'approche publicitaire. Nous vous donnerons d'ailleurs l'occasion, au cours de votre stage, de montrer ce que vous pouvez faire. »

L'empreinte québécoise en publicité

C'est à ce moment-là que mon responsable de stage vient me chercher, le temps prévu pour l'entrevue étant dépassé depuis longtemps. Mais le président est résolument en verve. Se tournant alors vers son prédécesseur, il rappelle la contribution considérable que ce spécialiste a apportée à l'industrie de la publicité au Québec.

En effet, jusqu'au milieu du XXᵉ siècle, les budgets publicitaires des grandes entreprises de Montréal ou de Toronto demeuraient le plus souvent la chasse gardée d'agences anglophones. La première agence francophone d'importance, *Canadian Ad* (alors classée sixième au Canada), traitait plus de 60 % de ses affaires en anglais. La majorité des employés d'agences francophones était constituée de traducteurs ; pourtant, traduire les mots ne signifie pas traduire les concepts. « *Votre mentor fut parmi les premiers à convaincre les médias de faire confiance à la façon québécoise de faire de la publicité.* » Celui-ci corrige : « *C'est l'avènement de la télévision qui a changé la donne. Dans la presse et à la radio, qu'une annonce ait été simplement traduite, il n'y paraissait pas tellement. Mais la télévision, à laquelle la société québécoise en son entier s'identifiait dans les années cinquante, ne pouvait supporter des intermèdes publicitaires où les gens ne se reconnaissaient plus.* »

Ainsi, le petit écran aura-t-il largement contribué à démontrer les limites d'une publicité simplement traduite : des campagnes publicitaires qui produisaient d'excellents résultats au Canada anglais étaient souvent infructueuses au Québec. Les annonceurs se rendirent bien compte de l'importance de développer une stratégie publicitaire dotée d'une personnalité francophone. Ce qui fut fait avec la mise sur pied du Publicité-Club de Montréal, en 1959, qui avait pour premier mandat de soutenir l'avancement des publicitaires francophones et d'améliorer la qualité de la publicité au Québec.

De nos jours, l'industrie de la publicité emploie plusieurs dizaines de milliers de personnes au Québec. « *Et elle n'est pas vraiment menacée. Même si la rapidité des changements technologiques ainsi que la mondialisation des marchés nous obligent à faire face à de nouvelles invasions culturelles, les différences de sensibilité entre Montréal et Toronto sont suffisantes pour maintenir notre industrie vivante. Le Québec est une société bien distincte.* »

Quelques organismes qui encadrent l'industrie de la publicité au Québec

L'Association canadienne des annonceurs (ACA) – aca-online.com

L'Association des agences de publicités du Québec (AAPQ) – aapq.org

Le Conseil des directeurs médias du Québec (CDMQ) – cdmq.ca

L'Association des professionnels de la communication et du marketing – communicationmarketing.org

Le Conseil de l'industrie des communications du Québec (CICQ) – cicq.ca

La publicité québécoise reflète la personnalité des Québécois

« *Si la publicité québécoise a de l'avenir, c'est d'abord parce que l'ensemble social que constitue la nation québécoise a un visage tout à fait particulier.* » Dans son célèbre essai, publié en 1976 aux Éditions Héritage, *Les 36 cordes sensibles des Québécois*, Jacques Bouchard a tracé un portrait type du Québécois d'alors. Les six dominantes étaient celles-ci : terrien, minoritaire, nord-américain, catholique, latin, français. Cette image a bien évolué depuis. Au point où l'auteur sentit, trente ans plus tard, le besoin de modifier sa vision dans un autre ouvrage : *Les nouvelles cordes sensibles*.

Le Québécois d'aujourd'hui se caractérise plutôt ainsi : il a une attitude de majoritaire, c'est un urbain, il s'est détaché de la religion et sa façon de vivre est influencée par l'immigration. La démographie du Québec est marquée par la chute des naissances, le vieillissement de la population et le déclin du mariage, avec, comme corollaire, une croissance de l'individualisme et de la solitude.

Parmi les grandes tendances du XXI⁰ siècle, tendances que le Québécois partage avec les autres Occidentaux, on relève en particulier un sentiment de vulnérabilité, une quête d'authenticité, un espoir de jeunesse éternelle, l'impression que tout est éphémère et jetable, avec comme conséquence le besoin d'avoir plus de temps à soi, le remplacement du luxe ostentatoire par le plaisir narcissique, un scepticisme croissant à l'égard de tout ce qui est institutionnel et un nouveau fractionnement des groupes sociaux d'où émergent les gais et les métrosexuels.

Dès 1994, Faith Popcorn, s'appuyant sur le résultat de multiples groupes de discussion (*focus groups*), avait pressenti la plupart de ces tendances, dont elle avait rendu compte dans son célèbre *Rapport Popcorn* (Éditions de l'Homme). « *Nous devons avoir la même vision à long terme pour ce qui est de la publicité.* »

La publicité québécoise prend le virage de la créativité

Voilà ce que le président du conseil d'administration tenait à me dire. Mon responsable de stage prend le relais : « *Vous n'êtes pas ici seulement pour "apprendre" les techniques du placement média. Tous ceux qui vous entoureront durant votre séjour insisteront sur la nécessité de "comprendre" le nouveau type de liens qui est en train de se tisser entre les annonceurs et les consommateurs.* » Les moyens de communication changent à chaque génération. « *Je suis un enfant de la radio. Plus jeune que moi, notre président est un enfant de la télévision. Quant à vous, vous êtes une enfant de la génération Internet, et l'enfant que vous aurez sera sans doute celui de quelque nanotechnologie à inventer.* » Or, ce n'est pas seulement la technique qui se modifie, c'est aussi le rapport aux messages. La frontière entre les genres est de plus en plus floue. Derrière le mot « roman » se dissimulent de véritables biographies. La téléréalité crée des événements expressément pour le petit écran. Les journalistes d'aujourd'hui mélangent de plus en plus le commentaire personnel à l'information objective. « *Et que dire alors des blogues sur Internet ou des reportages par vidéotéléphone ?* »

La publicité ne fait que suivre une voie déjà ouverte par l'air du temps. Traditionnellement réservée aux grandes nouvelles du jour, voici la page 3 de votre quotidien soudainement offerte à la publicité. Est-ce une accroche originale ou un crime contre l'information ? Voici un manuel universitaire utilisant des commanditaires clairement affichés pour soutenir, par l'exemple de leur réussite, les questions traitées dans ses chapitres. Est-ce un « bon coup de pub » ou un crime contre l'éducation ? « *Il n'y a pas de réponse facile. Certains affirment que la vérité tombe en lambeaux, d'autres que les gens sauront bien décoder.* »

Quoi qu'il en soit, puisque la publicité a toujours besoin d'attirer l'attention, il lui faut impérativement se renouveler sans cesse. Ainsi, aura-t-on pu voir une émission de télévision commanditée par un « titre » de film plutôt que par l'entreprise qui produit ce film : « *Observez la fine psychologie du publicitaire, qui a compris que le consommateur se fiche de l'entreprise ; c'est le film qui l'intéresse.* » Le placement publicitaire a envahi tous les créneaux imaginables pour mieux « s'imposer » dans les médias. Désormais, il faut faire les choses autrement : « se faire inviter » par les médias. Et par-delà les médias, par les consommateurs. *« C'est ce que vous apprendrez durant votre stage. »*

2ᵉ SEMAINE DE STAGE

Le cas d'un annonceur local

Au moment d'entreprendre cette deuxième semaine de stage, je me sens gonflée à bloc. Je brûle de me retrouver au cœur de l'action. Cela ne tardera pas, car mon responsable de stage m'attend, un large sourire aux lèvres : « *Vous êtes affectée au dossier d'un annonceur pour les cinq prochaines semaines.* » La tâche dont je rêve ! Près de lui, une jeune femme… presque aussi jeune que moi : « *C'est avec elle que vous travaillerez. Elle est planificatrice média.* »

Je suis un peu déçue. J'attendais la gouverne d'une personne d'expérience qui m'apprendrait tout ; j'ai l'impression que celle-ci en est à ses débuts. J'imagine qu'on n'a pas voulu imposer une stagiaire aux planificateurs plus chevronnés, qui n'ont ni le temps ni la patience de tout expliquer à un débutant. Ou bien, le superviseur de la stagiaire que je suis aura aussi reçu mandat de vérifier du même coup la compétence de cette planificatrice débutante.

Je découvrirai plus tard que j'avais tout faux : c'est la planificatrice elle-même qui, par les questions que je posais lors de mon rapide passage dans les corridors de l'agence, la semaine dernière, avait conclu que j'avais du potentiel et avait demandé que je l'accompagne.

1. DEUX CATÉGORIES D'ANNONCEURS

Après l'offre traditionnelle d'un café ou d'un jus, elle jette sur le bureau une chemise remplie à ras bord et m'informe du dossier auquel nous serons accrochées pendant cinq semaines, celui de *Sommital*. Il s'agit, m'explique-t-elle, d'un détaillant de vêtements haut de gamme pour femmes qui vient tout juste de s'installer dans un centre commercial de la couronne sud de Montréal.

Ce centre s'est longtemps caractérisé par ses bas prix. Toutefois, le quartier où il est situé a connu un rapide embourgeoisement, de sorte que la clientèle a changé. Les commerces ont dû passer au cran supérieur ou déménager à la fin de leur bail. C'est ce qui est arrivé au marchand de chaussures à bas prix dont l'emplacement est, depuis peu, occupé par *Sommital*.

Locaux/nationaux

Avant d'aller plus loin, la planificatrice média — qu'on appelle aussi « directrice de compte » — m'explique qu'une agence comme la nôtre répartit ses planificateurs suivant deux catégories de comptes d'annonceurs. Il y a ceux dont la publicité s'étale de manière à couvrir un **marché** national (le mot « national » s'appliquant, selon le contexte, soit au Québec, soit au Canada) ; et puis, il y a les annonceurs régionaux et locaux qui s'attaquent à un marché plus restreint.

> **Marché**
> 1. Région géographique dans laquelle une firme exerce ses activités et annonce ses produits ou services.
> 2. Nombre de personnes d'un groupe sociodémographique : par exemple, le marché des 12-17 ans ou le marché des femmes de plus de 30 ans qui travaillent et qui ont des enfants en bas âge.
>
> *L'Oréal* ou *Desjardins* sont considérés comme annonceurs nationaux, tandis qu'*Ameublement Tanguay* et le *Peel Pub* sont considérés comme annonceurs locaux, leur marché étant plus restreint ou circonscrit.

Quoique les annonceurs nationaux tiennent habituellement des campagnes médias complexes et jouissent d'un budget en conséquence, la répartition entre « national » et « local » ne tient pas tant à l'importance de l'annonceur lui-même qu'à la zone géographique couverte par ses messages publicitaires. *Sommital* appartient à la deuxième catégorie.

La planificatrice apprécie de travailler avec cette catégorie d'annonceurs. « *Avec un "compte" comme celui-là, on s'entraîne à bien posséder les fondements du métier. Les dossiers d'envergure demandent l'intervention de plusieurs spécialistes. Nous, nous n'aurons à justifier notre plan de campagne qu'une seule fois, quand il sera prêt pour approbation.* »

Il y a une autre façon de segmenter les annonceurs : par l'ampleur de leur budget publicitaire. C'est ainsi qu'est née la notion de « grand annonceur ». On retrouve dans cette catégorie des constructeurs automobiles, mais aussi le gouvernement du Québec et le gouvernement du Canada, puis les principales chaînes de détaillants. Quoique de moindre importance, ces dernières investissent dans des interventions publicitaires qui peuvent les classer parmi les « grands annonceurs ». Car la notion de « grand annonceur » a des contours variables. Généralement, on qualifiera ainsi une entreprise majeure à vaste marché, qui s'appuie sur des équipes internes spécialisées en marketing et planifie à moyen et à long terme. Le grand annonceur est très sensible à son image de marque et fait des recherches pour mesurer sa notoriété. Il est ainsi en mesure de quantifier son volume des ventes par rapport à celui des concurrents dans une catégorie de produits ; ce qu'on appelle la **part de marché**.

Part de marché

Part des ventes d'un produit, d'une marque ou d'une entreprise, dans un marché donné, par rapport au total de la catégorie. La part de marché est calculée soit en unités, soit en valeur.

Exemple : Une entreprise de cosmétiques vend 12 000 des 100 000 rouges à lèvres vendus chaque année au Canada. Elle possède donc une part de 12 % en unités. Par contre, si on calcule en dollars, cette compagnie vend 160 000 $ de rouges à lèvres sur le million de dollars généré par les ventes totales de rouges à lèvres ; elle possède donc une part de 16 % en valeur.

Au Québec, les investissements des dix principaux annonceurs ne totalisent même pas 20 % des dépenses publicitaires ; cela signifie qu'il y a une multitude d'annonceurs petits et moyens. On y trouve principalement des détaillants qui possèdent un seul point de vente — c'est le cas de *Sommital* —, voire quelques-uns, souvent situés dans le même marché. Leur planification publicitaire et leurs réservations médias se font à court terme. Soucieux de générer rapidement de l'affluence, ils sont très sensibles à une hausse à court terme du volume de leurs ventes. Leur expertise est basée sur l'intuition et l'expérience. « *Ce type d'annonceurs a tendance à contourner les intermédiaires. Nous avons de la chance de trouver devant nous un gestionnaire qui a compris l'apport précieux d'une agence comme la nôtre.* »

2. LE PLAN D'AFFAIRES ET LE PLAN MARKETING

Un « petit annonceur » comme *Sommital* présente un défi stimulant pour le publicitaire, vu qu'il faut faire beaucoup avec peu de ressources. Comme stagiaire, je crois que j'apprendrai plus et mieux si je commence ma formation par un projet à échelle humaine. La planificatrice reprend la chemise qu'elle avait mise de côté, l'ouvre et me montre un dossier à la couverture plastifiée. « *Voici le plan d'affaires de notre client. Il sera précieux pour notre travail, car il nous informe des orientations de l'annonceur.* » Elle m'explique que, dans le cheminement du placement média, trois plans se succèdent qui ont chacun des objectifs et des stratégies : le plan d'affaires, le plan marketing, le plan média et/ou campagne publicitaire proprement dite, incluant la création.

La planification d'affaires

Le plan d'affaires s'adresse d'abord aux investisseurs : le projet d'établissement de cette entreprise est-il suffisamment viable pour qu'on y contribue financièrement sans trop de risques ? Les banques utilisent largement le plan d'affaires pour décider de prêter ou non de l'argent à un commerce qui débute. Il en est de même des gouvernements pour l'attribution d'une subvention.

Le plan doit donc préciser (1) la mission de l'entreprise, (2) l'originalité du produit, (3) le mode de production, (4) le marché envisagé, (5) l'objectif général de part de marché à conquérir compte tenu des concurrents, (6) la répartition des coûts, (7) le financement requis, (8) l'objectif spécifique du plan à court terme, (9) la stratégie suivie pour réaliser cet objectif et (10) les outils de contrôle.

L'entreprise dessine son plan d'affaires autour de quatre notions : (1) les besoins des consommateurs ; (2) la demande pour le type de produit (ou service) qu'elle fabrique (ou vend) ; (3) l'avantage distinctif du modèle qu'elle propose ; (4) l'occasion plus ou moins favorable, compte tenu de l'humeur des consommateurs. En conséquence, le noyau de tout plan d'affaires sera l'objectif spécifique (point 8 du paragraphe précédent) vers lequel aura conduit l'analyse de ces quatre notions. « *Il ne s'agit pas des objectifs d'orientation générale de la firme, mais bien d'une cible mesurable.* »

Deux exemples d'un objectif de plan d'affaires

1) Mettre l'accent sur le développement d'un segment de la clientèle qui représente un fort potentiel de croissance. Ainsi, un fabricant de yogourts voudra solliciter les enfants pour créer un nouveau marché de 300 000 jeunes consommateurs.
2) Hausser la part de marché d'un produit à l'intérieur de sa catégorie dans un marché donné. Ainsi, une entreprise voudra faire passer de 15 à 18 % sa part de marché en unités.

« Tu observeras — je peux te tutoyer ? — que, si l'on se propose de vendre, non des produits ou des services, mais des idées ou des modifications de comportement — comme c'est le cas en politique —, on parlera de "plan stratégique" plutôt que de "plan d'affaires". Ce qui entraînera quelques différences dans le cahier de présentation, surtout sur le plan financier, car dans ce cas, les revenus prennent souvent la forme de dons ou de subventions. »

La stratégie d'affaires

Le plan, qu'il soit d'affaires ou stratégique, décrit aussi la stratégie qu'on se propose de suivre pour atteindre l'objectif. Il le fait brièvement et n'entre pas dans les détails, car cette stratégie sera précisée dans les plans sectoriels qui découleront du plan de base. Sans compter qu'elle devra s'adapter aux situations inattendues que l'entreprise est susceptible de rencontrer en cours de route.

Trois exemples d'une stratégie d'affaires

1) Pour changer les attitudes du consommateur à l'égard du produit, modifier la façon de le lui rendre accessible.
2) Pour modifier les perceptions d'un segment de la cible, proposer une façon nouvelle et originale d'utiliser le produit.
3) Pour démontrer son engagement envers des valeurs qui tiennent à cœur au consommateur, commanditer un organisme à but non lucratif.

La planification marketing

La directrice du compte *Sommital* ouvre un second dossier : c'est le plan marketing. *« Il est essentiel pour une entreprise d'attirer une clientèle si elle veut vendre son produit. Il faut donc planifier soigneusement cette activité. »* Le plan d'affaires aura établi une projection des profits escomptés du commerce en cause, ici *Sommital*. Sur quoi la firme aura-t-elle fondé cette projection ? Les profits proviendront de la différence entre le prix de vente des produits et les divers coûts liés à leur production et à leur mise en marché.

Un prix de vente tenu bas risque d'entraîner une perte. *Sommital* n'y aura donc recours que pour de courtes périodes de promotion. Un prix de vente élevé rapportera plus de profits… si le consommateur est prêt à payer. Autrement, les beaux vêtements de *Sommital* resteront sur leur cintre.

C'est ici qu'intervient le plan marketing, point d'équilibre entre les espoirs de vente du commerçant et les dispositions d'achat du consommateur. Ce point d'équilibre doit tenir compte d'un certain nombre de variables incontrôlables, comme la conjoncture économique, la réglementation ou la concurrence, *« à travers lesquelles l'entreprise devra jouer des coudes pour trouver la meilleur niche »*. Pour y parvenir, elle prendra principalement en considération les « 4 P », formule mnémotechnique à l'américaine pour les mots *product, price, place* et *promotion*. On parle alors d'un **_mix_ marketing**.

Mix marketing

Ensemble de stratégies et de tactiques utilisées pour rapprocher un produit des consommateurs, pour ce qui touche tant sa nature même que son prix, sa distribution (*place* en anglais) et les moyens de le promouvoir.

Les « 4 P »

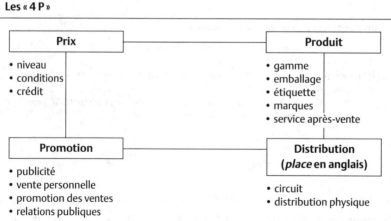

Source : d'après François Colbert *et al.*, *Gestion du marketing*, Gaétan Morin Éditeur, Montréal, 2002, page 25.

Les comportements d'achat et le plan marketing

Si le plan d'affaires a été bien fait, il aura déjà indiqué les principales caractéristiques du groupe cible, ses habitudes de consommation, ses loisirs et
intérêts personnels, son comportement habituel d'achat, ses préférences
médias et le type de publicité auquel il est le plus sensible. Cette connaissance du public visé est la clé de tout. On la peaufinera en segmentant les
consommateurs potentiels, de manière à se donner, s'il y a lieu, non pas
une seule, mais plusieurs cibles. En effet, un même produit peut plaire aux
personnes âgées pour une raison et aux jeunes pour une autre ; il y aura
donc souvent lieu de dessiner un plan marketing à plusieurs volets.

Il n'y a pas que le produit. « *As-tu déjà réfléchi à la place qu'occupe la
marque dans l'imaginaire du consommateur ? Quel est son premier réflexe
quand il voit ce nom ?* » Ceci n'est pas secondaire, car si l'image de marque est
bonne, le consommateur aura tendance à considérer positivement l'ensemble
des produits de cette marque, même si certains peuvent être plus faibles.
« *C'est tout cela qu'il faut considérer.* » Comme le plan d'affaires, le plan
marketing gravite à la fois autour d'un objectif mesurable et — « *comme tu le
verras bientôt* » — d'une stratégie flexible. « *Tant l'objectif que la stratégie
s'inscriront impérieusement dans la continuité de ce plan d'affaires.* »

Deux exemples d'un objectif marketing

1) Doubler l'espace-tablette en lançant de nouveaux produits.
2) Créer un produit (ou une gamme de produits) innovateur pour contrer la concurrence en accroissant de 2 % la part de marché.

La planificatrice média m'observe attentivement : « *Tu me suis toujours ?
Si pour vendre des idées, on parlait tout à l'heure de plan stratégique plutôt
que de plan d'affaires, la diffusion de ces idées se fera par le biais, non pas
d'un plan marketing, mais plutôt d'un plan de communication. Dans la
pratique, l'une et l'autre activité aboutiront toutefois à des activités publicitaires à peu près semblables.* »

Deux exemples d'un objectif de communication

1) Hausser de 20 % la notoriété d'un programme électoral en faisant connaître les trois mesures les plus importantes du futur élu dans un délai de 30 jours.

2) Provoquer une prise de conscience face à la recrudescence des caries dentaires en s'assurant que les enfants comprennent et assimilent les mécanismes de prévention dans un délai d'un an.

La stratégie marketing

L'objectif étant clairement défini, le plan marketing présente ensuite sa proposition d'action, une stratégie qui permettra — du moins, l'espère-t-on — d'atteindre l'objectif de vente. La stratégie indique comment il devrait être possible de sensibiliser le groupe qu'on a ciblé (la part de marché visée) grâce à un *mix* **communicationnel** judicieux. Ce *mix* pourra comprendre des activités de relations publiques, des rabais et diverses autres activités de promotion, mais la publicité en sera habituellement la composante majeure.

Mix communicationnel

Ensemble de moyens utilisés pour mettre de l'avant un produit, un service ou une idée : publicité, solde, vente en promotion, matériel en lieu de vente, commandite, relations publiques, etc. Ce terme a tendance à remplacer *mix* promotionnel.

Si plusieurs stratégies marketing peuvent permettre aux entreprises de s'imposer, trois d'entre elles peuvent résumer les variantes : (1) élargir le marché pour mieux s'y engouffrer ; (2) augmenter sa part dans un marché stable ; (3) maintenir sa part de marché menacée par la concurrence.

On se doute bien que les décisions d'ordre stratégique revêtent une importance capitale. En fait, une stratégie bien construite, mais mal exécutée, peut encore produire des résultats favorables, alors qu'une mauvaise stratégie, même bien exécutée, s'avérera toujours perdante pour l'annonceur.

Exemple de stratégie « élargir » (développer la catégorie)

Élargir le marché à son avantage : faire la promotion de la consommation de yogourt tout en y attachant sa marque, de manière à faire augmenter, à la fois, la consommation du produit et les ventes de la marque.

Exemple de stratégie « augmenter »

S'assurer une part plus grande dans un marché stable : faire la promotion du service après-vente d'un détaillant de piscines afin d'inciter les gens à choisir ce détaillant lorsque sera venu le temps de s'en procurer une nouvelle.

Exemple de stratégie « maintenir »

Sauvegarder sa part de marché menacée par la concurrence : répondre à une promotion agressive de la compétition par une autre promotion fortement incitative, afin de ne pas laisser toute la place au concurrent. Cette façon d'agir découle du fait que les consommateurs vont habituellement vers une marque populaire, connue, publicisée.

Le coût du marketing

« *Comme tu le vois, le plan marketing est le point d'ancrage du travail du publicitaire dont les interventions découleront des décisions prises par l'annonceur.* » Et le marketing a lui-même un coût. Il faut donc trouver une façon d'ajouter ce coût aux autres dépenses encourues : matières premières, main-d'œuvre, location d'espace, équipement, frais d'emprunt, etc. La stratégie guidera l'annonceur dans la fixation du budget marketing, en général, et de celui de la publicité, en particulier. Dans les dossiers simples, le marketing d'un produit ne fait sans doute pas l'objet d'une stratégie élaborée. En conséquence, la publicité sera simple, elle aussi. Le fleuriste du coin dont la clientèle est bien établie depuis plusieurs années se contentera d'une inscription dans l'annuaire, d'un site Internet et d'annonces dans le journal du quartier. Il négociera tout lui-même. La situation est bien différente pour le grand annonceur qui, par sa taille, sa situation marketing et ses besoins multiformes, doit faire appel à une agence spécialisée pour mener sa campagne. « *Notre dossier se situe quelque part entre les deux.* »

La création publicitaire au cœur de la stratégie marketing

Dans la diversité des moyens dont dispose *Sommital* pour attirer la clientèle (design du point de vente, mise en valeur du produit en vitrine, promotion de certaines marques, commandite d'événements, activités de relations publiques), la publicité se distingue en ce qu'elle atteint une large tranche de la population par le truchement des médias. Au départ, le public que *Sommital* veut atteindre — des femmes à la recherche d'un vêtement de bon goût — n'a pas de raison particulière de s'intéresser à cette boutique plus qu'à une autre. Peut-être ne la connaît-il même pas. Pour éveiller son attention, son intérêt et son appétit, *Sommital* doit d'abord imaginer un message attirant.

C'est la première étape du processus publicitaire… « *Holà! Pas toujours! Dans une agence média comme la nôtre, nous essayons le plus possible — c'est notre philosophie — d'associer, dans une même démarche, la création du message par l'agence de création et le choix des médias où ce message sera diffusé.* »

En effet, de nos jours, la création du message publicitaire et la gestion média sont de plus en plus intimement associées, l'une influençant l'autre, conformément à l'adage de Mc Luhan : « *Le* medium *est le message.* » Cette interdépendance exige toutefois de longues séances de remue-méninges où peuvent s'affronter le directeur du marketing de l'entreprise, les responsables de la campagne publicitaire de l'agence de création, le **concepteur de messages publicitaires** et les spécialistes des médias.

> ### Concepteur de messages publicitaires
> Membre d'une agence de création chargé d'imaginer un message publicitaire. Ce message pourra comporter de l'écrit, du visuel fixe ou animé, du son et, parfois même, de l'olfactif.

En pratique, l'agence média travaille de concert avec l'annonceur et le créateur publicitaire à toutes les étapes de la conception d'une campagne publicitaire, autant en ce qui concerne le message que le choix des médias. Parfois, elle le fait même en conjonction avec le Service de la créativité média, cette instance que certains médias se sont donnée pour mieux intégrer les messages publicitaires à leur programmation.

« *Quoi qu'il en soit, la création d'un message publicitaire qui se veut irrésistible pour les consommateurs et dévastateur pour les concurrents s'avère toujours une tâche épuisante et pas toujours récompensée à la mesure des neurones qu'on y a consacrés.* » Ainsi, dans le drame *Les Guerriers* de Michel

Garneau, adapté pour l'écran par Micheline Lanctôt, deux publicitaires (rôles joués par Patrick Huard et Dan Bigras) sont enfermés, dans un huis clos étouffant, le temps qu'il faudra pour trouver le nouveau slogan des Forces armées canadiennes. La fin dramatique de cette histoire démontre à quel point la création publicitaire est ardue.

Même si les créateurs ne sont pas tous soumis à pareille pression et à pareille lutte de pouvoir, ils doivent toujours faire preuve d'une imagination constamment prête à se renouveler. Ce à quoi ils joindront une grande humilité pour accepter la critique qu'on fera de leurs propositions, « *souvent dans des termes qui gêneraient les puristes de la langue* ».

3. LES TROIS ÉTAPES D'UNE CAMPAGNE

Les activités qui entourent la création d'un message publicitaire et le choix de médias pour véhiculer ce message constituent le premier volet de la campagne publicitaire prévue au plan marketing. Elles comportent donc, comme pour les étapes précédentes, un objectif et une stratégie. C'est la planification. Vient ensuite une seconde étape, celle de l'exécution où, alors seulement, l'idée de départ se transforme en réalité. Quant à l'évaluation des résultats, elle est double : l'une au début de la campagne, l'autre une fois la campagne terminée.

La planification

Une bonne planification média se fait en trois temps : objectif, stratégie, tactique. L'objectif mènera au choix du ou des médias les plus aptes à réaliser l'objectif marketing défini par l'annonceur. Comme pour l'objectif d'affaires et celui du marketing, celui-ci sera énoncé de façon quantifiée. Le planificateur média devra donc obtenir de l'annonceur, de façon précise, une description de son objectif marketing et de sa stratégie. « *Pour* Sommital, *tu auras ces documents-là sous les yeux, dès demain. Ainsi, seras-tu prête pour la conception d'un objectif média dont dépendra la suite de ton travail. Tu observeras, en particulier, que les produits de cette firme — des vêtements pour femmes — sont soumis à la* **saisonnalité**. »

> **Saisonnalité**
>
> Intermittence ou fluctuation des ventes d'un produit, liée à certaines périodes de l'année, notamment les saisons.

La notion de saisonnalité

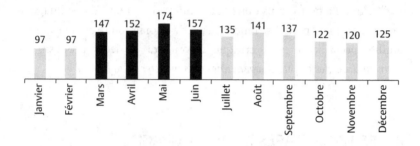

Pour établir cet objectif — de type opérationnel —, je devrai me souvenir des questions traditionnelles qu'on pose en communication : *qui ?, quoi ?, à qui ?, pourquoi ?, où ?, quand ?* et *dans quel but ?*

> La formule *Who ? What ? To Whom ? Why ? Where ? When ? With what results ?* a été lancée par le fondateur de l'agence United Press, Roy Wilson Howard (1883-1964), puis popularisée par le politologue Harold L. Lasswell (1902-1978). Mais l'origine de cette expression remonte à beaucoup plus loin. C'est un orateur romain, Quintilien (v. 30- v. 100 de notre ère), qui l'a imaginée — en latin, évidemment : *Quis ? Quid ? Ubi ? Quibus iteribus ? Cur ? Quomodo ?* — pour indiquer à ses étudiants comment ils devaient s'y prendre pour rendre leurs discours convaincants.

Pour sa part, la stratégie média se définit comme l'orientation générale des actions à entreprendre auprès des médias, en conformité avec l'objectif. Elle précise le choix des périodes d'exposition (dans un journal ou un magazine, à la radio ou à la télé, sur une affiche ou dans un dépliant, etc.), la synchronisation des actions, les **poids médias,** l'allocation générale du budget par média et, au besoin, une définition plus poussée du groupe cible.

Poids média

Mesure permettant d'évaluer l'impact d'un message.

Par exemple, le poids média d'un homme politique québécois se mesure par le nombre de mentions dont il fait l'objet dans les médias par rapport à l'ensemble des nouvelles au Québec. Il s'agit ici d'un pourcentage.

C'est à cette étape qu'on décidera du format qu'aura le calendrier publicitaire : 1) en continu : après une phase de lancement, la campagne publicitaire se déroule de façon égale sur toute sa durée ; (2) en hiatus : la campagne se déroule en phases successives entrecoupées d'arrêts ; (3) en pulsations : la campagne est faite d'accélérations et de ralentis dans le nombre de diffusions ou d'insertions.

Trois types de calendrier pour autant de stratégies médias

En continu : Dans ce type de calendrier, on diffuse le message de façon régulière, afin d'obtenir un niveau d'exposition uniforme. On l'utilisera pour faire la promotion de produits bien connus et dont la probabilité d'achat est constante tout au long de la campagne.

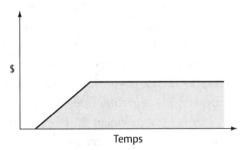

En hiatus : Dans ce type de calendrier, on module dans le temps l'intensité de la campagne. On l'utilise lorsque les cycles d'achat sont irréguliers ou dans le but de profiter de la saisonnalité des produits ou services à annoncer.

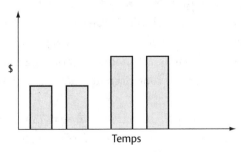

En pulsations : Avec ce type de calendrier, on procède à de courtes vagues d'annonces au cours de la campagne. On y a recours lorsque l'effet de chaque vague peut se maintenir sans que le consommateur n'oublie le produit. Les marques les plus connues privilégient cette approche.

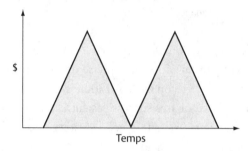

Source : Adapté de Jacques E. Brisoux *et al.*, *Gestion de la publicité*, McGraw-Hill, Montréal,1987, page 469.

« *Maintenant que nous avons articulé les rouages de la stratégie, nous progressons par étapes vers l'exécution.* » C'est le rôle de la tactique, ainsi nommée parce qu'elle constitue ce qu'on espère être la meilleure façon de réaliser la stratégie. La tactique décrit l'ensemble des mesures plus pointues qui serviront à étaler la diffusion des messages, à promouvoir une utilisation innovatrice des médias et à guider certaines stratégies de négociation avec les médias. Elle comprend six éléments principaux : (1) choix des véhicules publicitaires ; (2) analyse des tactiques médias de la concurrence ; (3) sélection des formats ; (4) répartition des occasions ou insertions ; (5) estimé des coûts ; et (6) établissement du rapport qualité/prix. Sans toutefois entrer dans les détails de la campagne, la tactique fait état de données suffisamment précises pour que l'annonceur puisse se faire une idée de ses actions publicitaires et que l'acheteur de l'agence puisse entreprendre les négociations avec le représentant des ventes.

Tous ces renseignements (objectif, stratégie, tactique) sont rassemblés dans un document : le **plan média**, auquel est joint le **devis** (aussi appelé **estimation**). Celui-ci, soumis à l'annonceur pour approbation, précise, sous forme de tableau, ce que vont lui coûter les achats médias requis pour exécuter le plan.

« *Je ne m'attarderai pas au budget dans ce survol. Tu auras l'occasion d'y revenir plus longuement, dans quelques semaines, au moment de préparer la*

> **Plan média**
>
> Document qui fait état de l'objectif mesurable d'une campagne publicitaire, de la stratégie choisie pour l'atteindre et de la tactique média qui, sur le terrain, doit permettre la réalisation de la stratégie et, par là, de l'objectif.

> **Devis ou estimation**
>
> Tableau des coûts qu'entraînera une campagne publicitaire conforme au plan média. L'anglicisme « estimé » est couramment employé.

campagne publicitaire de Sommital. *Des annonceurs avisés, comme semblent l'être les propriétaires de* Sommital, *s'intéresseront au placement média afin de savoir s'ils en ont pour leur argent. S'ils ne sont pas habitués au placement publicitaire, ils pourraient sous-estimer ce qu'il en coûte pour faire connaître un produit dans les médias et à combien revient cette dépense pour chaque article vendu. Nous les éclairerons à ce sujet. »*

L'exécution

On appelle « exécution média » l'ensemble du processus d'achat de temps ou d'espace pour un bon déroulement de la campagne, depuis les devis détaillés jusqu'à l'analyse de l'impact, en passant par la comptabilité. Cette étape cruciale applique la stratégie prévue au plan média. Elle exige un niveau élevé de précision et d'attention pour assurer que soient respectées les modalités d'exécution annoncées (actions synchronisées, poids média, allocation du budget par média). L'exécution média recourt à une panoplie de documents (rapports d'analyses, devis, contrats, factures) reflétant des données précises sur les auditoires, le nombre d'unités achetées et les coûts. Cette tâche est répartie entre le directeur des achats, les acheteurs et les estimateurs, des personnes que je me souviens avoir saluées la semaine dernière, quand j'ai fait le tour de l'agence.

« Au cours des prochaines semaines, tu auras l'occasion d'échanger avec le spécialiste affecté à chacun des médias. Je dis bien "spécialiste", car chaque média fait appel, en placement publicitaire, à une procédure qui lui est propre. »

L'évaluation

Ce que je retiens pour l'instant, c'est qu'il ne faut pas oublier d'évaluer l'efficacité d'une campagne. Cette évaluation se fait en deux temps : avant et après la campagne. Avant, les médias pressentis font état de l'auditoire que le plan de campagne peut espérer atteindre, conformément aux instruments de mesure communément reconnus, compte tenu des placements médias effectués ; cette évaluation doit naturellement être confirmée par les propres données de l'agence. Après, l'agence vérifie si l'auditoire est conforme aux prévisions. Cette double analyse n'a pas qu'un intérêt théorique car, si l'écart est trop grand entre l'objectif annoncé et le résultat obtenu, l'annonceur est en droit de demander aux médias une compensation de temps ou d'espace.

Comme je le découvre, dans une campagne de publicité les activités sont liées comme les wagons d'un train : le plan d'affaires, le plan marketing, le plan média encadrant la création du message et, finalement, l'exécution de ce plan jusqu'à l'étape de l'évaluation. « *Pour ce qui concerne le plan de campagne de* Sommital, *tu prends le train en marche. L'entreprise a déjà une signature : elle est faite de traits horizontaux sinueux entrecroisés utilisant deux couleurs voisines, le jaune et l'orange. Par ailleurs, les grandes lignes du plan média sont en voie d'élaboration sur la base du plan d'affaires et du plan marketing.* »

« *Tu les verras bientôt.* » Ah ! L'insistance que met la directrice de compte à ne pas me montrer ce plan tout de suite m'exaspère. Je voudrais tant pouvoir le parcourir. Mais c'est sans doute dans sa pédagogie que de me faire saliver ainsi.

4. L'IMPORTANCE D'UN VOCABULAIRE COMMUN

La planification média se heurte à toutes sortes de difficultés : pression du temps, arrivée de nouvelles formes de médias à l'efficacité difficile à mesurer, sources de renseignements disparates et non standardisées. Il y a toutefois une disparité à laquelle toutes les parties en cause se sont attaquées avec un certain succès, la traduction des données d'information en formules communément définies. « *Tu as déjà découvert que certains mots, comme "auditoire", "fréquence" ou "signature", ont, en publicité, un sens technique différent du sens courant. Tu vas en apprendre d'autres tout au long de ton stage.* »

Il faut comparer ce qui est comparable. Autrement, on ne s'y retrouverait pas. C'est pourquoi, en vue de faciliter la compréhension des enjeux, les interlocuteurs (annonceur, planificateur, acheteur) prennent bien soin d'utiliser un vocabulaire commun et de calculer de manière uniforme les résultats espérés d'une campagne.

Trois mots voisins : marché/population/univers

« *Je t'ai déjà donné le sens technique du mot "marché". Ce vocable est à la base du marketing et du processus publicitaire.* » Il s'agit du nombre de personnes appartenant à un groupe sociodémographique défini et habitant une région géographique circonscrite. Ainsi, le marché de l'agglomération montréalaise compte trois millions de personnes. Mais le marché des femmes de plus de soixante ans de l'arrondissement Ville-Marie est beaucoup plus restreint.

Dans des circonstances particulières, le marché peut aussi s'appeler **population** ou **univers**. « *Pour l'instant, considérons ces trois mots comme équivalents.* »

> **Population**
> Nombre de personnes peuplant un marché.
> Ainsi, le marché des femmes de 18 ans et plus du Québec compte une « population » de 3,1 millions d'habitants.

> **Univers**
> Population utilisée comme référence pour l'analyse d'une part de marché.
> Ainsi, en prenant le Canada comme « univers », le Québec constitue le quart de ce marché.

Dans le cas de *Sommital*, les deux questions à se poser pour connaître l'ampleur du marché portent (1) sur le groupe sociodémographique visé — des femmes, sans doute, mais de quels groupes d'âge et jouissant de quel niveau de revenus ? — et (2) sur la région géographique couverte — la couronne sud de Montréal, assurément, mais circonscrite à Longueuil ou étendue jusqu'à la rivière Richelieu ?

Le plan d'affaires et le plan marketing devraient avoir déjà répondu à ces questions. Elles seront cruciales pour le choix des médias porteurs du message.

Trois autres vocables voisins : part de marché/auditoire/lectorat

« Pour ce qui concerne la part de marché d'un média — tu as aussi appris cette expression —, nous lui connaissons deux proches équivalents, "auditoire" et "lectorat", l'un lié surtout à la radio et à la télévision, l'autre aux journaux et aux magazines. » Ces trois mots indiquent la portion de « marché », de « population », d'« univers » qu'un média atteint à un moment donné.

Divers sondages et autres relevés permettent ainsi aux médias de savoir jusqu'à quel point le public les voit, les écoute ou les lit. Si les médias ont besoin de mesurer leur auditoire (ou lectorat) pour fixer leurs tarifs, les annonceurs s'y intéressent aussi, car il témoigne du nombre de consomma-teurs susceptibles d'avoir été exposés à leur message publicitaire.

Les instruments de mesure de l'auditoire comportent, pour la plupart d'entre eux, un mécanisme de segmentation des personnes sondées ou, de quelque façon, évaluées. Ils les groupent par un grand nombre de critères : sexe, âge, revenu annuel, niveau de scolarité, habitudes de consommation, loisirs et intérêts personnels, comportement d'achat, préférences médias. Ces caractéristiques, dites « sociodémographiques », se doublent d'un quadrillage géographique… *« aussi grand qu'un pays, aussi petit qu'un pâté de maisons ; c'est le plan qui le délimite ».*

Auditoire moyen

Si les sondages permettent de mesurer l'auditoire d'un média en temps réel, il est beaucoup plus difficile d'anticiper ses caractéristiques et son comportement dans l'avenir, vu les multiples fluctuations du public au fil des mois (pour les affiches), des semaines (pour les magazines), des jours (pour les quotidiens), des quarts d'heure (pour la radio) et même des minutes (pour la télévision). L'auditoire change constamment. On peut regarder le premier épisode d'un téléroman, puis s'en détourner par la suite. « *C'est ainsi qu'est née la notion de "moyenne", cette moyenne étant calculée sur un certain nombre de présentations successives.* » La moyenne ne prétend pas que le passé est garant de l'avenir, mais révèle tout au moins une constante ou une tendance.

Auditoire moyen/Lectorat moyen

Nombre moyen de personnes, dans un même groupe sociodémographique et géographique, à l'écoute d'une même station de radio ou de télévision au cours d'une période donnée. Dans le cas des journaux et magazines, on parle plutôt de **lectorat moyen**.

Pour établir l'auditoire moyen il suffira de modifier l'élément de durée en le faisant passer de « moment » à « période » (par exemple : du lundi au vendredi, de janvier à avril). Ce qui suppose qu'on a fait des sondages récurrents tout au long de cette période. La périodicité de ces sondages varie grandement d'un média à l'autre. Pour un magazine mensuel, un sondage pourra s'étendre sur deux ans et couvrir 24 livraisons, alors que, pour la télévision, la période couverte sera divisée par tranches aussi brèves qu'une portion d'émission. « *Quand tu analyseras les divers médias, on t'expliquera par quels sondages on parvient à estimer la part de marché moyenne de chaque média. Ce sera capital pour toi de connaître ces données, car elles te permettront de placer efficacement la publicité de* Sommital. »

Exemple d'auditoire moyen

Média : Réseau TVA

Émission : TVA 22 heures

Diffusion : Lundi 22 h à 22 h 45

Groupe sociodémographique : Adultes, 25-54 ans

Marché : Province de Québec francophone

Auditoire moyen à la minute : 302 600

À chaque minute de diffusion, une moyenne de 302 600 personnes de la tranche sociodémographique « 25-54 ans » et de la tranche géographique « Québec francophone » regardaient l'émission.

Exemple de lectorat moyen

Média : *La Presse*

Parution : Lundi au vendredi

Groupe sociodémographique : Adultes – 18 ans et plus

Marché : Montréal francophone

Lectorat par parution : 411 000 personnes

À chaque parution « en semaine », en moyenne 411 000 adultes de 18 ans et plus dans le marché de Montréal francophone lisent *La Presse*. On observera que le lectorat d'un journal est plus vaste que son tirage.

Impressions brutes ou auditoire dupliqué

Je commence à saisir la logique méticuleuse que suit une agence média quand un annonceur lui demande de placer un message publicitaire. Comme elle tient à ce que le public cible soit au rendez-vous, elle se fie aux études disponibles pour placer l'annonce dans le média qu'il fréquente et, dans ce média, à l'endroit le plus propice. Quel est cet endroit ? Elle ne le saura qu'à la suite de sondages ; l'intuition seule ne suffit pas. L'analyse de l'auditoire probable d'un message publicitaire commence par le calcul de l'auditoire moyen (des émissions radio ou télé, des journaux, des magazines, des sites Internet et même des panneaux d'affichage). En analysant cet auditoire moyen sous tous ses angles, l'agence média renseigne l'annonceur de façon de plus en plus raffinée. « *L'un de nos instruments de base pour mesurer combien de personnes du public cible ont été atteintes est constitué des* **impressions brutes,** *aussi connues sous le nom d'***auditoire dupliqué.** »

Impressions brutes/Auditoire dupliqué

Nombre de fois où un message est entendu ou vu au cours d'un calendrier de diffusion.

Exemple

Diffusion 1 :   163 000 téléspectateurs

Diffusion 2 :   218 000 téléspectateurs

Diffusion 3 :   180 000 téléspectateurs

Impressions brutes de la campagne : 561 000 téléspectateurs

Cette notion se fonde sur l'idée qu'un message publicitaire s'imprime rarement du premier coup dans le cerveau du récepteur. Si on répète souvent le message, ce que fait la publicité, les impressions s'accumulent, soit chez la même personne, soit chez d'autres qui n'y avaient pas été exposées la première fois. « *Ainsi le nom du produit, de la marque, de l'entreprise, du service, du candidat, du projet ou de quoi que ce soit qui s'annonce leur devient-il familier.* » Au total, compte tenu de l'auditoire moyen du média choisi pour transmettre le message, il sera possible d'établir approximativement le nombre total d'impressions laissées dans les cerveaux des consommateurs. On parle d'impressions « brutes » pour souligner le nombre de fois où un message a laissé des traces. Si une personne a vu le message cinq fois et une autre une fois, on comptera six impressions brutes ; que six personnes le voient chacune une fois, on aura encore six impressions brutes. C'est pourquoi on dit aussi auditoire « dupliqué », parce qu'une même personne peut avoir vu, entendu ou lu le message plus d'une fois.

Utilité de telles données

Pour l'annonceur, ces données sont très révélatrices. Car il ne cherche pas tant à savoir combien d'individus ont vu son message ; il veut surtout connaître la trace que son message a laissée dans une vaste population… « *Nous ne devons jamais oublier que nous sommes dans les médias de masse.* » Dans une campagne publicitaire, le renseignement sur les impressions brutes constitue donc un bon point de départ.

« *Mais non le point d'arrivée* », comme la planificatrice ne manque pas de me rappeler. « *Les impressions brutes ne précisent pas si le consommateur a bien retenu le message, encore moins s'il s'y est intéressé.* » En effet, il faudra multiplier les diffusions ou les insertions pour qu'un message s'imprègne dans les cerveaux au point de décider les gens à se procurer le produit annoncé. Combien de fois ? Aucune équation ne peut l'évaluer, tant sont nombreuses les variables.

1) Les consommateurs : certains sont très attentifs aux publicités, d'autres non ; tous le sont à certains types de produits plus qu'à d'autres.

2) Les médias : des études montrent que, pour qu'un message soit reconnu, il faudrait au moins trois diffusions à la télé, mais dix passages devant un panneau d'affichage.

3) La création publicitaire : certaines publicités sont de vrais petits bijoux, d'autres créent une polémique, plusieurs laissent froid. Mais attention ! Si l'accent est mis trop exclusivement sur la beauté d'une image, sur quelque effet visuel ou sur l'humour d'une intrigue, le spectateur en oubliera peut-être l'objet annoncé. On aura alors une œuvre d'art, mais pas une publicité efficace.

L'agence média est particulièrement sensible à ces variables. Non seulement ses outils d'analyse visent-ils à prendre la plus juste mesure possible de l'auditoire réel, mais sa façon de travailler conjointement avec l'annonceur du produit et le concepteur de la publicité permet, en outre, de cibler, de plus près encore, les émissions et autres lieux publicitaires où s'effectuera la meilleure jonction possible entre le message et le consommateur. C'est d'ailleurs de cette concertation qu'est née l'idée de dépasser l'approche publicitaire classique par une meilleure intégration de la publicité au corps même du média, qu'il s'agisse de la programmation d'une station de radio ou de télévision, ou de la structure d'un journal ou d'un magazine. Par exemple, *Coup de pouce* est un magazine qui met en évidence plusieurs sujets pratiques, dont la cuisine. Pour promouvoir son produit, la Fédération des producteurs de porc du Québec a exploité ce sujet en publiant un encart avec des recettes dans ce magazine.

CPM (coût par mille)

Cela dit, l'annonceur veut savoir combien il lui en coûte, sinon pour déterminer le consommateur à acheter son produit, tout au moins pour faire cheminer le message publicitaire jusqu'au seuil de son cerveau. Cette donnée lui est essentielle pour mesurer le risque qu'il pourrait encourir de jeter son argent par les fenêtres s'il n'y prenait garde. Pour faciliter l'analyse de cette donnée, il a été établi — par convention — de répartir l'auditoire par tranches de 1000 personnes exposées à un message publicitaire. *« Comme tu le verras plus tard, le CPM permet de comparer le rendement de tous les véhicules publicitaires entre eux. »*

Coût par mille

Coût requis pour générer 1000 impressions brutes d'un message.

$$CPM = \frac{\text{coût d'un message}}{\text{impressions brutes}} \times 1000$$

Exemple

Achat d'une page en noir et blanc dans *Le Journal de Montréal*

Édition : Mardi

Coût : 13 629 $

Groupe sociodémographique : Adultes, 18 ans et plus

Marché : Montréal francophone

Nombre d'impressions générées : 571 100

$$CPM = \frac{13\,629}{571\,100} \times 1000 = 23,86\ \$$$

CPM (coût par mille) moyen

La notion de CPM revient constamment en publicité, puisqu'elle est à la base du calcul du coût d'une annonce. Or, cette mesure universelle peut être attribuée, non seulement à chaque occasion ou insertion, mais aussi à l'ensemble d'une campagne publicitaire. Le **CPM**, qu'on appelle alors « **moyen** », représente ce qu'il en coûte à un annonceur pour livrer son message à 1000 personnes, en calculant la moyenne de la totalité des occasions/insertions de la campagne. On l'établit en additionnant, d'une part, le coût de chaque occasion (ce qui donne le coût total pour la durée de la campagne) et, d'autre part, l'auditoire de chaque occasion (la somme des impressions brutes).

Coût par mille moyen

Application du CPM à une campagne entière pour en évaluer la performance.

$$CPM\ moyen = \frac{\text{coût total d'une campagne}}{\text{impressions brutes totales}} \times 1000$$

La planificatrice termine cette journée par un avertissement et un commentaire. L'avertissement : « *Quand on utilise le CPM pour comparer divers véhicules publicitaires, il faut toujours tenir compte du même groupe sociodémographique ciblé et du même territoire couvert. Autrement, les résultats ne seraient pas comparables.* » Pour ce qui est du commentaire : « *Comme tu peux le constater, toutes ces notions s'enchaînent : "auditoire" conduit à "impressions brutes", puis à "CPM". Il est important de comprendre cette filiation, car d'autres formules — que tu apprendras plus tard — en découleront aussi.* »

5. L'ÉBAUCHE DU PLAN MÉDIA DE *SOMMITAL*

Le lendemain matin, mon responsable de stage et la planificatrice média m'accueillent avec un duo de sourires triomphants : « *Voici ce que tu attendais depuis ton arrivée — la matière sur laquelle tu auras à travailler au cours des prochaines semaines —, le plan média de* Sommital. » La planificatrice détache une feuille du cahier spiralé et me la tend : « *Tout est là.* » Je me précipite sur l'exposé succinct en quinze points dont est constituée cette structure de départ du plan média.

1) OBJECTIF DU PLAN D'AFFAIRES : Ouvrir une nouvelle boutique tous les trois ans, c'est-à-dire dès que la précédente est en mesure de démontrer sa rentabilité à long terme.

2) STRATÉGIE D'AFFAIRES : Comme le coût de fabrication du produit est incompressible, limiter les coûts de location des boutiques à moins de 20 % des frais généraux, en les installant dans des centres commerciaux déjà anciens, mais en transformation. Ces centres étant loin des autoroutes qui favorisent la fréquentation par les clientèles éloignées, il faudra compenser ce handicap par une spécialisation du produit.

3) NATURE DU PRODUIT : Vêtements pour femmes, prêt-à-porter de qualité raffinée et de coupe originale d'inspiration sud-orientale, dans une fourchette de prix allant de 400 à 1600 $. Coût moyen de 1000 $ pour la moitié d'entre eux (avant les rabais et les soldes) et de 600 $ pour l'autre moitié. Moyenne globale : 800 $.

4) OBJECTIF MARKETING TRIENNAL : Conquérir 15 % du marché féminin dans les ménages gagnant 80 000 $ et plus, établis dans l'agglomération du Grand Longueuil. Statistiquement, cette popula-

tion s'élève à environ 30 000 femmes mariées ou seules. La cible de 15 % se partage ainsi : une vente tous les trois ans pour 10 % du marché (3000 femmes = 3000 ventes) et deux ventes tous les trois ans pour 5 % (1500 femmes = 3000 ventes). Au total : 6000 ventes. Au coût moyen de 800 $ (point 3), le revenu brut en trois ans devrait s'établir à 4 800 000 $.

5) OBJECTIF MARKETING MENSUEL : Comme le commerce sera ouvert 36 mois en trois ans, l'objectif triennal sera atteint si, en moyenne, l'on réalise ± 167 ventes par mois. Au prix moyen (établi précédemment) de 800 $, le revenu mensuel des ventes devrait s'élever à ± 133 000 $.

6) STRATÉGIE MARKETING : Au début, élargissement du marché par la présentation d'un type de produit original, soit des vêtements à l'occidentale marqués d'une touche sud-asiatique, pour lequel on visera à susciter un effet de mode. Par la suite, maintien de la part de marché conquise.

7) PLACE DES RELATIONS PUBLIQUES : Comme l'entreprise a ses racines à l'étranger et que le produit est nouveau, des activités de relations publiques périodiques auront comme objectif d'insérer l'entreprise et son produit dans le tissu social et commercial de la Rive-Sud.

8) PLACE DE LA PROMOTION : Pour les mêmes raisons — nouveauté de l'entreprise et du produit —, la promotion de produits connexes (sacs à main, bijoux, gants) à marge de profit élevée visera à attirer et à fidéliser la clientèle.

9) PLACE DE LA PUBLICITÉ : Un processus de concertation assurera une continuité entre les relations publiques, la promotion et la publicité ; cette dernière agira comme chef de file.

10) OBJECTIF MÉDIA : Atteindre par la publicité 75 % du marché considéré (75 % de 30 000 femmes = 22 500), dans l'espoir que 20 % de celles-là (20 % de 22 500 = 4 500) poursuivent la démarche jusqu'à acheter le produit avant la fin de la troisième année (et le tiers d'entre elles deux fois), comme il a été établi au point 4.

11) DURÉE DE LA PRÉSENTE CAMPAGNE PUBLICITAIRE : Un an. Deux autres années à considérer après évaluation de la première campagne.

12) STRATÉGIE MÉDIA : En hiatus, soit quatre campagnes annuelles d'un mois à l'occasion de la présentation saisonnière des collections féminines.

13) PLACEMENT MÉDIA ET CRÉATION PUBLICITAIRE : À définir conjointement.

14) BUDGET DISPONIBLE : Considérant (a) un total estimé de 6000 ventes à ± 800 $ en trois ans, (b) le coût d'achat du produit et les frais généraux de l'établissement, (c) la nécessité de parvenir à l'équilibre budgétaire à la fin de la troisième année, le budget disponible pour la publicité ne peut dépasser 3 % par vente prévue, soit 144 000 $ en trois ans ; ce qui est déjà au-delà des 2 % habituels dans ce genre de commerce.

15) BUDGET ALLOUÉ POUR LA PREMIÈRE ANNÉE : La moitié du budget total (budget de lancement), soit 72 000 $.

« À toi de jouer maintenant ! Tu as 72 000 $ pour faire connaître Sommital *dans sa première année de campagne publicitaire. Trouve le meilleur moyen de dépenser cette somme pour que la firme parvienne à écouler, dès cette année, 2000 ensembles, robes ou tailleurs, soit le tiers des 6000 ventes espérées en trois ans. »* C'est tout un défi. On me fait plonger du tremplin de dix mètres, alors que je ne suis pas tout à fait sûre de savoir nager. À moi l'audace : je m'y mettrai dès la semaine prochaine. Heureusement, je ne suis qu'une stagiaire et on me supervise.

« À propos, ne sois pas trop ambitieuse : 72 000 $, ce n'est pas beaucoup. Alors, oublie la télé, Internet, les panneaux d'affichage et les autres médias complexes. Concentre-toi sur les médias de proximité, les journaux et la radio. » Petit coup de froid : mon éventail de médias se rétrécit. Mais je crois que j'en ai suffisamment pour me faire la main. Pour l'instant, allons voir dans le dictionnaire ce que signifie « sommital ».

3ᵉ SEMAINE DE STAGE

Les médias de proximité

Jusqu'à maintenant, j'ai appris surtout des principes généraux. Aujourd'hui, je me lance dans l'action, à la rencontre du « concret ». C'est là que je montrerai si j'ai le talent pour aller plus loin dans le métier de publicitaire média. « *Nous croyons* — c'est mon responsable de stage qui parle — *que vous êtes prête à entreprendre la recherche du meilleur véhicule publicitaire pour faire connaître* Sommital. » Là-dessus, il me renvoie à la directrice du compte.

1. BIEN CONNAÎTRE LE TERRAIN

« *Pourquoi n'irais-tu pas jeter un coup d'œil à la boutique* Sommital *pour te familiariser un peu plus avec l'entreprise ?* » Je n'ai pas osé lui répondre que j'y avais déjà pensé. Me voilà donc, par un petit matin tranquille, en train de magasiner non par nécessité ou distraction mais pour motif professionnel. Vraiment, quel amusant métier que celui de publicitaire !

L'identité d'une boutique

Le centre commercial dont l'agence m'a parlé s'est refait une jeunesse pour répondre aux attentes des boutiques haut de gamme qu'il souhaite attirer. Moi, qui ai l'œil, je ne manque quand même pas d'y reconnaître des traces de sa vocation originelle de « Coin des aubaines ». Je ne suis pas ici pour admirer, mais pour juger froidement. Les espaces de stationnement me paraissent insuffisants et le style du long bâtiment de brique rappelle la rangée de commerces sans couloir intérieur, le *Strip Mall* des années 1970, qui a évolué, depuis, vers le centre étagé à fonctions multiples, puis le mégacentre (*Power Center*) et, maintenant, le Centre mode de vie (*Lifestyle Center*). En plus de tripler l'espace et d'ajouter un corridor central, le nouveau propriétaire a fait installer une fenêtre latérale, ce qui permet à la lumière de s'infiltrer jusqu'au cœur de la Grande Place.

La boutique *Sommital* est plutôt bien située, non loin de la porte principale et des téléphones publics. Son aménagement tout neuf, ses vitrines à l'éclairage dirigé, son mobilier aux teintes chaleureuses, ses étalages bien pensés, tout cela donne spontanément le goût d'y entrer. Elle tranche sur les quelques commerces plus anciens qui subsistent encore, mais ce n'est qu'une question de temps avant que la réfection ne gagne la totalité des installations du centre.

On est au tout début de la journée. Le magasin est désert. J'y pénètre sans m'identifier. J'observe aussitôt un motif bicolore qui s'étire le long des murs. J'y reconnais le tracé de « *traits horizontaux sinueux entrecroisés utilisant deux couleurs voisines, le jaune et l'orange* » dont m'avait parlé la planificatrice, la semaine dernière : je suis bien devant la signature visuelle de l'entreprise. La preuve : on trouve le même jeu de fines lignes sur les emballages et les étiquettes. Il faudra m'en souvenir au moment de proposer un véhicule pour les messages publicitaires de ce commerce. *Sommital* existe à peine et il s'est déjà donné une identité. Dès sa première visite, le consommateur, qui aura vu ou entendu ses annonces dans les médias, se sentira en un lieu familier, y retrouvant des couleurs, des lignes, un graphisme qu'il aura déjà associé à « de la qualité ». Ainsi donc, le choix du design, de l'éclairage, des matériaux constitue une première façon de dire ce que l'on est, d'établir son image de marque. Ou bien les propriétaires font preuve d'une grande sensibilité commerciale ou bien notre agence a fait du bon travail jusqu'à maintenant. À moi de poursuivre dans cette voie.

L'allure invitante d'un magasin contribue à attirer le consommateur. Pourtant, cet attrait ne peut être considéré comme de la publicité. Pourquoi ? Il me semble entendre la planificatrice me répondre : « *Parce qu'il n'y a pas de médiatisation.* » Au magasin, en effet, le contact est direct entre l'entreprise et le consommateur, alors qu'en publicité, ce contact se fait en deux temps : l'entreprise s'annonce dans un média qui, à son tour, transmet le message au public cible.

L'accueil

L'espace de *Sommital* accueille le visiteur comme le fait un musée, avec la présentation de beaux objets, ici des vêtements de bonne coupe. Je vais d'un étalage à l'autre, retire une veste et un pantalon de la tringle et, sans les enlever de leur cintre, je les place entre moi et un miroir à pied intelligemment éclairé. Le désir s'immisce, s'infiltre : ce vêtement m'avantage. Voilà comment débute un achat. À la condition, bien sûr, qu'une publicité adéquate ait déjà dirigé le consommateur vers la boutique.

C'est à ce moment de ma démarche qu'apparaît la vendeuse. Métier délicat, s'il en est, que celui-là. Quelle dose élevée de psychologie il exige ! Certaines clientes veulent être prises en charge dès leur entrée dans le magasin, d'autres préfèrent être laissées à elles-mêmes le plus longtemps possible. Il faut savoir distinguer les premières des secondes, être disponible sans s'imposer, stimuler l'achat sans en avoir l'air, projeter de l'empathie tout en évitant la familiarité.

L'unique vendeuse de *Sommital* — je crois bien que c'est la copropriétaire — ne me fait pas une impression très favorable. Elle a quelque chose de snob, qui voisine le hautain. Dans ce quartier qui, hier encore, était considéré comme «populaire», on est habitué à plus de chaleur. Sans tomber dans la désinvolture, il y aurait place pour un peu plus de complicité. Mais pas trop quand même. Car la voici qui s'impose, me suit à la trace : «*Cela vous irait bien. Essayez cet ensemble-là.*» Devant la pression de la vendeuse, je me hérisse. Alors que je vis un grand débat intérieur entre l'attrait pour ce pantalon capri rose, avec sa veste de tricot blanc, et la conscience de leur prix très élevé pour mon budget, la présence d'un tiers me déconcentre. Et me pousse lentement vers la sortie. *Sommital* vient de perdre une vente. Dommage que le coûteux effort publicitaire que l'entreprise s'apprête à engager pour se faire apprécier vienne échouer ici, à deux pas d'un achat ! Il faudra que j'en parle à mon tuteur et à la planificatrice média.

Promotion, relations publiques et publicité

Juste au moment de franchir le seuil pour échapper au regard insistant de la vendeuse, j'aperçois deux présentoirs. Sur l'un s'étalent de jolis sacs à main

en cuir, finement ouvragés, que *Sommital* vend pourtant à un prix déri-
soire. Sur l'autre, une pile de catalogues où il est question d'un prochain
défilé de mode auquel participera le magasin, à l'occasion d'un dîner-
bénéfice dans un hôtel de Longueuil. Une pleine page intérieure est
d'ailleurs consacrée aux créations sud-asiatiques.

Le résumé du dossier de *Sommital* que la planificatrice média m'a remis
la semaine dernière me revient aussitôt en mémoire. On y disait bien que
« *la promotion de produits connexes (sacs à main, bijoux, gants) visera à
attirer et à fidéliser la clientèle* » et que « *des activités de relations publiques
périodiques auront comme objectif d'insérer l'entreprise et son produit dans le
tissu social et commercial de la Rive-Sud* ». De toute évidence, *Sommital* suit
minutieusement son plan de marketing. Sauf sur un point, toutefois. Et pas
le moindre. En effet, le plan précisait bien qu'« *un processus de concertation
assurera une continuité entre la publicité, les relations publiques et la
promotion* ». Pour la continuité, on repassera ! Deux des trois éléments du
plan de marketing ont été lancés avant que le plus important — la publicité
— ne le soit. Or, tant que ce nouveau magasin ne se sera pas affiché devant
la population de la Rive-Sud par la publicité, ses soldes, si généreux soient-
ils, et ses défilés de mode, même dans les lieux les plus huppés, perdront
une bonne part de leur efficacité. De cela aussi, il faut que je parle au plus
tôt à mon tuteur et à la directrice du compte.

2. LES MÉDIAS À PROXIMITÉ DU POINT DE VENTE

Me voici de retour à l'agence. Je fais mon rapport. On apprécie mon sens de
l'observation. « *Nous profiterons de la prochaine rencontre avec les copro-
priétaires du commerce pour leur transmettre, le plus diplomatiquement
possible, tes deux messages.* » En invoquant l'argent qu'ils risquent de
gaspiller s'ils n'opèrent pas un redressement, l'argumentation devrait
porter ses fruits. « *Et puisque tu arrives d'une visite des lieux, pourquoi ne
commencerais-tu pas ton analyse des médias par ceux qu'on trouve à proximité du point de vente ?* »

Un public déjà dans des dispositions d'achat

Je n'ai pas à retourner au centre commercial : dès ma visite de la veille, j'avais exploré tout ce qu'on pouvait associer à quelque publicité de la boutique. J'y avais vu trois fois le nom de *Sommital ;* d'abord, accroché, avec celui des autres commerces, à un pilier de ciment qui commande l'entrée du parc de stationnement ; ensuite, sur un panneau d'orientation dans le hall d'entrée ; enfin, au-dessus de la devanture du magasin. Mais j'ai aussitôt écarté ces trois affiches comme étant de la publicité au point de vente. Il s'agit plutôt de renseignements factuels, un fil d'Ariane pour permettre au client de se rendre sans encombre de la rue à la porte du magasin. La preuve : elles font partie intégrante du bail.

Une publicité à proximité du point de vente, c'est autre chose. C'est une annonce qui se démarque en vue de dévier le mouvement naturel des clients à travers les corridors du centre commercial pour les diriger vers un établissement en particulier. Elle est donc particulièrement incitative et « directionnelle ». Cette publicité peut prendre autant de formes que l'imagination et la réglementation le permettent : panneau mural, feuillet remis aux automobilistes, panobus sur les lignes de transport en commun qui desservent le quartier, affiche dans les toilettes ou un ascenseur, message sur l'afficheur d'un tiroir-caisse, affichette sur les paniers d'épicerie, corro-plast, banderole, ballons. Elle doit bien connaître un certain succès pour que les magasins se disputent tant les emplacements disponibles. Comment savoir ? Par instinct ? Oui, probablement : l'instinct des commerçants, bien conscients de ce que les consommateurs agissent souvent sur un coup de tête, de manière impulsive, quand ils sont dans le centre commercial. C'est là qu'ils sont le plus... la planificatrice me souffle : « *vulnérables* ».

Conclusions de diverses études du POPAI

(Point-of-Purchase Advertising International, <www.popai.com>) :
- 74 % des décisions d'achat dans un grand magasin sont prises sur le lieu de vente.
- En pharmacie, 70 % de la promotion sur le lieu de vente génère des ventes addition-nelles, pour un CPM moyen de 9 dollars.

À cet égard, une idée m'est venue en observant une voiture de luxe trônant sur un tapis de gazon artificiel au milieu du carrefour principal du centre. Publicité discrète du concessionnaire, qui éveille l'attention du consommateur sans l'importuner. J'ai aussitôt pensé à un lieu qui servirait bien les intérêts de *Sommital*. Il s'agit d'un angle du couloir d'entrée, présentement utilisé pour la vente de billets de loterie, qu'il serait facile de transformer en éventaire. On pourrait y placer un mannequin dont l'habillement serait changé tous les trois mois (au début de chaque période de publicité de l'entreprise — point 12 du plan). L'environnement immédiat du mannequin reprendrait le style publicitaire adopté pour la campagne. Si le prix de la location d'un tel espace s'avérait élevé, *Sommital* pourrait la partager avec un partenaire qui ne lui fait pas concurrence comme, par exemple, le commerce de meubles *Bois des Andes*, un autre magasin du centre. Il faut que j'en parle à ma directrice de compte.

La publicité à proximité du point de vente est hautement efficace parce qu'une personne qui se rend dans un centre commercial est déjà dans des dispositions d'achat. Elle y recherche peut-être un article précis, mais elle résistera difficilement à l'imprévu qu'offrent les étalages. C'est un lieu de gourmandise. Je m'y suis fait prendre moi-même plus d'une fois. Annoncer un produit dans un tel contexte, c'est entretenir et orienter un désir qui s'est déjà manifesté et qui ne demande qu'à être canalisé.

Les limites des médias à proximité du point de vente

Alors que je commence à m'emballer pour la publicité aux points de vente, la planificatrice met un bémol. Comme tous les commerçants trouvent ce mode de publicité hautement efficace, la multiplication des annonces entraîne un encombrement tel qu'à la fin, chacune d'elles risque d'annuler la précédente dans le cerveau du passant. « *D'où, au total, une efficacité réduite.* »

« *La publicité sur les lieux de vente est à considérer attentivement. Mais ce n'est pas, pour un commerce, la seule façon de se faire connaître, comme tu le verras.* » La consommatrice qui pénètre chez *Sommital* le fait-elle au hasard de son magasinage — « *auquel cas aucune publicité n'aura été utile* » — ? Ou, au contraire, aurait-elle pris la peine de se rendre précisément dans ce centre-là et de marcher jusqu'à cette boutique-là s'il n'y avait eu, pour l'y inciter, une publicité bien construite et largement diffusée? «*Comme Sommital n'a pas le budget de Coca-Cola pour se faire connaître, il lui faut faire des choix.*» Quels médias, quels véhicules apporteront le plus de clients pour chaque tranche de budget dépensée? Il n'y a pas vraiment possibilité de le savoir, sinon par un questionnaire accompagnant l'achat, du genre: «*Comment avez-vous connu notre boutique?*» Cela, pour la personne qui est entrée dans le magasin. Pour toutes les autres, il faut se fier aux sondages, qui mesurent des tendances, des probabilités.

«*Sondages, sondages, sondages!*» La planificatrice n'aura bientôt plus que ce mot à la bouche. Et pour cause. «*L'annonceur ne joue pas au poker: avant de dépenser son argent en publicité, il veut connaître ses chances de retrouver sa mise de fonds — et un peu plus — par une hausse des ventes. Les sondages ont leurs limites, bien sûr, mais ils sont notre seul instrument d'évaluation.*»

Les études d'achalandage

Pour la publicité aux points de vente, ces sondages prendront surtout la forme d'études, dites «de circulation» ou «d'achalandage». En effet, avant toute analyse, il faut d'abord savoir, par pointage, combien de personnes fréquentent les corridors du centre. Alors seulement *Sommital* pourra-t-il compléter l'enquête en faisant le compte de ses propres visiteurs. Il saura alors que, parmi les clientes du centre, une sur dix ou une sur cent a franchi les portes de sa boutique. Si le sondage se révèle catastrophique, *Sommital* devra se demander s'il a choisi le «bon» centre pour s'établir, celui qui lui amènera «sa» clientèle. Interrogation capitale, s'il en est. Pour échapper au doute — car la cause de l'échec peut se situer ailleurs —, *Sommital* cherchera d'abord à savoir à quelles catégories sociales appartiennent majoritairement les personnes qui fréquentent le centre.

Comment s'y prend-on? Des pointeurs arrêtent un certain nombre de gens au hasard — «*sondage, sondage*» — et les interrogent sur leur groupe d'âge, leur catégorie de revenu, leur formation scolaire, leurs habitudes de vie et d'achat. Telle est la démarche à entreprendre. Ce relevé est onéreux. Il faut donc être sûr que le surcroît d'information qu'il apportera compensera le coût de la recherche.

Et pour quels résultats ? Par définition, un centre commercial propose des boutiques variées susceptibles d'intéresser une vaste gamme de clientèle. On risque donc d'y retrouver la même composition sociodémographique que pour le quartier environnant, pour lequel Statistique Canada dispose déjà d'une information complète, disponible à un coût raisonnable. On peut donc espérer que *Sommital* ait obtenu ces renseignements avant de signer le bail. Car, pour les propriétaires de centres commerciaux, ces chiffres servent d'argument pour y attirer les commerces.

Composition d'une population

Je fais part de mes observations à la planificatrice, qui acquiesce : « *En toute situation, essaie toujours de circonscrire le mieux possible la* **composition** *d'une population.* » Personne ne m'avait encore parlé de « composition d'une population ». J'ai donc dû lui demander de m'expliquer.

> **Composition**
> Segmentation d'une population par groupes géographiques ou sociodémographiques.

« *Imagine, un moment, que plus d'hommes que de femmes passent par tel corridor du centre commercial, parce qu'il conduit à une quincaillerie et à un magasin d'électronique.* Sommital *aura-t-il intérêt à dépenser de l'argent pour s'y afficher ?* » Voilà pourquoi il est important de connaître quel type de personnes est susceptible de voir un message publicitaire.

Sommital a intérêt à connaître la composition de la population qui fréquente le centre commercial, de manière à être mieux informé sur l'ampleur de la tranche qu'il vise expressément (femmes faisant partie d'un couple dont les revenus sont de 80 000 $ et plus — ou femmes seules gagnant 40 000 $ —, point 4 du plan). Ainsi, s'il est établi que 10 000 personnes fréquentent, chaque semaine, le centre commercial et que 500 d'entre elles sont des femmes appartenant au public cible de *Sommital*, le pourcentage de composition à retenir — et donc l'efficacité probable d'une publicité — sera de 5 %.

Basé sur des données de sondages, ce type de calcul se prête à l'analyse de tous les médias. Quand on connaît la composition de l'auditoire/lectorat d'une émission, d'une station, d'un journal ou d'un magazine, il est plus facile de savoir si une publicité qu'on y placerait a de bonnes chances d'être remarquée par le public qu'on cible. Si je vise un public de 35-49 ans, certains magazines s'y prêtent mieux que d'autres.

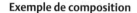

Exemple de composition

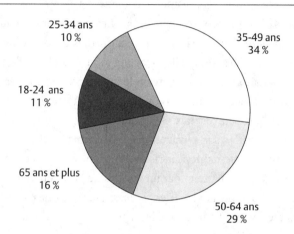

3. LES MÉDIAS QUI S'INVITENT AU DOMICILE

Au début de la semaine, je me sentais craintive. Maintenant, la planificatrice me trouve soucieuse. « *C'est le métier qui rentre. Tu vas voir : tu vas prendre de l'assurance au fil de ton stage.* » Elle m'envoie aussitôt à la maison. Non pour me reposer, mais pour analyser une autre série de médias, ceux qui envahissent le domicile… « *Toute vente commence au foyer.* » Il y en a plusieurs : je me contenterai de ceux qui m'environnent.

Les *Pages Jaunes*

Ce média s'est greffé à la liste des abonnés du téléphone dès ses débuts, il y a plus d'un siècle. Sa force, comme média publicitaire, consiste en ce qu'il ne s'impose pas, mais se présente plutôt comme un service. Personne ne m'oblige à le feuilleter. En revanche, aucun commerce ne peut se permettre de l'ignorer. Car, si le consommateur se donne la peine de consulter une rubrique des *Pages Jaunes*, c'est qu'il recherche un produit ou un service spécifique. Il ne retiendra donc, pour la suite de sa recherche, que les entreprises qui s'y seront affichées.

Sommital y a déjà son nom, en gras, à la rubrique « Vêtements pour dames ». Doit-il pour autant, dans l'espoir de se démarquer, acheter une colonne complète, avec graphisme et couleurs ? La réponse est, comme toujours, dans le rapport coût/bénéfice. Une firme qui a une clientèle stable — disons, un bureau professionnel — est en mesure de savoir, par des interrogations discrètes, de quelle façon un nouveau client s'est soudain manifesté. Si la hausse des revenus réalisée grâce aux *Pages Jaunes* est inférieure au coût mensuel de l'annonce, on s'en tiendra à la simple mention, qui, elle, n'entraîne que peu de frais. À l'autre extrême, si une succession de grands encadrés s'étire sur plusieurs pages, comme c'est le cas pour les restaurants, chacune des annonces risque d'être noyée dans cette surabondance, à moins de se démarquer par un graphisme particulièrement attirant.

Justement, en parcourant les *Pages Jaunes*, à la rubrique « Restaurants », j'ai pu constater qu'on y a multiplié les listes : (1) par ordre alphabétique ; (2) par districts ; (3) par spécialités ; (4) par menus (où des dizaines de restaurants s'affichent pleine page). Comment s'y retrouver ? La section « Vêtements pour dames » est beaucoup plus discrète. Cela donne à penser que le public des *Pages Jaunes* en est peut-être un « de dernière minute ». Ou encore « du saut dans l'inconnu » : en effet, ce qui touche l'automobile ou la rénovation de la maison — des domaines qu'on explore peu souvent — prend, dans l'annuaire des *Pages Jaunes*, une place démesurée par rapport à des commerces plus fréquentés, comme les épiceries ou les quincailleries. Confirmation : les « syndics de faillite » y occupent trois fois plus d'espace publicitaire que les « médecins ».

La publicité par courrier

L'annuaire des *Pages Jaunes* refermé, je me rends maintenant à mon bac de recyclage d'où j'extrais les multiples publicités reçues par courrier, cette semaine. Aucune d'elles n'est ouverte. « *Quoi ?* s'écrieront les commer-çants, *vous ne lisez même pas nos circulaires ?* » Disons plutôt que je ne suis pas représentative des gens de mon immeuble. Ma voisine de palier, elle, ne manque pas de les parcourir tous religieusement et d'en détacher les coupons.

Alors, qu'est-ce que je trouve dans l'ensemble de cette correspondance publicitaire ?

1) Dans son emballage plastique transparent, voici d'abord le classique Publi-Sac, avec les pages d'un grand magasin, de quatre marchés d'alimentation, d'une pharmacie et d'une pizzeria. Comme je peux en juger par ces deux derniers commerces, situés à quelques rues de chez moi, le contenu du Publi-Sac varie d'un quartier à l'autre.

2) Suit *Médiaposte*, qui se proclame « *la seule enveloppe de circulaires distribuée par Postes Canada* ». Qu'est-ce à dire ? Que, même si vous affichez « Pas de circulaires » sur votre boîte aux lettres, le facteur est obligé de vous livrer celle-ci.

3) J'ai aussi reçu d'autres concurrents, comme *Publi Enveloppe* et *Le Carnet*. J'y retrouve le même type de commerces : une lunetterie, un épicier, un fleuriste, un vendeur de chaussures, une entreprise de nettoyage, des restaurants. D'une ville à l'autre, ces cahiers varient en nombre, en dimension et en contenu.

4) Viennent ensuite des prospectus, ici quelques feuilles, là des brochures luxueuses, annonçant les produits les plus divers : vête-ments, équipements de sport, objets décoratifs, meubles. Deux chaînes de grands magasins me font part de leurs « spéciaux » en y joignant des échantillons.

5) Je déniche enfin un magazine de haut calibre, pour lequel un prix de vente est indiqué, mais qu'on m'adresse gratuitement, ce qui ajoute à son attrait. Je le reçois sans doute parce que j'habite un quartier de gens capables de s'offrir la lingerie, les bijoux et les parfums dont les annonces parsèment les pages.

Quel casse-tête ! Je dois oublier que je suis allergique aux prospectus et penser seulement aux personnes qui apprécient ce type de publicité. Y en a-t-il suffisamment, dans le public cible de *Sommital*, pour que la boutique trouve un avantage à exploiter ce média ?

Les tactiques du publipostage

Je conserve depuis longtemps une coupure de journal qui témoigne de l'intérêt que je portais à cette question bien avant mon stage. Dans un article intitulé « *Le publipostage à la rescousse de Postes Canada* », on révé-lait qu'en réaction à l'envahissement d'Internet, Postes Canada a dû accen-tuer le publipostage destiné aux entreprises, une formule publicitaire connue sous le nom de B2B, c'est-à-dire, *business-to-business*. Si j'ai mis cet article de côté, c'est que j'y ai découvert pour la première fois à quel point l'envoi postal, qui me paraît si banal, se déroule selon un processus rigou-reux. Il vaut la peine que j'en cite des extraits.

> On a tout d'abord scindé les organisations en cinq groupes, selon leur type d'utilisation du publipostage : les converties (compagnies de téléphonie, institutions financières, agences de marketing direct) ; les semi-converties (concessionnaires automobiles) ; les réactives (commerces de détail qui, aux périodes de pointe, mènent des activités afin de générer de la clientèle) ; celles qui recourent au publipostage pour transmettre de l'information (organismes publics et gouvernements) ; et, enfin, les agences de communi-cation qui recourent très peu au publipostage dans les stratégies proposées à leurs clients.
>
> « *Selon le profil de ces groupes, nous avons déterminé trois types d'actions : éducation, sensibilisation à l'efficacité et promotion de nos produits* », indi-quait Jean-Marc Nantais, récemment, au cours d'une conférence sur le marketing B2B organisée par les Éditions Infopresse. [...]
>
> Avant même de penser que ses envois seraient lus, Jean-Marc Nantais devait faire en sorte qu'ils soient au moins ouverts. « *Les secrétaires constituent le plus grand obstacle du publipostage destiné aux entreprises, confie-t-il. Parce qu'elles reçoivent des tonnes de courrier, elles ont le réflexe de rejeter toute enve-loppe ordinaire, non adressée, etc.* »

Pour les campagnes s'adressant à moins de 1000 décideurs, on a donc recouru à des envois extradimensionnels, tandis que les envois plats ont été favorisés pour les campagnes de plus grande envergure. *« Les gens se sentent mal à l'aise d'envoyer à la poubelle un paquet ou un emballage soigné et original. Le publipostage non plat génère donc des taux de réponse variant de 13 % à 18 %. Dans certains cas, les taux ont même atteint 30 %. »*

La personnalisation des envois était également importante, puisque le taux de consultation des envois non adressés est inférieur à 60 %, tandis qu'il atteint 70 % quand ils sont adressés et qu'il dépasse même 80 % lorsqu'ils proviennent d'une source connue de la personne qui le reçoit. […]

Les quelque 40 opérations de séduction de Postes Canada lui ont valu d'accroître ses revenus liés au publipostage de 6 % la première année, un résultat supérieur au taux de croissance de l'industrie, lequel tourne autour de 3 %.

François Perreault, *La Presse Affaires*, 22 mars 2005.

Quoi qu'il en soit de semblables réussites, force est de constater que le succès des *médias qui s'invitent à domicile*, comme les *Pages Jaunes* ou les circulaires, passe de plus en plus souvent par l'ordinateur ou le téléphone intelligent. Simple changement de véhicule ou modification plus profonde en vue ?

La sollicitation

J'en suis encore à analyser les potentialités des *Pages jaunes* et des prospectus quand le téléphone sonne. On veut m'offrir un abonnement de trois mois à un quotidien *« à moitié prix de ce qu'il vous en coûterait si vous l'achetiez en kiosque »*. Vraiment, la publicité m'enserre de partout. Mais est-ce bien de la publicité ? Il me semble que la publicité vise simplement à montrer un produit, par le biais d'un outil de communication, sans interférer avec mes dispositions à m'y intéresser ou pas. Alors que le vendeur qui téléphone ou se présente à la porte est là pour me « faire acheter », ce qui est beaucoup plus que « faire connaître ». J'entre, à mon corps défendant, dans l'univers du **marketing direct**.

Marketing direct

Façon de solliciter le consommateur dans son milieu de vie pour lui proposer un produit et provoquer une action immédiate d'achat de sa part. Ses formes les plus courantes sont l'appel téléphonique, le courrier et le courriel.

Il faut être prudent dans l'utilisation de l'appellation « marketing direct », qu'on applique souvent — mais à tort — à la publicité par courrier. Sans doute le prospectus et la sollicitation ont-elles en commun de proposer un produit directement à domicile ou dans quelque autre endroit familier, comme le lieu de travail. Mais le prospectus est un outil publicitaire (auquel est souvent associé un outil promotionnel, comme un coupon de réduction), alors que la sollicitation est un outil de vente. L'expression « marketing direct » recouvre souvent l'une et l'autre notion. En effet, dans les deux cas, on joint le consommateur dans la tranquillité de son foyer, alors qu'il n'est pas nécessairement dans des dispositions d'achat. C'est tout le contraire des médias à proximité du point de vente où la publicité essaie d'infléchir le comportement d'un consommateur en train de faire des emplettes.

À cet égard, il y a une gradation dans l'insistance de la sollicitation. La moins troublante — parce que je ne suis pas obligée d'y donner suite — est la sollicitation par courrier. Justement, je viens d'ouvrir une lettre touchante m'invitant à contribuer à l'une de ces œuvres de bienfaisance auxquelles ma banque a vendu mon adresse, vu que j'avais négligé, au moment d'ouvrir un compte, de cocher la case où j'aurais pu indiquer que je m'y opposais. J'ai aussi reçu une lettre personnalisée d'un magasin où j'ai eu le malheur de laisser mes coordonnées lors d'un achat. Pas si bête : on me propose maintenant un rabais « privilège » pour motif de « fidélité ».

Le marketing direct se fait aussi, et abondamment, par Internet : le commerçant à qui j'ai laissé mon adresse électronique en est à l'origine. Il ne faut toutefois pas confondre le marketing direct, qui envahit ma boîte aux lettres électroniques, et la publicité par Internet, qui s'expose sur des sites bien identifiés.

Le télémarketing

Mais ce qu'on connaît surtout du marketing direct, c'est sa forme téléphonique, le **télémarketing**.

> **Télémarketing**
> Incitation à acheter un produit par voie de sollicitation téléphonique.

Parce qu'elle envahit l'intimité du domicile de façon personnelle, imposant un dialogue qu'on n'a pas demandé, la sollicitation téléphonique irrite beaucoup de gens (c'est pourquoi il a fallu la réglementer), tout en suscitant suffisamment d'intérêt pour que le solliciteur soit prêt à accepter un nombre important de refus pour une seule écoute bienveillante. Le succès du télémarketing tient à la manière d'aborder un client qui n'est pas du tout dans des dispositions de consommation. Certaines personnes ont un talent de persuasion naturel. Ce talent se paie. Or, en général, les entreprises de télémarketing préfèrent avoir recours à des personnes en recherche d'emploi, sans expérience en la matière, qu'elles rémunèrent au salaire minimum. Sans laisser la moindre place à l'initiative personnelle, elles leur imposent un minutage précis du temps à consacrer à chaque client et jusqu'aux paroles à prononcer. Ces employés peuvent même appeler souvent de l'étranger. La qualité du rapport interpersonnel entre un tel « robot » à distance et moi, qui reçois l'appel dans le cocon de mon salon, s'en ressent inévitablement.

Quoi qu'il en soit, la multiplication des centres d'appel témoigne du succès de la sollicitation téléphonique dont le coût de revient est plutôt bas. Elle a remplacé le porte-à-porte, qui a fait les beaux jours des agents d'assurances, des colporteurs d'encyclopédies et des vendeurs d'aspirateurs. Ceux-là ont dû plier bagage depuis que les femmes travaillent à l'extérieur. Et les banlieues ont tellement éloigné les maisons les unes des autres que la démarche du solliciteur auprès des femmes qui travaillent à la maison est devenue de moins en moins rentable.

Diverses formes de ciblage

Ce n'est qu'au retour à l'agence, les bras chargés de mon stock de prospectus, que j'apprendrai à quel point la publicité par courrier et le marketing direct ciblent leur clientèle. Grâce à des bases de données de plus en plus précises, il est possible de dresser le profil des consommateurs, par groupes et sous-groupes, de manière à mieux se concentrer sur les acheteurs potentiels du produit proposé. Ce ciblage favorise la fidélisation d'une clientèle et les **ventes croisées**. Peut-être *Sommital* y trouverait-il son compte.

> **Ventes croisées**
>
> Processus par lequel on tire parti du profil d'un client pour lui proposer, à partir d'un produit qu'il a déjà acheté, un produit différent, mais tout autant susceptible de lui plaire. Par exemple, si un client a acheté un costume élégant, on lui propose une eau de toilette de qualité comparable.

Mais comment le marketing direct — et, à ce compte, tout autre outil publicitaire — nourrit-il sa base de données? Par encerclements progressifs. On commence par explorer les multiples études de Statistique Canada, extraites de ses recensements quinquennaux. On peut même commander des analyses sur mesure, portant sur des profils sociodémographiques précis, et ce, par province, région ou ville. Puis, on passe aux codes postaux, qui révèlent d'où proviennent, exactement, les clients analysés. Pour un profilage plus fin, on aura recours à des fournisseurs de listes, aux répertoires d'entreprises, aux associations professionnelles, ainsi qu'à des firmes spécialisées de recherche en marketing. Quand ce profilage se fait, non sur une base sociodémographique, mais sur une base géographique, on parlera de **géomarketing**. Je m'en rends bien compte quand je vais chez ma cousine, qui a le même âge que moi et appartient au même milieu social, mais qui habite un autre quartier de la ville. Le contenu des prospectus qu'elle reçoit est différent.

> **Géomarketing**
>
> Planification des efforts de communication marketing en fonction des lieux de vie des consommateurs potentiels. Il permet notamment de cibler des quartiers ou des codes postaux affichant certaines caractéristiques recherchées par l'annonceur.

4. DES OUTILS POUR MIEUX CHOISIR

J'ai montré à ma directrice de compte l'article sur le publipostage B2B qui m'avait frappée si vivement. « *Eh bien,* m'a-t-elle rétorqué, *puisque tu es sensible à ce genre de données, j'ai ici quelque chose qui va sûrement t'intéresser.* » Et elle m'a tendu de volumineux dossiers dans lesquels divers organismes de communication faisaient leur promotion. « *Tu vas voir que chacun se décrit comme le meilleur véhicule publicitaire. C'est de bonne guerre. Il n'y a d'ailleurs aucune raison de mettre leurs statistiques en doute. Mais telle n'est pas la question ; tu dois surtout te demander lequel de ces médias est le mieux indiqué pour la publicité de* Sommital. »

« *Il te faut des clés d'analyse. Tu en as déjà quelques-unes, notamment la portée, la fréquence moyenne et les impressions brutes. En voici une quatrième, essentielle pour la suite de ton stage :* le **point d'exposition brut**, *en raccourci, le* **PEB**, *en anglais* **Gross Rating Point (GRP).** »

Le point d'exposition brut (PEB)

Le PEB traduit en pourcentage ce que les impressions brutes ont déjà révélé en nombre absolu, soit l'accumulation des occasions où des personnes ont été exposées à un message.

Point d'exposition brut (PEB)

Pourcentage d'exposition à un message, soit par une même personne, soit par des personnes différentes.

$$PEB = \text{portée (en \%)} \times \text{fréquence moyenne}$$

Exemple fictif :

Groupe sociodémographique : Adultes, 18 ans et plus

Marché : Montréal francophone (marché étendu)

Auditoire moyen à la minute : 253 100

Cote : 9,0

Nous pouvons donc affirmer qu'il y a en moyenne, à chaque minute, 253 100 Montréalais francophones de 18 ans et plus qui regardent cette émission. La cote donne le nombre de PEB que chaque occasion placée dans cette émission générera et c'est aussi le pourcentage de l'auditoire moyen par rapport à la population. Bref, chaque occasion génère 9 PEB ; pour une occasion, cela signifie une portée de 9 % pour une fréquence moyenne de 1,0. De plus, le nombre 253 100 représente 9 % de la population des Montréalais francophones de 18 ans et plus.

Tout annonceur aimerait savoir combien de personnes ont vu son message publicitaire, et combien de fois chacune l'a vu. Ce n'est pas statistiquement possible. Tout ce qu'on peut dire, c'est qu'à chaque occasion où le message s'est affiché (dans un journal, à la télé, sur un panneau, etc.), un certain nombre de personnes y ont été exposées. Il peut s'agir, chaque fois, des mêmes personnes (fréquence) ou de personnes différentes (portée) ; nul ne le sait. Le PEB permet d'établir cette combinaison entre la fréquence et la portée, une information particulièrement recherchée par l'annonceur.

J'ouvre un autre dossier. J'y apprends entre autres que, pour obtenir 25 PEB chaque jour, il faudrait que *Sommital* s'affiche sur 34 **faces**.

Face

Surface où est affiché un message publicitaire. Les PEB associés à une face sont mesurés sur la base du nombre de personnes qui défilent devant l'affiche et, conséquemment, sont susceptibles de la voir.

Tarifs d'affiches dans les centres commerciaux : exemple
Montréal métropolitain (y compris Longueuil) – population : 3 141 000

			25 PEB quotidiens		50 PEB quotidiens		75 PEB quotidiens	
Durée	Population	Tarif/ unité	# faces	Tarif	# faces	Tarif	# faces	Tarif
Un mois	3 141 000	685 $	34	20 400 $	67	38 525 $	100	51 500 $

Le tableau se lit ainsi : pour générer quotidiennement 25 PEB auprès de la population de Montréal, pendant un mois, il faut acheter 34 faces (panneaux) pour un coût total de 20 400 $. Cela représente une économie de 85 $ par face par rapport au tarif unitaire.

Que puis-je tirer de cette donnée ? Que, statistiquement, 34 panneaux d'affichage génèrent un total de 785 250 (25 % de 3 141 000) contacts par jour entre le message publicitaire et un passant. « *Mais attention ! Il peut s'agir, dans plusieurs cas, des mêmes personnes défilant devant des panneaux différents.* » On ne sait pas non plus combien de ces personnes appartiennent à la cible de *Sommital*… « *ni combien des 34 panneaux considérés sont installés sur la Rive-Sud* ».

Retour sur la portée et la fréquence

Je découvre que toutes les mesures d'auditoire s'appuient sur l'application de la fréquence moyenne à la portée d'un média. Je regrette d'avoir considéré si rapidement ces outils quand on me les a présentés au début de mon stage. Une analyse du dossier de *Publi-Sac* me permet d'y revenir.

D'après *Médias Transcontinental*, qui diffuse cet emballage de plusieurs prospectus, *Publi-Sac* atteint 4,2 millions de personnes par mois, soit une portée de 72 % de la population québécoise. Ce nombre est intéressant, tant pour ce qu'il laisse à penser que pour ce qu'il dit vraiment. En effet, à la première lecture, j'ai conclu — erronément — que 72 % des Québécois parcouraient le contenu d'un Publi-Sac chaque semaine. Or, l'analyse fait plutôt état d'audience « mensuelle », autrement dit, sur une fréquence de quatre ou cinq livraisons.

Je vois ainsi s'appliquer dans le concret ce que j'ai appris théoriquement à propos de la « portée » et de la « fréquence ». Je viens aussi de comprendre pourquoi une portée cumulative s'élève à mesure que s'ajoutent de nouvelles diffusions ou insertions. Cette information est capitale pour moi. Car, quand j'aurai à mesurer l'audience des messages de *Sommital*, je devrai bien me garder d'imaginer des individus précis lisant ou écoutant l'annonce, comme il me serait tout naturel de le faire. Je dois plutôt penser médias de masse, une approche qui occulte les individus au profit des grands nombres. Et pour traduire ces grands nombres, il faut utiliser des unités anonymes.

Compter en PEB ou en CPM

Quand l'annonceur, représenté par l'agence média, place une publicité dans un journal, une station de radio ou une chaîne de télévision, il s'enquiert du nombre de personnes qui la liront, l'entendront ou la verront, mais aussi du CPM requis pour obtenir, selon une certaine « fréquence », la « portée » souhaitée. « *Tu peux pousser ton raisonnement plus loin encore* », me dit la planificatrice. Elle n'a pas besoin d'insister : j'ai déjà compris. Le CPM, les PEB et bien d'autres expressions du genre constituent un mode de calcul intermédiaire entre celui utilisé par l'entreprise pour établir ses coûts et celui des médias pour établir leurs revenus.

Ainsi, *Sommital* a mis de côté 72 000 $ pour sa publicité ; cet argent doit lui rapporter 6000 ventes. Par ailleurs, le total annuel de leurs ventes d'espace ou de temps doit permettre aux médias de boucler leur budget avec une marge de profit. « *C'est juste. L'entreprise et les médias ne parlent pas le même langage. Ton raisonnement se tient. Continue.* » Pour être en mesure de se faire connaître, *Sommital* a besoin des médias. Il choisira donc, pour sa publicité, ceux qui, à efficacité égale, lui coûteront le moins cher. De leur côté, les médias ont besoin, pour survivre, d'entreprises comme *Sommital*. Chacun d'eux fera donc tout pour obtenir les 72 000 $ en question. Mais pour garantir quoi en retour ? 6000 ventes ? Non. Simplement de l'impalpable visibilité.

Or — « *ça y est, tu arrives au point le plus important* » —, cette visibilité est si diversifiée d'un média à l'autre qu'il faut trouver une façon de comparer le rendement de chacun. Le PEB, le CPM et d'autres formules du genre permettent de traduire le coût de la visibilité publicitaire dans le langage propre à chaque média. « *Ainsi, quand nous traiterons de la radio, tu ne seras pas surprise d'entendre quelqu'un dire : "Je peux vous offrir tant de PEB, à tel coût."Cela signifie que, quelles que soient les émissions présentées, on obtiendra — statistiquement —, au cours d'une semaine ou d'un mois, un même niveau d'exposition.* »

Les applications du CPM

Quel que soit le média choisi, le CPM indique toujours le coût nécessaire pour que le message publicitaire atteigne 1000 personnes. Comme *Sommital* cible 22 500 consommatrices sur trois ans (c'est bien ce que dit le point 10 du plan média) et qu'il dispose de 144 000 $ (point 14 du même plan), il ne saurait dépenser plus de 6,40 $ par personne en publicité, soit un coût par mille de 6400 $.

La directrice de compte me corrige : « *N'oublie pas que* Sommital *investit la moitié de son budget, la première année (point 15), pour n'atteindre que le tiers de sa cible. Ce qui donne — je te laisse faire le calcul — un CPM de 9600 $ pour la première année du plan. Tu as plus d'argent à dépenser que tu ne le croyais.* »

Raison de plus pour ne pas le gaspiller. Ce CPM-là, vaut-il mieux le placer dans dix annonces d'un quart de page dans un journal ou dans cinquante annonces de trente secondes à la radio… ou encore dans des affiches au centre commercial… ou bien dans des prospectus… ou dans une combinaison de plusieurs médias, chacun ayant son CPM ?

Les caractéristiques du *Publi-Sac* comme véhicule publicitaire

Tous les samedis matins, quand je vais chercher mes journaux, je vois un *Publi-Sac* accroché à chacune des portes de la rue. L'entreprise distribue ainsi 50 millions d'imprimés publicitaires à plus de 3 millions de foyers. La méga-circulaire est livrée dans 97 % des foyers, alors que, se plaît à préciser Transcontinental, la pénétration des quotidiens n'est que d'environ 45 %.

Des 4,2 millions de personnes que rejoint mensuellement *Publi-Sac*, combien y en a-t-il, en pourcentage, qui le consultent toutes les semaines ? La réponse est 85 %. Combien de temps ces lecteurs lui consacrent-ils ? La réponse est 26 minutes par semaine. Combien d'entre eux se rendent-ils ensuite chez un des détaillants qui ont placé une annonce dans l'enveloppe publicitaire ? La réponse est 81 %. L'analyse va plus loin encore et précise le coût pour l'annonceur par seconde d'exposition : 18 ¢ ! Ainsi *Publi-Sac* cherche-t-il à se comparer avantageusement aux autres médias.

Les propriétaires de *Publi-Sac*, comme ceux de tous les grands médias, ont mesuré soigneusement la satisfaction des utilisateurs, depuis le format du sac et le jour de sa distribution, jusqu'à sa comparaison avec d'autres formes de distribution de prospectus. Ils ont même présenté des simulations comparatives dont je pourrais m'inspirer sur le plan méthodologique quand viendra pour moi le moment de faire une proposition pour *Sommital*.

Qu'appelle-t-on « **simulations comparatives** ? » En voici un exemple.

Exemple de simulations comparatives		
	Simulation 1	*Simulation 2*
	100 % journal quotidien	*75 % quotidien et 25 % autre média*
Budget total	20 000 $	20 000 $
Groupe cible	25-54 ans	25-54 ans
Portée	64,8 %	95,0 %
Fréquence	3,5	4,9

Et puis, quel est son CPM ? Je n'entrerai pas dans les détails, mais je dirai simplement qu'il est un peu plus élevé que celui de la télévision en général, mais moins élevé que celui des quotidiens. C'est dire que certains marchands trouveront avantage à y insérer un prospectus, d'autre pas, selon les caractéristiques du public qu'atteint *Publi-Sac*. C'est pourquoi on a soigneusement établi le profil du lectorat (69 % de femmes) et l'âge qu'ont les personnes qui le consultent le plus (entre 35 et 44 ans).

Indice

Ce dernier point me conduit à une autre notion fréquemment utilisée en publicité, celle d'**indice**. J'enrichis ainsi, semaine après semaine, mon vocabulaire technique de la publicité. Mais surtout, je m'entraîne à me donner les moyens de réaliser, moi aussi, un jour, les analyses auxquelles tout publicitaire doit savoir s'astreindre pour réussir une campagne.

Indice

De façon générale, rapport de deux données ramené sur une base de 100. En placement média, l'indice sert à mettre en évidence la concentration plus ou moins élevée d'une tranche de la population qui a accès à un média. Les Français utilisent l'expression « indice d'affinité avec la cible ».

$$\text{Indice} = \frac{\text{composition de la cible (en \%)}}{\text{composition de la population (en \%)}} \times 100$$

Indice de la population qui consulte tel média sur la base de sa composition par catégories d'âge : exemple

Catégorie d'âge	Composition de la population	Composition des lecteurs de tel média	Indice
18-24 ans	12 %	9 %	75
25-34 ans	18 %	17 %	94
35-44 ans	22 %	31 %	141
45-54 ans	19 %	19 %	100
55-64 ans	13 %	12 %	92
65 ans+	16 %	12 %	75

Un indice au-dessus de 100 (la base) permet de conclure que la concentration d'un certain groupe est plus accentuée que dans l'ensemble de la population analysée. Dans l'exemple qui précède, je constate que les lecteurs sont constitués, à 31 %, de gens de 35-44 ans, alors que ce groupe ne forme que 22 % de la population. L'indice qui en résulte s'établit à :

$$\frac{31\%}{22\%} \times 100 = 141$$

La notion d'indice me sera précieuse pour comprendre comment Transcontinental dialogue avec les entreprises qu'il incite à annoncer dans *Publi-Sac*. Ainsi, saura-t-il insister sur le fait que les personnes qui sont au sommet de leur influence dans la société — celles de 35 à 44 ans — sont beaucoup plus nombreuses à dépouiller la méga-circulaire (31 %) qu'on ne l'aurait cru si on avait uniquement considéré la proportion des gens de cette tranche d'âge dans l'ensemble de la population (22 %).

Milieu et haut de gamme

Les divers médias utilisent abondamment les données que leur fournissent les sondages pour mettre en évidence leurs avantages comparatifs. Ainsi en est-il de ce document promotionnel du *Groupe Pages Jaunes* que la planificatrice vient d'ajouter à ma pile de documents.

Données fournies par *Groupe Pages Jaunes* sur son site Internet pour l'annuaire *Pages Jaunes*^MC

Portée : 28 millions d'exemplaires imprimés au Canada.

Consultation mensuelle des Canadiens : 71 %.

Achat ou intention d'achat consécutifs à une consultation : 75 %.

Résultat : 26 $ de revenus pour chaque dollar investi.

Publi-Sac et *Pages Jaunes* sont deux médias qu'on pourrait appeler de milieu de gamme. Mais ils font tout pour indiquer qu'ils atteignent aussi le public haut de gamme. Chez les lecteurs de *Publi-Sac*, insiste-t-on, les propriétaires (indice de 114) sont plus nombreux que les locataires (indice de 81), et les ménages à revenu moyen (indice de 124) plus nombreux que ceux dont le revenu est plus bas (indice de 86). Je montre cette donnée à la planificatrice, qui réagit aussitôt : « *Attention ! L'étude ne dit pas qu'il y a plus de propriétaires que de locataires, mais que, selon la répartition des uns et des autres dans la population, la proportion de ceux qui dépouillent le Publi-Sac est plus élevée.* » En revanche, les personnes ayant une formation universitaire (20 % de la population) ne représentent qu'un indice de 90, alors que celles qui n'ont qu'une formation secondaire (50 % de la population) ont un indice de 143.

À la lumière de ces données, je sais maintenant quels commerces ont le plus intérêt à s'afficher dans *Publi-Sac* : ceux qui visent des gens d'âge moyen, propriétaires de leur maison, pas particulièrement instruits, mais occupant un poste qui leur assure un revenu correct.

Comme d'habitude, chaque média cherche à se présenter sous son meilleur jour. Des données objectives, les médias ne retiennent que celles qui les avantagent. L'évaluation est donc chose délicate qui dépend aussi de l'expérience et du savoir-faire d'un planificateur média.

Environnement de prestige

Il me semble pourtant qu'il me manque des données. Je sais d'instinct que les annonceurs de produits de luxe, comme *Sommital,* recherchent plutôt un environnement publicitaire de prestige pour mieux se différencier de la « masse ». Est-ce aussi efficace qu'ils le pensent, compte tenu du coût très élevé de la publicité haut de gamme ?

Je n'ai pas de réponse à cette question. Il m'en faudrait connaître plus sur la composition, l'indice et toutes ces choses-là. D'ailleurs, les chiffres commencent à tourner dans ma tête. « *Tu m'as l'air bien fatiguée.* » On le serait à moins. Les gens de cette agence ont pourtant dû être stagiaires, un jour, eux aussi. Ils ont bien dû peiner, comme moi, sur ce qui, aujourd'hui, leur apparaît comme une tâche courante. Compréhensive, la planificatrice média me donne congé. Mon responsable de stage confirme : « *Reposez-vous bien, car le volet de la semaine prochaine réclamera, lui aussi, une grande attention de votre part.* »

4ᵉ SEMAINE DE STAGE

Les journaux

Comme au début de chaque semaine, je passe d'abord chez mon responsable de stage, qui, malgré ses cheveux blanchissants, semble avoir toute la vie devant lui. Il ne se presse pas pour me jeter dans le feu de l'action. Il veut que je me mesure d'abord au métier, que je prenne de la distance par rapport aux tâches qui me seront demandées, que j'acquière un sens critique suffisant. « *C'est une exigence fondamentale pour développer ta créativité.* »

1. RADIOGRAPHIE DES QUOTIDIENS ET DES HEBDOS

Le directeur des achats section imprimés, qui me reçoit maintenant, est un homme agité, toujours plaqué à son cellulaire, qui parle fort, très fort. Et d'ailleurs, plus en nombres qu'en mots : « *Cent dix-huit, non, plutôt quatre-vingt-neuf. Quoi ? J'entends mal… le dix ou le onze ? Cent soixante ou deux cent soixante lignes agate ?* » Son mandat : trouver, pour l'annonce qu'on lui confie, le journal qui offrira la plus grande visibilité au meilleur coût. Une préposée exécute, elle, auprès de ses vis-à-vis des journaux, les achats décidés par le directeur.

Les écrits restent

« *Bienvenue, ma fille !* » Pour lui, toute personne plus jeune que lui est aussitôt qualifiée de « *mon gars* », « *ma fille* ». C'est, de loin, l'aîné du bureau. Il tutoie le président et a priorité pour le choix de ses semaines de vacances. En trente ans de métier, il aura connu toutes les intrigues de la maison, mais en s'astreignant à une discrétion qui lui a valu une confiance sans réserve de ses supérieurs. L'homme aux cheveux clairsemés me montre une longue table où s'entassent des dizaines d'annonces publiées dans les journaux. Puis, il ouvre un tiroir où sont rangées d'autres annonces encore, classées par ordre de clients : « *Tous les jours nous vérifions si l'annonce que nous avons achetée a bien été publiée au bon endroit. Les journaux savent que nous sommes vigilants. Ils ne prennent pas de risques, car "les écrits restent".* » Oui, les écrits restent, et c'est là la grande force de l'imprimé dans le monde de la publicité. Au petit déjeuner, j'aurai pu entrevoir une annonce sans m'y attarder. Ce sera souvent pour mieux y revenir en fin d'après-midi, comme si elle avait creusé un sillon dans mon cerveau tout au long de la journée.

« *Alors, ma fille, qu'est-ce que tu veux savoir ?* » J'explique au directeur que je réfléchis sur l'opportunité d'utiliser l'imprimé pour une campagne publicitaire. « *Pour quel marché ?* » Après avoir décrit brièvement la boutique *Sommital* à Longueuil, j'ai le malheur d'ajouter que je cherche un quotidien de qualité. Mon interlocuteur s'esclaffe : « *Tu n'en trouveras pas, ni de qualité, ni d'autre sorte. Il n'y a pas de quotidien à Longueuil.* » Dans la région longueuilloise, il n'y a que des hebdos.

Hebdos de l'agglomération longueuilloise

Le Courrier du Sud (Longueuil) — *Longueuil Extra* — *Le Journal de Saint-Hubert* — *Magazine Rive-Sud* (Saint-Lambert) — *Brossard-Éclair* — *Le Journal de Saint-Bruno* — *L'Information de Sainte-Julie* — *La Relève* (Boucherville) — *La Seigneurie* (Boucherville).

« *Si tu tiens absolument à annoncer dans un quotidien, tu dois te faire connaître dans un journal… de Montréal… qui ne te fera pas de rabais du seul fait que ta clientèle ne dépasse pas l'horizon de la Rive-Sud.* » Mais, on ne sait jamais, je peux y trouver de l'intérêt. Je ne commencerai pas à mettre des limites à mes investigations.

Quotidiens de Montréal

Le Journal de Montréal — *La Presse* — *The Gazette* — *Le Devoir* — *Métro* — *24 Heures*.

Les journaux ont transformé la publicité

L'accueil du directeur des achats section imprimés contraste avec l'échange posé que j'ai eu tout à l'heure avec mon responsable de stage. Mais le ton va changer, car, comme il sera bientôt midi, il m'invitera à l'accompagner dans un café de la rue Saint-Paul, le temps de m'exposer la place qu'occupent les journaux dans le monde des médias publicitaires. « *Avant l'écrit, m'expliquera-t-il entre deux bouchées prises rapidement, l'annonceur ne pouvait se faire connaître plus loin qu'au point extrême où portait le son de sa voix. Les messages se répandaient donc de crieur en crieur.* »

L'arrivée des journaux effectuera une véritable révolution en éliminant la double frontière de l'espace et du temps. L'espace : en atteignant le public en tout lieu où l'homme pouvait se rendre, que ce soit par diligence ou par bateau. Le temps : en permettant aux gens d'accéder au message au moment de leur choix. « *Oui, une révolution aussi considérable que celle de la télévision ou d'Internet, de nos jours. Avec cette réserve, toutefois : pour y accéder, il fallait savoir lire.* » La photo, la couleur, un raffinement du graphisme rendent aujourd'hui les annonces accessibles aux analphabètes. « *Et surtout, attrayantes.* » Il le faut bien, tant est désormais grande la concurrence des autres médias.

L'évolution des journaux

« *L'histoire des journaux est liée à l'évolution de l'impression.* » Trois siècles après l'invention du procédé d'imprimerie (Gutenberg, 1438), les premières presses relativement rapides apparaissent : Anisson et Didot (France, 1770), Stanhope (Angleterre, 1795), Senefelder (Autriche, 1795). Aujourd'hui, les rotatives impriment des dizaines de milliers d'exemplaires à l'heure. « *C'est la façon pour les journaux de concurrencer l'instantanéité des médias électroniques.* »

Au Québec, les périodiques n'ont pas encore fait leur apparition sous le Régime français. C'est un an après la cession de la Nouvelle-France à l'Angleterre par le traité de Paris que fut fondé *The Quebec Gazette* (le 21 juin 1764). Il s'agissait d'une seule feuille, imprimée pour une part en anglais, pour l'autre, en français. Aujourd'hui, le quotidien *The Gazette* de Montréal est le plus ancien journal du Québec. Fondé en 1778 par Fleury Mesplet (dont un petit parc conserve le souvenir dans le Vieux-Montréal), il était, à l'origine, publié en français. Il est progressivement devenu bilingue avant de passer totalement à l'anglais, à partir de 1822. En 1867, année de la Confédération, on dénombrait 1033 publications périodiques dans l'ensemble du pays. Le tirage global de la presse a connu une croissance soutenue avant de décliner quelque peu au cours du dernier quart du xxe siècle. L'essor de la communication numérique, dite *en ligne,* s'est d'abord réalisé à son avantage, accélérant d'autant son accès aux sources d'information. Mais quand les réseaux sociaux prirent leur envol et que se créèrent des sites spécialisés d'information instantanée, la presse commença à s'inquiéter d'un retard sur les événements qui, ajouté à celui qu'elle subissait déjà face aux nouvelles télévisées, lui coûtait de plus en plus de lecteurs. Si la chute du tirage s'avéra mortelle pour plusieurs journaux, les autres durent s'empresser de se donner des sites Web pour rester dans la course.

La concurrence avec les autres médias n'en est pas résolue pour autant. D'une part, ils essayent de tenir tête à la télévision par des analyses en profondeur des grands enjeux contemporains. D'autre part, ils affrontent les magazines par une qualité de présentation qu'on ne leur connaissait pas avant la mise au point de presses aptes à rendre de splendides couleurs sans requérir de papier glacé.

La croissance de la publicité a suivi une courbe identique. « *Le* Halifax Gazette, *fondé le 23 mars 1752* ... — oui, je me souviens avoir vu le cadre dans le bureau du président au début de mon stage — ... *ne contenait, à ses débuts, que trois annonces portant la marque de commerce du produit et son prix.* » Un siècle et demi plus tard, la publicité demeurait encore rudimentaire : aux renseignements sur le produit, à peine avait-on ajouté quelques titres tracés à la main. Les choses ont bien changé par la suite, comme chacun peut le constater en ouvrant son journal.

Les quotidiens aujourd'hui

Le Japon prétend détenir le record mondial de diffusion d'un quotidien, avec le *Yomiuri Shimbun* qui tire à plus de quatorze millions d'exemplaires. Il témoigne d'un tirage en hausse à peu près partout en Asie. En Occident, après une période de léger recul, une compétition plus robuste avec les médias électroniques est visiblement à l'œuvre. On perçoit dans les entreprises de presse une volonté inédite d'innover et d'expérimenter des stratégies pour faire rebondir le lectorat… et mieux garnir l'assiette publicitaire.

Dans le but de conquérir de nouveaux (et jeunes) lecteurs, plusieurs quotidiens ont complètement repensé leur image en ajoutant des dossiers *people* et des cahiers spéciaux. Sur le plan matériel, certains ont emménagé dans de nouvelles installations et procédé à des renouvellements majeurs de leur équipement d'imprimerie. Presque tous ont créé des sites Internet, tandis que plusieurs titres ont procédé à la refonte complète de leur grille graphique et publient désormais des magazines encartés. Pour maintenir l'intérêt des lecteurs, augmenter le tirage et attirer les annonceurs, ces journaux multiplient aussi les sections où abondent sujets de société ou articles sur les loisirs et la vie quotidienne. Cet effort de renouvellement a ses limites. Du fait des coûts à engager pour publier un journal, seule une ville de plus de 100 000 habitants peut habituellement rêver à un tirage qui assurerait la rentabilité d'une publication quotidienne. « *Pour les villes plus petites, on aura plutôt recours à une publication hebdomadaire.* »

Les quotidiens gratuits

L'arrivée aussi soudaine que durable des quotidiens gratuits en 2002 a créé une nouvelle classe de journaux et suscité une nouvelle catégorie de lecteurs. Pas une ville moderne, pas un métro, qui n'ait son quotidien gratuit. Par un recours massif aux agences de presse, il est possible de remplir des pages de nouvelles d'une grande variété intéressant les nombreux usagers du transport en commun. Par ailleurs, les étudiants et jeunes travailleurs, qui n'ont pas le temps de lire de journal à l'heure de leur déjeuner bâclé, utilisent le répit que leur impose le voyage pour cueillir, par le journal gratuit et rapidement jetable, des bribes d'information.

Est-ce un bon vecteur de publicité ? Oui, si on en juge par la réponse des annonceurs. En outre, le fait que ce type de publication s'impose partout témoigne de la confiance que les éditeurs portent en sa capacité de joindre un public que les journaux traditionnels n'atteignent pas. Tout au moins s'ajoute-t-il à la panoplie de plus en plus étendue des médias publicitaires, en plus de contribuer à augmenter le lectorat des quotidiens.

Répartition des marchés publicitaires des quotidiens au Québec	
Marchés	*Quotidiens*
Montréal	*Le Journal de Montréal* *La Presse* *Le Devoir* *24 Heures** *Métro** *The Gazette***
Québec	*Le Journal de Québec* *Le Soleil*
Sherbrooke	*La Tribune* *The Record***
Trois-Rivières	*Le Nouvelliste*
Chicoutimi-Jonquière	*Le Quotidien*
Granby	*La Voix de l'Est*

* Quotidien gratuit
** Quotidien anglophone

Les hebdomadaires aujourd'hui

Tout cela me ramène à Longueuil. Il n'y a pas de quotidiens de la Rive-Sud, alors qu'on y compte pourtant plusieurs centaines de milliers d'habitants. « *C'est un cas classique de dumping. Les journaux de Montréal ont déjà fait leurs frais quand ils arrivent à Longueuil. Les exemplaires qu'ils y vendent ne leur coûtent donc à peu près rien à produire. Aucun quotidien local ne pourrait les compétitionner.* » À moins que, satellite de la métropole, Longueuil ne s'en distingue pas suffisamment pour se donner les contours d'un marché clairement identifiable. En tout état de cause, mes recherches pour le placement publicitaire de *Sommital* me commandent d'en connaître plus sur les hebdomadaires.

On dénombre présentement plus de 1200 hebdomadaires (ou journaux communautaires) au Canada, dont 200 au Québec. Dans plusieurs marchés et régions, on observe un **taux** élevé **de duplication**, quand deux journaux couvrent entièrement ou partiellement un même territoire géographique.

Taux de duplication

Proportion d'une population exposée à plus d'un média.

Par exemple, il s'agira de gens qui lisent à la fois le quotidien A et le quotidien B. En s'affichant dans deux journaux, l'annonceur atteindra deux fois certaines personnes tout en se faisant voir — mais une seule fois — par celles qui ne lisent qu'un seul des deux journaux.

Ainsi, dans le marché de Montréal francophone, une édition de semaine du quotidien *Le Journal de Montréal* rejoint environ 575 000 lecteurs et *La Presse* 400 000 lecteurs. Parmi ces lecteurs, 75 000 lisent les deux quotidiens. Donc, *Le Journal de Montréal* a une duplication de 13 % avec *La Presse* (75 000/575 000) et *La Presse* a une duplication de 19 % avec *Le Journal de Montréal* (75 000/400 000).

Rôle communautaire des hebdomadaires

Les hebdos se répartissent en deux catégories. Certains, dits « régionaux », émanent surtout de ces villes moyennes qu'on qualifie de capitales régionales (par exemple, Rimouski ou Rouyn). D'autres, appelés « locaux » (*Courrier Laval*) ou « de quartier » (*Journal de Rosemont-Petite Patrie*), se nourrissent des grands centres urbains où ils côtoient les quotidiens ; ils sont distribués dans une zone d'influence commerciale bien circonscrite.

On assimile aux hebdos les journaux communautaires publiés à une fréquence moindre (toutes les deux semaines ou tous les mois). La plupart des hebdos sont gratuits et distribués directement chez les citoyens, dans une zone géographique spécifique établie à partir de codes postaux, de rues ou de quartiers. Ainsi ancrés dans leur milieu, ils n'ont pas besoin d'intermédiaire pour obtenir de la publicité locale ; ils ne recourent à des représentants que pour la publicité régionale ou nationale.

Les hebdomadaires d'aujourd'hui ont une vocation que l'on peut qualifier de soutien à la cohésion sociale. Ils ont vu leur tirage augmenter au cours des vingt dernières années, ce qui laisse deviner un intérêt croissant des lecteurs pour un contenu local de nouvelles. La distribution systématique, de porte en porte, fait leur force. Résultat : environ 70 % de la population adulte lit un hebdo au cours d'une semaine. C'est souvent, pour eux, la principale source de nouvelles à caractère local.

Les hebdos du Québec voient leur avenir marqué par trois tendances. D'abord, ils semblent vouloir s'investir encore plus intensément dans leur communauté, s'éloignant ainsi du rôle qu'ils occupèrent longtemps de véhicule pour la publicité de produits bon marché. Ensuite, on peut prévoir que leur nombre diminuera au fil des regroupements de municipalités. Enfin, on entrevoit déjà une croissance des versions « *en ligne* » des plus importants d'entre eux. Ces modifications auront évidemment un effet sensible sur leur volet publicitaire.

L'administration des journaux

Les journaux sont des entreprises commerciales, d'où l'importance de connaître leurs sources de revenus et de dépenses. « *Tu sais déjà que leurs revenus proviennent majoritairement de la publicité.* » En général, dans les quotidiens, la publicité locale ou de détail compte pour un peu plus de 50 % des revenus publicitaires, les annonces classées pour environ 30 % et la publicité nationale ou générale pour quelque 20 %. La publicité locale compte pour 90 % des revenus publicitaires des hebdos.

Pour ce qui est des dépenses d'exploitation, les quotidiens sont particulièrement sensibles aux frais d'impression (tels l'achat et l'entretien des presses), aux dépenses liées à la distribution (transport, promotion des abonnements), et surtout au coût du papier. « *Il n'est pas rare de voir les éditeurs expliquer une augmentation des coûts d'abonnement et des tarifs publicitaires par une hausse du prix du papier.* » Chez les hebdos, les dépenses d'exploitation portent surtout sur le coût d'impression (presque toujours effectuée hors de leur marché, dans une imprimerie centralisée) et sur la distribution.

La représentation publicitaire des journaux est généralement assurée par des firmes intermédiaires, sauf pour la publicité locale dont ils se réservent la gestion. « *Ce sont ces firmes intermédiaires qui transigent le plus souvent avec des agences de placement média comme la nôtre.* »

Principaux groupes de vente publicitaire dans les journaux

Probec et Quebecor

Ces deux groupes se partagent la majeure partie de la représentation publicitaire des quotidiens du marché québécois. Chacun d'eux est responsable d'un ensemble de journaux dans les principaux centres urbains.

Les Hebdos Sélect

Ce guichet unique permet aux publicitaires d'épargner temps et argent, car en plus du placement média, l'entreprise offre des services d'envoi de matériel et de distribution de circulaires. L'organisme publie périodiquement un répertoire de renseignements sur plus de deux cents journaux membres dans leurs marchés respectifs, répartis dans toutes les régions du Québec, et sur des hebdomadaires francophones d'autres provinces. Il assure aussi la représentation publicitaire de journaux militaires, de journaux des communautés culturelles et de certaines publications spécialisées.

Quebecor Ventes Média

Cette entreprise est responsable de l'administration des comptes publicitaires de plus de soixante journaux hebdomadaires, propriété de Quebecor (Les Hebdos Quebecor) ou d'éditeurs indépendants, couvrant les diverses régions du Québec. Elle offre également ment un service de distribution de circulaires.

2. ANNONCER DANS UN JOURNAL

De retour au bureau, le directeur des achats section imprimés poursuit la conversation comme s'il n'entendait pas ces quelques mesures du *Rondo à la turque* (sonate KV 331) de Mozart par lesquelles son cellulaire l'interpelle sans arrêt. Il y a si longtemps qu'il travaille ici qu'il sait distinguer, avant même de répondre, les messages urgents des appels de routine. « *Je me suis un peu attardé au fonctionnement des journaux. Mais tu veux surtout savoir s'ils constituent un bon véhicule publicitaire, n'est-ce pas ? Je te répondrai par un "oui" conditionnel.* »

La condition, je la devine déjà, tant elle est devenue le leitmotiv de cette agence : « *Savoir se faire inviter.* » Se faire inviter par les entreprises de presse, qui cherchent désespérément des façons de renouveler leurs formats d'annonce pour retenir l'attention du lecteur et, ainsi, attirer de plus nombreux annonceurs. À l'instigation de firmes dynamiques comme la nôtre, les journaux seront disposés à publier des cahiers spéciaux à la présentation originale et, même, à imprimer des pages hors format, si l'analyse démontre que le consommateur s'y arrête plus longtemps qu'aux sections habituelles.

Le tirage des journaux

« *Pour savoir si un journal est un bon véhicule publicitaire, il faut, en tout premier lieu, distinguer " tirage " et " lectorat ". Ce qui compte, ce n'est pas tant le nombre d'exemplaires imprimés ou vendus que le nombre d'exemplaires effectivement lus et le nombre moyen de **lecteurs par exemplaire**.* » Le **tirage** (appelé aussi « **circulation** ») est évalué par des firmes de contrôle, qui distinguent les exemplaires pleinement payés, les exemplaires soldés pour fins de promotion et les exemplaires distribués gratuitement. Cette distinction ne manque pas de sagesse, vu qu'il est dans la nature humaine de porter plus d'attention à ce que l'on paie qu'à ce que l'on obtient gratuitement.

Tirage

Nombre d'exemplaires distribués.

À distinguer du lectorat, nombre total de personnes qui ont lu ces exemplaires.

Par exemple, si un quotidien distribue, en moyenne, 250 000 exemplaires (tirage) pour une édition de semaine et si, en moyenne, une édition de semaine est lue par 525 000 lecteurs (lectorat), cela donne 2,1 lecteurs par exemplaire.

Trois organismes vérifient que les journaux impriment bien le nombre d'exemplaires qu'ils prétendent produire.

La certification du tirage

ABC (Audit Bureau of Circulation)

mesure le tirage des imprimés dans toute l'Amérique du Nord. Au Canada, il est l'instrument le plus utilisé. Il s'agit d'une organisation tripartite, réunissant la grande majorité des quotidiens ainsi que des agences de publicité et des annonceurs.

CCAB (Canadian Circulation Audit Board)

est principalement orienté vers les revues canadiennes à distribution contrôlée (gratuite) et spécialisées. Il mesure aussi le tirage de certains hebdos et quotidiens.

ODC (Office de la distribution certifiée)

certifie le tirage, en nombre d'exemplaires, pour les publications distribuées hebdomadairement ou mensuellement au Québec, le plus souvent gratuites.

Le lectorat des journaux

Le lectorat, «*qui s'identifie à la "portée"*», se définit comme le total des personnes qui ont été exposées à un journal. On distingue le lectorat total et le lectorat ciblé. «*Prends un journal comme* Le Devoir. *Son lectorat total n'est pas impressionnant. Mais sa pénétration chez les décideurs est proportionnellement plus importante que celle des autres quotidiens, ce qui confère au journal une influence bien supérieure à ce que laisse croire son faible tirage.*»

Pour établir le nombre de lecteurs d'un quotidien, on pose la question «*Avez-vous lu, hier, le journal XYZ?*», lors de vagues d'entrevues réalisées à divers jours de la semaine. Le résultat permet, par extrapolation, de conclure à un nombre moyen de lecteurs. Il est important de bien saisir la notion de «lu hier». Elle est essentielle pour assurer la pertinence des conclusions, qui portent sur le lectorat d'un jour précis : le **lectorat moyen par parution**. Mais j'entendrai souvent l'expression anglaise *Average Issue Readership (AIR)*.

> **Lectorat moyen par parution**
>
> Nombre moyen de personnes qui ont consulté une parution d'un journal, en se basant sur un certain nombre de parutions. Il peut alors s'agir de la moyenne établie du lundi au vendredi ou de la moyenne d'une journée particulière calculée sur plusieurs semaines.

Les analystes et les représentants publicitaires citeront souvent des données sur le lectorat total en semaine (ou «cumulatif 5 jours»). Il s'agit du nombre de personnes qui auront lu au moins un exemplaire parmi les numéros du quotidien publiés du lundi au vendredi (donc, pas nécessairement tous les jours). Ce nombre est logiquement supérieur au nombre moyen de lecteurs. La même notion s'applique aussi dans le cas d'un quotidien publiant, non seulement en semaine, mais également le samedi et le dimanche. On parle alors de «cumulatif 7 jours».

Les instruments d'analyse du lectorat

La connaissance du lectorat d'un journal est essentielle « *pour évaluer la performance de la publicité que tu te proposes d'y insérer* ». Avant de choisir leur véhicule publicitaire, les annonceurs exigent donc des données précises et objectives. Divers organismes indépendants fournissent ces renseignements. Le directeur des achats section imprimés me présente les quatre principaux.

L'analyse du lectorat des journaux

NADbank (Newspaper Audience Databank)

est le principal instrument de recherche pour les quotidiens au Canada. C'est une organisation mutuelle tripartite, réunissant des quotidiens, des agences de publicité et des annonceurs. NADbank mesure le lectorat de 77 quotidiens dans 54 marchés urbains canadiens, ainsi que de 61 journaux locaux dans 34 marchés. Les études de NADbank couvrent 98 % du tirage total des quotidiens et 71 % de la population adulte au Canada.

PMB (Print Measurement Bureau)

constitue le principal service de sondage et de recherche pour imprimés au Canada. À l'origine, cet organisme ne faisait que mesurer le lectorat des magazines, en plus de certains quotidiens. Avec le temps, il s'est enrichi de multiples informations sur les consommateurs ; ce qui fait désormais de PMB l'une des sources de renseignements sur la consommation les plus exhaustives au Canada. Grâce à ses recherches, il est possible d'obtenir une description très précise des consommateurs habituels d'un certain type de produit, leur âge, leur revenu familial, leurs loisirs ou les médias qu'ils privilégient.

StatHebdo

est un instrument de sondage qui permet de connaître le nombre et le profil des lecteurs des hebdos du Québec, âgés de 18 ans et plus. Le Bureau de commercialisation des hebdomadaires du Québec (BCHQ) a publié pour la première fois, en 2004, le résultat de ses études. StatHebdo mesure ainsi 142 hebdos.

ComBase

mesure par sondage le nombre de lecteurs d'hebdos au Canada, âgés de 18 ans et plus, ainsi que leur profil. Menées sous l'égide de CCNA (Canadian Community Newspapers Association), ses études ont été publiées pour la première fois en 2002. Les recherches de ComBase analysent les journaux communautaires de 400 marchés, principalement situés hors du Québec.

Le lectorat d'après les instruments d'analyse

Aucun média — écrit, électronique ou autre — ne peut atteindre la totalité de la population. Compte tenu de ses caractéristiques, le quotidien est privilégié par des gens qui peuvent lire aisément, qui aiment le faire et dont les habitudes de vie se prêtent bien à l'offre de lecture qu'on leur propose.

Si le tirage total des quotidiens a légèrement baissé depuis une quinzaine d'années, le lectorat s'est plus ou moins maintenu. Autrement dit, le même exemplaire d'un journal est lu par plus de personnes qu'auparavant.

« Mais j'oubliais ! À Longueuil, il n'y a pas de quotidiens. Alors que peut-on dire des hebdos ? »

« Tu veux aussi savoir si le tirage et le lectorat des hebdos se sont comportés comme ceux des quotidiens depuis quinze ans ? Oui et non. Leur lectorat demeure stable, comme celui des quotidiens, mais leur tirage est en hausse, alors que pour les quotidiens le tirage a plutôt eu tendance à baisser. » J'en conclus que la lecture d'un hebdomadaire, de familiale qu'elle était, devient un peu plus individuelle. Cela pourrait s'avérer significatif pour la publicité de *Sommital*.

Là-dessus, le directeur des achats section imprimés me donne congé : *« Il faut bien que je prenne mes appels avant la fin de la journée. »* Je me retrouve donc chez mon responsable de stage, qui me donne cet autre conseil avisé : *« Tu veux assimiler tout ce que tu as appris ? Va donc faire un tour chez un marchand de journaux. »*

3. LE KIOSQUE À JOURNAUX

Ai-je dit que je suis une « visuelle » ? Le texte d'une manchette de journal me frappe moins que sa taille, sa couleur et sa position dans la page. Dans une photo, je vois moins le sujet représenté que la masse que forme le cliché, selon qu'il est à dominante foncée ou pâle. Pas étonnant qu'en arrivant au kiosque à journaux, j'aie distingué chacun d'eux en tout premier lieu par son format. À cette observation initiale, j'en ajoutai ensuite plusieurs autres que je communiquai en vrac à mon responsable de stage, comme un pêcheur rapportant à la maison un seau plein de poissons variés. Mais c'est bien le format qui retenait le plus mon attention. Pourquoi des grands et des petits ? Il m'aida à y voir plus clair.

Les journaux tels que les voit une stagiaire comme moi

En Amérique, il existe deux formats de base des journaux. Le grand format, communément appelé format **modulaire** ou *broadsheet*, est le plus courant. Le petit format, connu sous le nom de **tabloïd**, a fait son apparition il y a une quarantaine d'années. Particulièrement pratique quand on veut lire sur le coin d'un comptoir en sirotant un café ou debout dans le métro, il s'est considérablement développé à la suite de la flambée du prix du papier.

Entre ces deux formats, il en existe bien un troisième, appelé **berlinois**, du nom de la ville où il est d'abord apparu. Mais il n'a jamais réussi à s'implanter de ce côté-ci de l'Atlantique, principalement à cause du format des rouleaux acheminés par les papetières.

> **Le format des journaux**
> **Modulaire** = une page fait environ 30 cm x 60 cm, soit 1800 cm².
> **Tabloïd** = une page fait plus ou moins la moitié du format modulaire.
> **Berlinois** = à mi-chemin entre le modulaire et le tabloïd.
> D'un journal à l'autre, le format exact varie quelque peu.
> Les journaux gratuits ont un format parfois encore plus petit.

Les trois quarts des quotidiens canadiens sont de grand format, les autres de format tabloïd. Si le format tabloïd offre, comme avantage, que la taille restreinte en facilite la lecture et que l'espace occupé par une annonce y est plus visible, il présente, en revanche, l'inconvénient de tenir en un seul bloc, ce qui rend plus difficile la segmentation des annonces publicitaires.

Outre le coût du papier, les entreprises de presse ont créé le format tabloïd pour s'ouvrir à une clientèle peu accessible autrement. Les lecteurs de ces titres sont des gens actifs, et certains de ces quotidiens publieront jusqu'à 80 cahiers spéciaux dans une année pour satisfaire leurs attentes.

Quoique plus réduit par page, l'espace total y est aussi considérable que dans les grands formats. Tant le publicitaire que le lecteur en ont donc pour leur argent.

Du côté du grand format, l'avantage tient au fait que la taille des annonces y est plus grande. En revanche, le coût unitaire est plus élevé et la multiplication des cahiers fait que certains d'entre eux ne sont consultés que par les lecteurs qu'intéresse spécifiquement le sujet traité, les autres étant mis de côté sans avoir été lus.

Les journaux tels que les voit un publicitaire

Quand j'essayai de distinguer les journaux, non par leur format, mais par leur contenu, je me trouvai un peu dépourvue. Certains insistent sur l'information politique, d'autres sur les faits divers, le sport ou la finance. D'autres encore font un peu de tout. « *Dans notre métier*, m'indiqua mon responsable de stage, *nous ne les observons pas tellement pour leur contenu, mais plutôt en tant que véhicules de publicité. C'est donc à partir de ce critère-là que nous les répartissons.* » Cela donne jusqu'à cinq catégories de quotidiens —nationaux, de grands marchés, de petits marchés, gratuits et spécialisés — et trois catégories d'hebdomadaires — régionaux, de quartier et spécialisés. « *Nous allons de l'un à l'autre selon les caractéristiques de l'annonce.* »

Les journaux selon leurs représentants des ventes

J'ai donc « ma » façon d'aborder les journaux, sur la base de leur format, les publicitaires en ont une autre, sur la base de leur public cible. Mais quelle est celle des représentants des ventes des entreprises de presse ? Sur quelle base définissent-ils les journaux ? J'ai téléphoné à l'un d'eux pour me faire une idée. Et j'ai eu droit à un exposé hachuré où le mantra « efficacité » revenait toutes les deux phrases. Je le comprends : son rôle est de démontrer que le journal est un véhicule publicitaire efficace. Sans doute, le représentant des ventes d'un réseau de télévision tiendrait-il le même langage à propos de son média.

Quand je pus enfin poser les questions qui m'intéressaient, j'obtins plusieurs réponses utiles. Ainsi, à message et graphisme semblables, ce qui donne le plus d'impact à une annonce, c'est sa taille, évidemment. Mais il n'y aurait pas de différence significative d'attention, que l'annonce soit en page de droite ou de gauche, malgré la croyance populaire. Les annonces verticales sont légèrement plus remarquées. C'est surtout la couleur qui fait augmenter l'attention portée à une annonce (d'environ 20 %).

Par ailleurs, vaut-il mieux annoncer dans un quotidien local ou dans un hebdo régional ? De plus en plus, les propriétaires de journaux tiennent à posséder des hebdomadaires, ce qui complète leur offre de service. En effet, les hebdos assurent une plus grande flexibilité géographique et leur style rédactionnel est plus proche des lecteurs, ce qui rend donc plus sympathiques à la fois les articles et, dans leur sillage, les insertions publicitaires.

Autre question : quelle est l'efficacité d'un encart ? D'après des sondages, 61 % des lecteurs d'un journal regardent aussi ses encarts, principalement dans l'édition de fin de semaine. On y cherche surtout des rabais et des aubaines. Le quart de ces lecteurs conserve durant au moins une semaine les encarts publicitaires sur des sujets qui les intéressent.

À quelle fréquence faut-il annoncer dans un journal ? Sur cette question, personne ne s'entend. L'analyse la plus citée, celle de Herbert Krugman, fait état de trois insertions. À la première, le consommateur se demanderait : « *Qu'est-ce que c'est ?* », à la seconde : « *Et après ?* », à la troisième : « *Encore cela ?* » Un autre spécialiste, Colin McDonald, croit plutôt qu'après deux expositions l'effet commence déjà à s'estomper. Un autre encore, John Philip Jones, prétend que la première exposition est la plus efficace et qu'il est donc inutile d'en ajouter d'autres (évidemment cela dépend aussi de la création publicitaire). « *En tout état de cause, précise mon interlocuteur, il a été établi que les ados qui ont demandé quelque chose à leurs parents à neuf reprises ont généralement obtenu ce qu'ils voulaient. C'est ce qu'on appelle la* **fréquence effective**. »

Fréquence effective

Nombre requis d'expositions d'un message pour qu'un individu soit en mesure d'affirmer qu'il a vu, retenu et compris le message. La fréquence effective varie d'un média à l'autre :

radio : 4

télévision : 3

affichage : 10

quotidiens : 3

Les praticiens du milieu de la publicité semblent s'accorder sur les niveaux de fréquence ci-dessus. Cependant, les données présentées le sont à titre indicatif seulement.

4. LE PROCESSUS DE PUBLICATION D'UNE ANNONCE

« *As-tu tout compris, ma fille ?* » C'est le directeur des achats section imprimés qui me tape sur l'épaule. Je ne l'avais pas entendu venir. J'ai l'air égarée, le combiné à la main et, à l'autre bout du fil, le représentant des ventes qui crie : « *Allô ! Allô ! Êtes-vous là ?* » Je décide alors de me rendre au journal. J'ai encore des questions à poser. Rien ne vaudra une entrevue face à face avec le représentant des ventes.

La façon d'établir la dimension d'une annonce

Les pages des journaux sont agencées en colonnes et en lignes. Ces lignes et colonnes forment une trame, comme du papier quadrillé. Il s'agit toutefois d'une trame théorique, invisible au public ; elle ne correspond pas forcément aux colonnes et aux lignes du journal imprimé. Pour la publicité, la taille d'une annonce est calculée d'après une surface constituée d'un certain nombre de ces colonnes et de ces lignes. Le produit de l'une par l'autre se calcule en **ligne agate**.

Ligne agate

Unité de mesure d'espace dans les journaux. De la largeur d'une colonne, elle a une hauteur de 1/14 de pouce. Il y a donc 14 lignes agate dans un pouce.

Pour avoir une idée de la largeur d'une colonne de ligne agate, il n'y a qu'à aller voir les annonces classées : *La Presse* en compte dix par page, *Le Journal de Montréal*, huit. C'est ainsi qu'on dira qu'une page de texte ou de publicité dans *Le Journal de Montréal* occupe un espace de 1408 lignes agate (soit 8 colonnes multipliées par 176 lignes agate). Même façon de procéder dans *La Presse* où une demi-page, qu'elle soit horizontale ou verticale, occupera toujours un espace de 1470 lignes agate (soit, à l'horizontale, 10 colonnes multipliées par 147 lignes agate ou, à la verticale, 5 colonnes multipliées par 294 lignes agate, selon les paramètres d'un journal modulaire).

« *Il serait sans doute plus simple d'effectuer ces mesures en millimètres de hauteur et en centimètres de largeur, mais la façon d'établir la surface des journaux remonte à une époque où les dimensions n'étaient pas standardisées.* » Chaque journal doit donc publier des fiches techniques qui indiquent son gabarit et fournir les règles requises pour les calculs.

Les formats d'annonces

Les annonces dans les journaux peuvent prendre des configurations multiples. Toutefois, certains types de formats sont plus usités.

Double page (angl. : *double page spread, double truck, spread*) — espace couvrant deux pages : Ce format est souvent utilisé pour annoncer de façon marquante un nouveau produit ou concept, la vente regroupée de plusieurs produits ou un événement qui exige un message élaboré et percutant.

Pleine page (angl. : *full page*) : Ce format très répandu remplit la même mission que la double page.

Demi-page (angl. : *half page*) : Qu'il soit placé à l'horizontale ou à la verticale, ce format attire inévitablement le regard.

Bande ou bandeau (angl. : *strip*) : Cet espace étroit s'étend sur toute la largeur d'une page, le plus souvent répétée, jour après jour, au même endroit. Soumis à des conditions précises (nombre minimum de publications, durée, position fixe), ce format assure une fréquence et un rappel soutenu du produit ou du service annoncé. On y a recours principalement dans les pages dominantes d'un journal : dessus des cahiers, page frontispice, pages consultées le plus régulièrement par les lecteurs.

Îlot (angl. : *island, center of page*) : Cette annonce, généralement de taille réduite, est complètement entourée de contenu rédactionnel. On en trouve de ce type, par exemple, au centre d'une page de résultats boursiers. Du fait de son isolement, ce format retient bien l'attention.

Oreille ou **Oreillette** (angl. : *earplug*) : Cette petite case est située (à droite ou à gauche) en haut de la page frontispice d'une section de journal.

Annonces classées ou « **petites annonces** » (angl. : *classified ads*) : De petite taille, cette forme d'annonce possède ses propres tarifs, basés sur le nombre de mots. Elle s'adresse surtout aux particuliers qui désirent annoncer un produit ou un service, quoique certaines entreprises, notamment les vendeurs de voitures d'occasions, y ont également recours.

Nominations et offres d'emploi : Cette catégorie est voisine des annonces classées. L'inscription se fait le plus souvent par Internet et l'annonce est montée par le client lui-même. La taille et la mise en page peuvent, cependant, fortement différer d'une annonce à l'autre.

Publireportage (angl. : *advertorial*) : Il s'agit d'une publicité présentée sous forme rédactionnelle. Un publireportage doit être identifié comme tel par une mention explicite, au début ou à la fin du texte.

Encart (angl. : *free-standing insert*) : Il s'agit d'une feuille volante, brochure, circulaire, dépliant ou cahier publicitaire inséré dans un journal. Cette forme de publicité fait appel à une tarification particulière.

Les tarifs

Chaque journal publie une carte de ses tarifs. Ceux-ci sont de plusieurs types, les principaux étant le « national » et le « local ». Dans ce dernier cas, on utilise souvent l'expression « **publicité détaillant** » ou « **publicité de détail** » (*retail advertising*), puisque les annonceurs locaux sont majoritairement des détaillants. On observe aussi des tarifs particuliers pour certains secteurs, comme les annonces de nomination et les offres d'emploi. « *La divergence de prix entre diverses publicités d'une même page dépend principalement des tâches plus ou moins considérables que les journaux doivent assumer pour la conception et le montage.* »

Les tarifs pour la publicité nationale sont exprimés en coûts bruts (c'est-à-dire incluant la commission d'agence) ; toutefois, au moment de faire la prévision des coûts en vue d'un achat, il arrive qu'on exige de l'estimateur que les tarifs soient convertis en coûts nets (excluant donc cette commission).

Selon les tarifs de base, l'annonce peut être placée n'importe où dans le journal (angl. : *Run-of-paper position*, **ROP**). Les achats peuvent toutefois être soumis à un **tarif majoré** (*Premium rate*), soit le tarif de base augmenté pour une raison particulière, le plus souvent contre la garantie d'un emplacement ferme, d'une position assurée ou privilégiée par l'acheteur. On peut également proposer un **tarif combiné** (*Combined rate*) pour des placements faits dans deux titres ou plus d'une même entreprise de presse. Pour ce qui est spécifiquement des quotidiens, on distinguera quatre types de tarifs : (1) nationaux (ou généraux) ; (2) locaux (ou de détail) ; (3) pour les petites annonces ; (4) pour les encarts publicitaires.

La variation dans les tarifs

Les tarifs pour la publicité locale sont généralement plus bas que les tarifs nationaux, ce qui s'explique du fait que les détaillants locaux s'adressent exclusivement au marché central du journal, ne profitant donc pas de son tirage total. L'écart peut aller de 20 à 40 %. Pour mieux desservir les annonceurs nationaux, qui ont souvent leur centre de décision loin du lieu où le journal est vendu et distribué, les tarifs nationaux sont publiés dans un bottin de référence, **CARD**. Quant aux tarifs locaux, on les obtient auprès du Service des ventes de l'éditeur.

> **Un bottin des médias**
>
> **CARD** (Canadian Advertising Rates & Data)
> est la source de référence la plus répandue des données de base, notamment les tarifs, qu'utilisent les spécialistes de la gestion des médias publicitaires. Il prend la forme d'un annuaire, accessible aux abonnés, publié une fois par mois et reproduit dans un site web spécifique. L'information de CARD est particulièrement abondante sur les imprimés, notamment les quotidiens et les magazines.

Plus un annonceur est présent dans un média, plus on lui offre des rabais importants. Les **contrats de volume** sont généralement valides pour une période d'un an. On parle alors d'un **tarif dégressif sur volume** (angl. : *Volume rate*). L'annonceur s'engage à acheter une quantité minimale prédéterminée d'espace publicitaire, établi en nombre de lignes (le **lignage**). En retour, il obtient un tarif protégé pour la durée de l'entente. À la fin de la période, on compare l'achat réel au contrat négocié. Le quotidien révise le coût à la ligne à la baisse si les achats ont été supérieurs à ce que prévoyait l'entente négociée (**ristourne**). Si les achats ont été moindres et que les placements n'ont donc pas atteint le volume convenu, le tarif est ajusté à la hausse ; il s'agit d'une **pénalité** (angl. : *Short rate*).

Le coût d'une insertion

« *Le calcul du coût d'une annonce est une opération fort simple.* » Il suffit d'établir d'abord la surface occupée par l'annonce, c'est-à-dire son nombre total de lignes agate, puis de multiplier le résultat par le coût à la ligne. Ainsi, si une annonce a une hauteur de 100 lignes agate et une largeur de 5 colonnes et si le coût à la ligne du quotidien est de 8,38 $, le coût de l'annonce s'établira ainsi :

— première étape : 100 lignes agate x 5 colonnes = 500 lignes agate ;
— seconde étape : 500 lignes agate x 8,38 $ = 4190 $.

À ce coût, il faudra ajouter la prime de position ou les frais pour la couleur, s'il y a lieu. « *Vous noterez que la prime de position s'applique seulement au lignage et non à la couleur.* »

Dans les journaux grand format (modulaire), l'espace est calculé en **LAM** (ligne agate modulaire). Dans ceux de petit format (tabloïd), il est établi en **LAT** (ligne agate tabloïd). La surface d'une annonce variera, donc, selon le format du journal où elle sera publiée ; ainsi, une pleine page du *Journal de Montréal* est plus petite qu'une pleine page de *La Presse*. Pour palier cette divergence, les journaux se donnent des tailles d'annonces standardisées, qui facilitent le passage du grand format au tabloïd.

Les étapes de l'exécution d'achat

Le représentant des ventes reprend : « *Il reste un dernier élément, important pour l'harmonisation des rapports entre l'annonceur, l'agence et le journal, surtout dans les situations d'urgence.* » Ce sont les étapes d'exécution d'achat d'une annonce.

La **date de tombée** est la date ultime qu'un acheteur d'espace doit respecter pour la réservation d'une annonce ou l'envoi du matériel. Cette information, disponible dans CARD et dans les cartes de tarifs des journaux, distingue diverses dates de réservation selon le type de matériel. Habituellement, deux jours sont requis pour la production de matériel en noir et blanc ; les épreuves couleur exigent une journée supplémentaire. Il faut prévoir quatre jours pour certaines sections, comme *Carrières et professions, Immobilier* ou *Voyages*, qui accompagnent l'édition du samedi, mais sont préparées à l'avance.

Le **bon d'insertion** sert à réserver et à confirmer l'engagement de l'annonceur auprès du journal. Le bon d'insertion comprend toute l'information essentielle à la transaction : titre de l'annonce, format, date de parution, position, tarif, etc.

La **séquence type** est établie une fois la planification et le prix acceptés. La personne responsable de l'achat et de la production d'une annonce amorce les étapes menant à son insertion :

— L'acheteur réserve l'espace requis (ce qui exige un bon d'insertion) ;
— Le vendeur émet, en retour, un **bon de production** confirmant l'achat de l'espace ;
— L'agence expédie le matériel au Service de production du journal sous format électronique ;
— Parallèlement, la production prépare ses pages : titres, textes, photos et maquette publicitaire ;
— L'annonce est placée à l'endroit approprié, conformément au bon d'insertion ;
— Le journal réalise la sortie du film négatif de l'annonce ;
— On procède au brûlage des plaques dans l'acide ;
— Une fois les plaques installées sur les presses, l'impression du journal peut débuter.

```
LOGO AGENCE X                           BON D'INSERTION
                                        INSERTION ORDER

    Agence X                            NO DE FAX : 514-123-4567
    Adresse :
    Téléphone :
                        # DE PUB. :     P00000

                        Client / Client    ANNONCEUR X
PRESSE "LA" (NATIONAL)  Produit / Product  PRODUIT X
7 ST-JACQUES OUEST      Campagne / Campaign LANCEMENT PRODUIT X
MONTREAL  QC  H2Y 1K9

    A/S : REPRESENTANT DES VENTES   Numéro / Number  123456
                                                     **** DUPLICATA ****
                                    Date / Date      19 MARS  2005

STATUT    DATE            COUT $  FORMAT / DETAILS


    INSERER   31 Mar 05   33,031.88  10C x 294L = 2940 @ 8.3200

    POSITION ...................... PAGE DROITE PRECEDENT LE DPS (CAHIER A)
    TITRE ......................... NOM DU CREATIF
    NOUVELLE ANNONCE .............. OUI
    MATERIEL ...................... CONTACT - AGENCE CRÉATIVE - 514-765-4321
    SURCHARGE ..................... UNE COULEUR VERT ANPA 739 OU PMS 347
                                      @ $6,125.00
    SURCHARGE ..................... POSITION GARANTIE
                                      @ 10.00% = $2,446.08

    RESERVE AVEC LE REPRESENTANT DES VENTES
```

Deux (2) preuves de parution sont requises avec la facture / Two (2) tearsheets are required with your invoice

Cette commande peut être annulée à tout moment avant votre date de fermeture. Si les instructions mentionnées ci-dessus ne peuvent être exécutées, veuillez nous en informer immédiatement. Aucune annonce ne doit être publiée à une date autre que celle spécifiée sur la commande, à moins d'une autorisation.

This order is subject to cancellation at any time before your closing date. If any of the above instructions cannot be fulfilled. Advise us immediately. No advertisement shall be inserted on any date other than the date set down unless authorized.

```
Coût total /    28,077.10      Signé pour  Agence X  par / Signed for  Agence X  by
Total Cost      NET
                                                                       ORIGINAL
```

Tout compte fait

Au moment de quitter le représentant des ventes, j'en suis venue à croire que, si les journaux n'atteignent qu'une certaine portion de la population, ils sont encore capables d'augmenter le nombre de leurs lecteurs malgré la concurrence des autres médias. Ainsi, il y a un demi-siècle, les principaux quotidiens avaient deux éditions, l'une le matin et l'autre l'après-midi, afin que, rentrant du travail, les gens occupent leurs loisirs de fin de journée à les lire. Avec l'avènement de la télévision, la population a modifié ses habitudes. Avec Internet, encore plus.

Il en est de même avec l'âge des lecteurs. Quand les propriétaires de groupes de presse ont constaté que les lecteurs de journaux représentaient une tranche de population plutôt avancée en âge, (1) ils ont mis l'accent sur les sujets qui intéressaient le plus ce groupe d'âge, (2) ils ont rajeuni la présentation des journaux pour attirer la jeune clientèle, (3) ils ont créé des journaux accessibles instantanément, faciles à lire et gratuits, et (4) ils ont créé des versions Internet de leurs publications.

En effet, l'intérêt d'un journal se déplace d'une section à l'autre à mesure qu'on avance en âge. Les adolescents préfèrent les sports et les bandes dessinées. Les jeunes adultes se tournent surtout vers les annonces classées, l'automobile et les actualités artistiques. Après 35 ans, l'attention se porte vers l'immobilier, les affaires, le tourisme, le style de vie et les actualités. Quant aux aînés (55 ans et plus), ils s'attarderont à l'alimentation et à l'économie, en plus des éditoriaux et des avis de décès.

Les quotidiens jouissent d'une tradition forte auprès des annonceurs nationaux. Cela n'est pas étranger au fait que nombre de décideurs, annonceurs et publicitaires lisent eux-mêmes les quotidiens. Les journaux n'offrent-ils pas des nouvelles et des éditoriaux sur l'économie, la publicité et les médias? La situation est semblable pour les hebdomadaires, sur le plan local : les détaillants et les décideurs municipaux consultent régulièrement ces journaux. Le préjugé favorable est renforcé par le fait que la plupart des grands quotidiens et hebdos existent depuis nombre d'années et appartiennent à des conglomérats solides, bien organisés et bien gérés. Dans l'esprit de plusieurs annonceurs, c'est un élément rassurant.

Voilà une autre semaine qui s'achève. J'en sors un peu plus instruite, mais surtout plus consciente de la variété des véhicules publicitaires et de la finesse intellectuelle requise pour savoir choisir le plus efficace d'entre eux, dans un contexte donné.

5ᵉ SEMAINE DE STAGE

La radio

Pourquoi fallait-il que cela arrive ce jour-là ? Le métro en panne en pleine heure de pointe, alors que j'ai rendez-vous à neuf heures précises pour une « rencontre au sommet ». Évidemment, ni autobus ni taxi en vue ; trois quarts d'heure de marche sous la bruine. Prévenir le bureau, c'est la première urgence : je n'aurai jamais autant apprécié mon cellulaire.

Quand j'arrive enfin à la réunion, essoufflée et trempée, la discussion est déjà animée. Car, oui, les autres sont tous là : la directrice générale, mon responsable de stage, la directrice du compte *Sommital* et un nouveau venu pour moi, le directeur des achats radio, qu'on me présente officiellement.

1. LA RÉVOLUTION RADIOPHONIQUE

Je dis « officiellement », car je l'ai entrevu plus d'une fois depuis le début de mon stage, et je n'ai pas manqué d'observer la rangée de stylos de diverses couleurs qui ornent la pochette de son veston, à la manière de décorations militaires. Je connais bien aussi sa voix rauque, si peu radiophonique… mais son travail consiste à acheter du temps d'antenne, non à s'y faire entendre. Au moment où je franchis la porte, c'est d'ailleurs lui qui a la parole. Les autres sont penchés sur la grosse montre qu'il porte au poignet.

« *Venez voir ma plus récente* Smart Watch », me lance-t-il en guise d'introduction. « *Elle fonctionne en technologie* SPOT : Smart Personal Object Technology. » Je savais qu'il aimait les gadgets, mais pas au point de centrer une réunion d'affaires autour de sa dernière acquisition. Il a vu à mon air que j'étais sceptique : « *Cette montre est une autre étape vers le déclassement de la radio traditionnelle.* » Je lève les yeux vers les trois autres participants : ils ont tous un regard interrogateur.

La radio traditionnelle est talonnée

Le directeur poursuit son exposé. Le porteur d'une *Smart Watch* peut lire sur son écran, en temps réel, des résumés de l'actualité nationale et internationale, les prévisions météo pour la ville de son choix, les résultats sportifs, les cotes de la bourse, les horaires de cinéma, l'horoscope, les éphémérides du jour, un signal pour le prévenir qu'il a reçu un courriel, et quoi encore ?

La directrice générale l'interrompt : « *Et quel est le lien entre cette montre et la radio ?* » La réponse ne se fait pas attendre. Pour tous les appareils nés de la technologie électronique, la révolution a toujours commencé par le texte et le graphisme, qui dévorent peu d'octets. Par la suite, à mesure que la miniaturisation le permettait, on y a implanté le son, puis l'image fixe et — beaucoup plus tard — l'image animée, gourmande en bande passante. « *Dans le cas de la* Smart Watch*, le texte et le graphisme ont été conquis. Ce sera ensuite le tour du son. C'est dire que vous pourrez bientôt, par abonnement, écouter la radio directement de votre montre.* » La directrice générale prend la phrase au vol : « *Les téléphones cellulaires reçoivent déjà des émissions de télé.* » Elle n'a pas besoin d'en dire plus : ce petit objet risque de modifier, une fois de plus, les habitudes d'écoute. Nouveau défi pour les publicitaires.

Les mutations de la radio

La radio n'en est pas à son premier retournement. Il y a maintenant plus d'un demi-siècle qu'elle s'est libérée du lourd meuble qui l'enchaînait au salon pour devenir ce compagnon inséparable que l'on connaît, disponible en permanence, salle de bains ou cuisine, auto ou bureau. Avec la miniaturisation, certains appareils sont si petits qu'on peut les glisser dans une oreille. D'autres, grâce à la fabrication automatisée, coûtent moins cher que les piles utilisées pour les faire fonctionner. Au point où on les offre en prime à l'achat d'un magazine.

Après une transformation des récepteurs, la radio connaît, depuis quelques années, une seconde mutation : le passage du mode analogique (par ondes hertziennes) au mode numérique. « *Ce qui entraînera, quand les récepteurs numériques se seront généralisés, la disparition des ondes AM et*

FM que nous connaissons. » Mon responsable de stage a bien compris l'enjeu pour une agence média : « *Il faudra compter, pour une bonne part, avec une radio par abonnement, autrement dit, sans publicité.* » Ce ne sera peut-être pas tout à fait le cas : les journaux fonctionnent bien en système mixte (abonnement et publicité). « *Quoi qu'il en soit, la radio traditionnelle est à un tournant.* »

La planificatrice média intervient à son tour : « *Cette heure de vérité ne nous fait pas peur. Bien au contraire. Elle constitue, pour une agence comme la nôtre, une belle occasion de démontrer que le placement publicitaire est capable de se renouveler au fil des nouvelles technologies. "Une publicité qui sait se faire inviter", n'est-ce pas notre mot d'ordre et notre marque de commerce ? Faisons-nous inviter par les adeptes de la* Smart Watch. »

Les voies de la nouvelle radio

La radio nouvelle poursuit deux pistes. L'une passe par le satellite : avec l'achat d'un décodeur-récepteur et d'un abonnement mensuel, l'on a accès à une centaine de stations spécialisées. L'autre, connue sous l'appellation « *Web Radio* », diffuse via le réseau Internet ; un bon nombre de stations traditionnelles y ont pris racine à côté de nouveaux diffuseurs, amateurs comme professionnels. À partir d'un portail polyvalent, l'internaute a accès à un vaste choix de sujets, certains sous forme de texte, d'autres reproduisant des émissions radiophoniques. Comme on peut enregistrer des émissions ou des portions d'émissions pour les reproduire ensuite au moment de son choix par un lecteur numérique portatif, on parle souvent de « baladodiffusion » (en anglais : « *podcasting* »).

Les incertitudes de la nouvelle radio

L'intérêt de la radio par satellite vient de ce qu'elle est accessible sans fil partout sur le continent. Pour sa part, la commodité de la baladodiffusion tient au fait qu'on peut aisément enregistrer les émissions sous forme de fichiers… « *et en faire parvenir une copie aux copains* ». Une lutte de titans est à prévoir où le satellite a l'avantage de la qualité sonore et le Web celui de la diversité, puisqu'il propose, en plus des stations spécifiques, des milliers de stations traditionnelles, simplement converties en numérique et, pour la plupart, offertes gratuitement.

« *Quoique pas nécessairement sans publicité.* » Les stations Web qui ne font que répéter sur Internet leur programmation régulière, y insèrent, évidemment, les messages publicitaires diffusés en ondes. Les stations créées spécifiquement pour le satellite ou pour l'ordinateur peuvent aussi laisser de la place à la publicité, tout au moins pour leurs sections à accès libre. Enfin, les portails informatiques eux-mêmes, par où passe l'auditeur avant de parvenir à la station, sont généralement bourrés de publicités.

Comme pour tout média en émergence, la radio numérique connaît une croissance hachurée. Plusieurs initiatives demeurent en plan. Certaines stations en ligne connaissent des baisses soudaines — et inexpliquées — de clientèle. Par ailleurs, l'efficacité de la publicité n'est pas mesurée avec des outils qui ont fait leurs preuves, comme c'est le cas pour la radio traditionnelle.

La réunion s'achèvera avec la décision de créer un groupe de travail pour poursuivre la réflexion… « *dans l'esprit de la maison, c'est-à-dire avec la volonté de susciter des formules originales de placement média* ». Internet étant le lieu de toutes les initiatives, de toutes les audaces, il devrait donc être facile de dialoguer avec les médias qui ont pignon sur « *.com* » pour assortir les messages publicitaires à leur programmation.

Là-dessus, mon responsable de stage me confie au directeur des achats radio pour le reste de la semaine. « *Dernière chose : avant de vous égarer dans les lacets de la radio numérique, commencez par bien connaître le fonctionnement de la radio traditionnelle.* »

2. UNE CIBLE PRÉCISE

Chez le directeur des achats radio, la radio est constamment allumée. En sourdine, mais présente. Une station différente chaque jour. « *À chacun sa station. Chez moi, le soir et les fins de semaine, j'écoute quasiment toujours la même. Mais, dans mon travail, je dois n'avoir aucune préférence. Il me faut, au contraire, m'appliquer à saisir ce qui caractérise chacune d'elles, de manière à mieux cibler les messages publicitaires que j'ai à placer.* »

Tout le monde écoute la radio

Le directeur des achats radio se dit fier de travailler auprès d'un média que les sondages déclarent hautement populaire. « *"Populaire", au sens quantitatif du terme. Si l'écoute de la radio est légèrement en baisse depuis une dizaine d'années, elle demeure considérable. La radio maintient donc sa place comme vecteur d'information, de musique et de publicité.* »

Au cours d'une journée type, plus de 80 % des Québécois écoutent la radio à un moment ou l'autre. Ils le font en moyenne 20 heures par semaine. À la période de pointe matinale (lun.-ven., 6 h - 10 h), 26 % des adultes québécois écoutent la radio, avec un sommet à 30 % entre 8 h et 8 h 30. Évidemment, il suffit qu'un événement majeur se produise pour que l'écoute de la radio connaisse une hausse instantanée.

Toutes les tranches démographiques sont représentées à un moment ou un autre dans l'écoute radio. Toutefois, certains groupes s'y retrouvent beaucoup plus que la moyenne. « *Comme vous ne l'auriez peut-être pas soupçonné, les plus grands consommateurs de radio ne sont pas les ados, mais les personnes de plus de 35 ans et, de façon générale, celles dont le revenu s'établit entre 60 000 et 100 000 $.* » Je pense aussitôt au public cible de *Sommital*. J'en fais part à mon interlocuteur. Il reconnaît alors qu'il faut atténuer la portée de ces données : le temps d'écoute est sensiblement moins élevé chez les cadres et professionnels et chez les personnes plus instruites. Cette précision devrait inciter l'acheteur à s'assurer d'un ciblage impeccable de ses messages.

La place de la radio parmi les médias

Forte de mon sens critique, je ne manque pourtant pas de m'interroger : avec quel niveau d'attention écoute-t-on la radio ? En effet, lire un journal ou un magazine exige une concentration absolue, vu qu'il faut donner un sens, mot par mot, aux traits et aux courbes qui forment les lettres. Pour sa part, l'image animée — et soutenue de son — que projettent le cinéma et la télévision fait appel à une conjonction de diverses activités cérébrales. Un peu moins exigeante, l'image fixe (photo ou graphisme) n'en réclame pas moins un certain décodage.

Le média sonore n'affronte pas ces difficultés. Il ne s'adresse qu'à un sens, l'ouïe. Qui plus est : à un sens entraîné à l'attention diffuse depuis l'époque lointaine où il servait à maintenir l'individu en alerte face aux bruits suspects. De sorte que, quand il n'y a plus de raison de s'alarmer, l'attention se relâche rapidement. D'où un risque d'écoute distraite. Voilà sans doute les raisons pour lesquelles les publicités à la radio doivent se démarquer. Car l'annonceur se doit d'apparaître comme un intrus qui fait sursauter. « *Un intrus certes, mais pas un dangereux prédateur.* » D'où la place du jingle, dont le rôle consiste à susciter des réflexes successifs d'attention, de curiosité, d'attirance et d'éventuelle reconnaissance.

À chaque station son auditoire

Quoi qu'il en soit, un auditeur radio est généralement fidèle à un nombre restreint de stations, où il se sent chez lui parce qu'elles traitent de choses qui l'intéressent. Pour la publicité, on a réparti l'intérêt des auditeurs en catégories : adulte contemporain, rock actuel, urbain, sports, country, succès rétro, etc., ce qui facilite le ciblage du public visé par un message.

J'aimerais bien connaître le genre dominant chez les gens de Longueuil. « *Ne cherche pas les stations de radio de Longueuil…* — tiens, un autre qui se met à me tutoyer ; je dois être bien intégrée à l'agence —, *… il n'y en a pas plus qu'il n'y a de quotidiens. Si tu souhaites faire la publicité de* Sommital *par les ondes, il te faut te tourner vers les stations de Montréal. Là, tu en trouveras pour tous les publics : à toi de choisir ton genre.* »

La radio s'est infiltrée dans nos vies. L'écouter est devenu une routine. Ce lien à un média, ni les journaux ni la télévision n'ont su le créer. C'est souvent la radio qui nous réveille, le matin, et c'est auprès d'elle que nous prenons nos premiers renseignements sur le monde. Si environ la moitié de l'écoute de la radio s'effectue à domicile, un quart se fait dans un véhicule et un autre quart au travail. Pourtant, nous la délaissons le soir. Cette grande variation dans l'écoute, selon le moment du jour, est un phénomène qui ne doit pas échapper au publicitaire.

Le matin, moment de gloire de la radio, plusieurs segments de la population sont surreprésentés. Il s'agit surtout des travailleurs (notamment cadres, professionnels et autres cols blancs). Ce qu'en langage radio on

Description des formats radio

Adulte contemporain (*Adult Contemporary*) : Rock et pop légers.

Adulte contemporain en vogue (*Hot Adult Contemporary*) : Musique moderne et pop pour adultes ; grands succès contemporains.

Rock classique (*Classic Rock*) : Musique rock rétro et classique (années 1960, 1970 et 1980).

Rock actuel/populaire (*Album Oriented Rock – AOR/Mainstream Rock*) : Musique rock actuelle et populaire (années 1970, 1980 et 1990).

Rock moderne et alternatif (*Modern & Alternative Rock*) : Succès rock contemporains.

Succès populaires/Palmarès Top 40 (*Current Hits Radio – CHR*) : Grands succès *dance*, contemporains et actuels.

Urbain (*Urban*) : Reggae, R & B et hip hop.

Nouvelles/Radio interactive(*News/Talk*) : Tribunes téléphoniques, émissions d'affaires et nouvelles.

Sports (Sports) : Retransmission d'événements sportifs ; discussions sur le sport.

Country (*Country*) : Succès country récents et anciens.

Succès rétro (*Gold/Oldies*) : Succès rétro.

Succès classiques (*Classic Hits*) : Succès classiques.

Musique classique/Beaux-arts (*Classical/Fine-Arts*) : Musique classique/de concert ; émissions traitant de sujets artistiques et culturels.

Musique adulte classique (*Adult Standards*) : Big band et succès-souvenirs nostalgiques.

Jazz (*Jazz*) : Jazz léger, jazz et blues.

Religion (*Religious*) : Gospel, musique et discours inspirants.

Ethnique/Multiculturel (*Ethnic/Multi-cultural*) : Musique ethnique et multiculturelle ; programmation par blocs.

appelle « période de jour » (lun.-ven., 10 h - 15 h) rassemble une variété d'auditeurs de 50 ans et plus, des cols blancs et des cols bleus. La période dite « de retour » (lun.-ven., 15 h - 19 h) constitue le deuxième créneau le plus élevé en nombre d'auditeurs. Elle attire particulièrement des personnes de 25-44 ans, et, de nouveau, des cadres et cols blancs. « *Je t'ai déjà dit que cette catégorie de gens a un revenu moyen confortable.* » Celle du soir (lun.-ven., 19 h - 00 h) amène une forte concentration de personnes jeunes (12-17 ans et 18-24 ans) dont, évidemment, nombre d'étudiants et de célibataires, aux revenus plus faibles. Pendant la période de nuit (minuit - 6 h), l'écoute est faible, voire marginale ; elle comprend une forte proportion d'hommes, de personnes jeunes (18-24 ans) et de cols bleus.

3. MESURER L'AUDITOIRE

C'est munie de ces renseignements que je me suis présentée, le lendemain matin, chez la planificatrice média responsable du dossier de *Sommital*. « *Et alors, que vas-tu faire de cette masse de statistiques ? Ces renseignements resteront théoriques tant que tu n'auras pas les instruments d'analyse qu'il faut pour en tirer les conséquences publicitaires.* »

Des instruments d'analyse, j'ai appris à en utiliser un bon nombre depuis le début de mon stage : composition, coût par mille, fréquence, portée, et bien d'autres. La radio s'en sert aussi, mais elle en ajoute quelques-uns qui lui sont plus immédiatement utiles. Je dois les connaître pour éviter de situer les occasions de *Sommital* à l'aveuglette. Une occasion bien placée rapporte plus que dix placées au hasard.

Cote d'écoute

La **cote d'écoute** (en anglais ***rating***) est l'expression, en pourcentage, de l'auditoire moyen d'un marché, cet auditoire étant soit général soit qualifié (âge, sexe, langue). Ainsi, une cote de 5 signifie que 5 % de la population de la tranche sociodémographique déterminée du marché en question écoute cette station à ce moment précis.

Cote d'écoute	
Auditoire d'un groupe cible exprimé en pourcentage de la population d'un marché donné.	
Marché	Montréal francophone
Bloc horaire	Lundi au vendredi de 6 h à 8 h
Cible	Adultes 18-49 ans
Auditoire moyen au quart d'heure	83 900
Population dans le marché	2 216 735
Cote d'écoute	3,8

« *Je vais t'expliquer. Si une émission a un auditoire moyen de 83 900 personnes, dans un marché de 2 216 735 personnes, on établira sa cote d'écoute à 3,8 (soit 83 900 ÷ 2 216 735 × 100).* » Elle ajoute que, comme le nombre de stations de radio est élevé dans les grands marchés — et la population restreinte dans les petits —, on a pris l'habitude de convertir la cote d'écoute radio en « centaines d'auditeurs », « *ce qui, dans mon exemple, donnerait 839* ».

Pour établir la cote d'écoute d'une station, dans son ensemble et pour chacune de ses émissions, on recourt à une firme spécialisée bien connue du public, **Sondages BBM** *(Bureau of Broadcast Mesurement)*. Cette coopérative tripartite rassemblant des diffuseurs, des annonceurs et des agences de publicité a été fondée en 1944. Sa méthode de sondage radio consiste à distribuer dans un certain nombre de foyers, représentatifs d'un marché, un livret où un membre de la famille indiquera, quart d'heure par quart d'heure (entre 6 h du matin et 2 h de la nuit), le nom de la station écoutée. Le tout moyennant une rétribution incitative symbolique. Sondages BBM obtient ainsi une donnée largement utilisée en placement publicitaire, l'**auditoire moyen au quart d'heure**, surtout connue sous les initiales **AMQH**.

Auditoire moyen au quart d'heure (AMQH)

Nombre moyen de personnes appartenant à un groupe cible qui, relevées par tranches d'un quart d'heure, ont écouté une station de radio durant un bloc horaire.

L'utilisation des résultats

Pour déterminer la portée potentielle d'une station de radio, Sondages BBM, s'appuyant sur ces renseignements, établit ensuite un **auditoire cumulatif**. Je suis fière de montrer que cette expression est simplement une autre façon de nommer la portée totale nette, qu'on m'a décrite au début de mon stage.

Auditoire cumulatif

Nombre de personnes différentes jointes, au cours d'une période et dans un marché donné, par un média ou une campagne publicitaire.

Dans les marchés de Montréal, Québec et Ottawa-Gatineau, Sondages BBM réalise annuellement quatre sondages de huit semaines consécutives, sauf en été où le sondage dure six semaines. Les marchés plus petits (par exemple Trois-Rivières, Sherbrooke et Saguenay) sont analysés deux fois l'an, à l'automne et au printemps, tandis que d'autres marchés encore plus petits (par exemple Rouyn, Saint-Jérôme et Saint-Hyacinthe) sont sondés seulement à l'automne. C'est à partir des données ainsi recueillies que les stations établissent leurs tarifs publicitaires de base, selon la tranche horaire (en radio, on ne vend pas des émissions mais des segments de programmation constituant des tranches). C'est également à partir de cette information que les agences médias choisissent les tranches horaires où elles placeront leurs publicités.

« *Tu noteras que les notions de cote d'écoute et de PEB sont apparentées et parfois considérées comme synonymes ; il existe toutefois une légère différence entre les deux expressions.* » En effet, une cote s'applique à l'auditoire d'une seule occasion, tandis que le PEB s'applique à la somme des cotes lorsqu'il y a répétition des annonces ; ce qui peut survenir, soit lors d'une même émission, soit dans une série (succession quotidienne ou hebdomadaire de l'émission), soit dans plusieurs tranches horaires de la même chaîne ou même de chaînes différentes.

CPP (coût par point)

Dès la deuxième semaine de mon stage, j'ai appris l'expression CPM (coût par mille). À la radio — et aussi à la télévision —, on parle également de **CPP (coût par point)** : la somme qu'il faut débourser pour atteindre 1 % du groupe cible dans un marché géographique donné. « *Une façon de dire les choses, qui ajoute aux calculs une nuance, légère à première vue, mais significative quand des sommes importantes sont en jeu.* » En comparant le CPP de diverses stations (ou, à la télévision, de diverses chaînes), il est possible de déterminer leur efficacité respective dans un même marché.

Coût par point (CPP)

Coût par PEB d'un message publicitaire.

$$CPP = \frac{\text{coût du message}}{\text{nombre de PEB}}$$

Exemple : Achat de 29 occasions sur la station CXYZ-FM qui seront diffusées en rotation du lundi au dimanche de 6 h à 20 h. Ces occasions génèrent 108,6 PEB et coûtent 250 $ chacune. Le coût total des 29 messages est de 7 250 $ (29 occasions x 250 $). Donc notre CPP est de 67 $ (CPP = 7 250 $ ÷ 108,6 PEB).

Le CPP est dit moyen quand il couvre l'ensemble des coûts d'une campagne divisé par les PEB totaux. « *Attention ! Pour obtenir les résultats d'une campagne, comme celle de* Sommital, *tu ne calculeras pas la somme des CPP de chaque occasion. Tu analyseras plutôt la campagne publicitaire de façon globale.* » Et de préciser : « *Le calcul du **CPP moyen** suit la même logique que celui du CPM moyen, que tu as déjà étudié.* »

CPP moyen

Application du CPP à une campagne entière pour en évaluer la performance.

$$CPP = \frac{\text{coût total de la campagne}}{\text{nombre total de PEB}}$$

Exemple : Achat de 29 occasions sur la station CXYZ-FM, 33 sur CABC-FM et 32 sur CDEF-FM qui seront toutes diffusées en rotation du lundi au dimanche de 6 h à 20 h. Ces occasions génèrent respectivement 108,6, 98,7 et 68,9 PEB et coûtent 250, 300 et 200 $ chacune. Après calculs (voir ci-dessous), nous obtenons un CPP moyen de 85 $ pour l'ensemble de cette campagne.

	CXYZ-FM	CABC-FM	CDEF-FM	Total ou moyenne
Nombre d'occasions	29	33	32	94
PEB totaux	108,6	98,7	68,9	276,2
PEB/occasion	3,7	3,0	2,2	2,9
Coût/occasion	250 $	300 $	200 $	251 $
Coût total	7 250 $	9 900 $	6 400 $	23 550 $
CPP* (Coût total/PEB totaux)	67 $	100 $	93 $	85 $

* CPP moyen pour la colonne Total

4. LA LUTTE POUR L'ESPACE HERTZIEN

« *Elle est bien loin l'époque où, pour la première fois, un être humain a envahi l'espace hertzien.* » C'est mon responsable de stage qui vient d'intervenir. « *L'homme s'appelait Guglielmo Marconi. L'espace relia d'abord la Grande-Bretagne à la France par la Manche (1899), puis s'étira au-dessus de l'Atlan-*

tique, des côtes anglaises à celles de Terre-Neuve (1901). » Mais ce n'est qu'après la Grande Guerre (1914-1918), avec la multiplication des récepteurs dans les foyers, que la radio prit son essor comme source d'information et de divertissement grand public — autrement dit, comme média.

Les tranches d'oscillation

Dès les débuts de la radio, les ondes électromagnétiques ont été divisées par tranches, basées sur l'amplitude et la fréquence de leur oscillation. Chaque tranche a été elle-même divisée en petits canaux d'ondes. Au total, cela faisait beaucoup de positions possibles pour placer une station. Du moins, c'est ce qu'on a d'abord cru.

En effet, avant la Deuxième Guerre mondiale, le ciel était peu encombré, de sorte qu'on pouvait capter sans peine des stations lointaines. « *Je me souviens que, tout petit, mon père me faisait entendre une station de New-York, WQXR, aisément audible à partir du Québec.* » Tel n'est plus le cas aujourd'hui, même pour les fréquences dites « réservées », celles qu'aucune autre station ne peut occuper quelle que soit sa distance. WQXR est l'une de celles-là ; mais les stations voisines sont aujourd'hui si nombreuses qu'elles lui bouchent littéralement l'espace au-delà de l'agglomération new-yorkaise. Dès lors que chaque canal (on dit aussi « longueur d'onde ») est désormais occupé, c'est un combat perpétuel d'entreprises rivales pour obtenir celui dont la portée hertzienne est la meilleure. Or, comme une marmite qui déborde, il arrive que la puissance d'une antenne radio soit telle que les ondes atteignent un certain nombre d'auditeurs en dehors du marché visé par la station. D'où l'importance croissante qu'ont prise, pour la compétitivité, les notions de **rayonnement** et de **débordement**.

> **Rayonnement**
>
> Espace géographique total couvert par le signal d'une station de radio ou d'une chaîne de télévision. En imprimé, le rayonnement est déterminé par l'espace total de distribution.

Le rayonnement est de nature technique alors que le débordement fait état de l'auditoire. La station sera fière de son rayonnement dont elle pourra tirer parti au moment de fixer ses tarifs. Les annonceurs, eux, apprécieront le débordement s'il est susceptible de leur apporter une clientèle élargie.

Carte de rayonnement d'une station de radio

Les cartes de rayonnement peuvent prendre de nombreuses formes.
Voici la carte de rayonnement de CKOI-FM de Montréal.

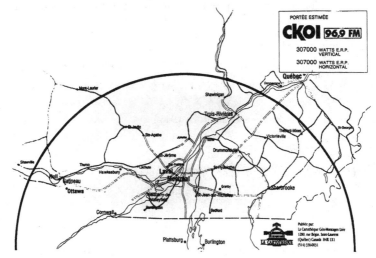

Source : Ventes Corus.

Débordement

Écoute d'une station d'un marché par les auditeurs d'un autre marché auquel parvient le signal de cette station.

Exemple : La station CKOI-FM, avec son antenne de 307 000 watts, peut être écoutée à Trois-Rivières. Il est possible de mesurer le débordement de la station en vérifiant sa performance dans un marché qui n'est pas le sien, dans le marché de Trois-Rivières dans ce cas-ci.

« Retenez donc cette distinction : le rayonnement porte sur l'espace géographique. Si vous souhaitez plutôt considérer les auditeurs que la station atteint en dehors de sa zone de marché, vous parlerez de débordement. » Là-dessus, il me remet de nouveau entre les mains de la planificatrice, qui, une fois de plus, va me faire l'article sur son sujet préféré : les sondages.

Renouvellement de l'auditoire

« Il est une autre notion dont tu devras tenir compte dans une campagne de publicité radio. » Il s'agit du **renouvellement de l'auditoire**, communé-

ment appelé **turnover**. Cette mesure permet de connaître la fidélité relative de l'auditoire à une station radio ou à l'une de ses tranches horaires. Il s'agit donc d'un outil qui indique le déplacement des auditeurs d'une station à une autre (ou à une autre activité) dans le cadre d'une période déterminée.

Renouvellement de l'auditoire

Mesure de l'assiduité des auditeurs, calculée en divisant la portée par l'AMQH.

Renouvellement = Portée du bloc horaire ÷ AMQH

Deux exemples

Émission 1 de radio du lundi au vendredi, 6 h à 9 h

$$\frac{\text{Portée de 246 000}}{\text{Auditoire moyen de 56 200}} = 4,4$$

Émission 2 de radio du lundi au vendredi, 15 h 30 à 18 h

$$\frac{\text{Portée de 345 100}}{\text{Auditoire moyen de 93 500}} = 3,7$$

Le renouvellement de l'auditoire permet de connaître la fidélité des auditeurs. En effet, un *turnover* élevé signifie qu'ils sont peu fidèles au média. « *Par conséquent, tu devras acheter un plus grand nombre d'occasions publicitaires pour assurer à* Sommital *une fréquence d'exposition acceptable.* » Ainsi, pourra-t-on découvrir, par exemple, si l'auditoire de la période du déjeuner se renouvelle plus souvent que celui de la période de retour à la maison.

Fiabilité des sondages

J'absorbe, un à un, les divers outils mathématiques censés assurer la meilleure efficacité possible à une campagne publicitaire. Pourtant, cette nuit, je me suis éveillée en sursaut, avec cette réflexion qui m'obsédait : la valeur de ces outils dépend, en définitive, de la qualité des sondages. Trois sondages par année, auprès de quelques milliers de personnes chaque fois — dont on n'a pas de garantie qu'elles remplissent leur cahier d'écoute correctement —, pour une population de six millions de Québécois francophones, il me semble que c'est peu probant.

« *Peu probant… tu exagères* », me rétorque la planificatrice média, quand je lui fais part de mes réflexions. « *Ce qui compte surtout dans ce genre d'études, c'est le cumul des sondages, saison après saison. La constance dans les résultats permet de croire en leur fiabilité… même s'il y a place à l'amélioration.* » Elle me souligne alors qu'à la télévision, le relevé est maintenant automatique (à peu près sans intervention de la personne sondée) et systématique (à la seconde). Cela viendra peut-être, un jour, pour la radio.

Je n'en demeure pas moins perplexe. Toutes ces analyses se complètent, se recoupent, se compensent… ou, peut-être, se contredisent. « *Non, elles ne peuvent pas se contredire* », insiste la planificatrice. « *Considère-les plutôt comme des voies multiples à travers lesquelles tu progresses vers le meilleur choix.* »

La recette *secrète*

Je ne suis pas tout à fait rassurée. C'est alors qu'elle déballe sa recette secrète : « l'effet optimum » — *The Optimum Effective Scheduling (OES) System*. Ce mode de calcul est précisément fondé sur le renouvellement de l'auditoire. Où est son secret ? Dans le nombre 3,29 qui en constitue l'essence.

La recette « optimum »

1. Calculer le renouvellement d'auditoire d'une station pour l'ensemble de sa programmation.

   Exemple

   Portée cumulative (350 000) ÷ AMQH (24 200) = Taux de renouvellement de l'auditoire (14,5)

2. Multiplier le résultat par 3,29 pour obtenir le total d'occasions à acheter.

   Dans l'exemple : 14,5 x 3,29 = 48 occasions publicitaires à acheter.

3. Distribuer ces occasions de façon égale sur l'ensemble de la programmation.

La multiplication par 3,29 du taux de renouvellement de l'auditoire ne tient pas de la kabbale, mais simplement de l'expérience. Placer une annonce de cette manière aléatoire semble, de manière générale, avoir le même effet que faire l'effort de choisir soigneusement des heures précises de diffusion. À condition, évidemment qu'on ait le budget pour se permettre ce placement massif à l'aveugle.

De cette recette « optimum », je retiens surtout l'effet « média de masse », me rappelant ce que j'avais consigné dans ce journal, il y a deux semaines : « *Quand j'aurai à mesurer l'audience des messages de* Sommital, *je devrai bien me garder d'imaginer des individus précis lisant ou écoutant l'annonce, comme il me serait tout naturel de le faire. Je dois plutôt penser médias de masse, une approche qui occulte les individus au profit des grands nombres.* »

5. L'ACHAT DE TEMPS RADIO

L'initiative que j'avais prise, la semaine dernière, de visiter un journal, avait été très bénéfique. Je décide donc de renouveler l'expérience, cette semaine, dans une radio. La station où je me rends, à l'invitation du représentant des ventes, est située non loin de l'agence. Par des fenêtres percées le long du corridor, je peux apercevoir les studios et les régies où l'animation autour des platines et des vumètres me paraît bien limitée : à la radio, il n'y a pas beaucoup d'action ; tout passe par les oreilles.

Les tarifs publicitaires de la radio

Le projet publicitaire de *Sommital* en tête, je demande d'abord au représentant des ventes de me faire voir sa carte de tarifs. « *À vrai dire, il n'existe pas de carte de tarifs ferme à la radio ; celles qui sont publiées — appelées* « grid cards » — *ne servent que de référence générale.* » Alors quoi ? L'achat de temps radio est négociable ? Bien sûr. Pour un même investissement financier, le nombre de messages de 30 secondes variera d'une négociation à l'autre. « *Pour obtenir un contrat de longue durée qui leur garantira des revenus stables tout au long de l'année, les stations sont prêtes à des concessions, vu qu'on leur achète à l'avance un grand nombre de semaines — généralement plus de vingt-six — de leur inventaire de blocs horaires.* » De son côté, l'agence qui achète au nom de l'annonceur peut compter, pour obtenir des rabais, sur la concurrence entre diffuseurs œuvrant dans les mêmes créneaux.

L'achat de temps publicitaire à la radio exige donc une analyse rigoureuse de l'offre des diverses stations, des forfaits proposés et des tranches horaires disponibles. Il faut surtout éviter le piège d'offres qui laissent miroiter un nombre élevé d'occasions à bas prix, mais sans considération des périodes d'écoute. Ce qui pourrait apparaître, pour l'agence, comme une prime généreuse, ne sera souvent, pour le diffuseur, qu'une façon de combler son horaire publicitaire en période creuse. L'acheteur de temps radio doit également suivre attentivement les mouvements, souvent brusques, dans la programmation d'une station. En effet, si les résultats d'écoute d'une tranche horaire se révèlent décevants, cette portion de la programmation sera aussitôt remaniée ou remplacée, son animateur muté, sinon congédié. Les acheteurs doivent rester vigilants, car les résultats antérieurs d'écoute de la tranche horaire en cause ne sont pas toujours garants de ceux du futur, et les changements de contenu ne se transforment pas toujours en gain instantané d'auditoire.

Cela dit, la radio demeure incontestablement un média majeur pour la promotion et la publicité de la vente au détail. À preuve, une forte proportion des messages qu'on y diffuse a un caractère local. Plusieurs formats, en particulier la diffusion d'un message directement du point de vente, ainsi que des mix judicieux avec les journaux ou Internet, obtiennent un taux d'efficacité élevé. Dans les marchés de petite taille, la radio offre la flexibilité requise pour se tenir au plus près des événements spéciaux ou des blitz de vente.

Principaux formats des messages publicitaires à la radio	
30 secondes	Le plus populaire, environ 75 % des occasions sont de ce format.
60 secondes	Coûte habituellement le double d'un 30 secondes dans un grand marché et 60 % d'un 30 secondes dans un marché régional.
90 secondes	Difficile à négocier, parce que non standard.
15 secondes	Coûte environ 70 % du coût d'un 30 secondes et se vend surtout en paire.
$7^1/_2$ et 10 secondes	Généralement associés à une commandite (météo, sport, bulletins de nouvelles), vendus au coût par occasion.

Les plans d'achat de temps à la radio

Le représentant des ventes poursuit son exposé ; je note tout. Je mettrai de l'ordre dans mes feuillets quand je rentrerai au bureau. « *Votre client,* Sommital, *constitue ce que nous appelons un annonceur local. Nous pouvons lui faire un bon tarif, vu que le rayonnement de notre station dépasse de beaucoup son marché.* »

Je découvre alors — pourquoi n'y avais-je pas pensé plus tôt ? — qu'il existe des réseaux radio. Non seulement un annonceur national tirera-t-il avantage du rayonnement total d'une station, mais il profitera aussi de la large couverture dont le réseau dispose à travers le Québec. Un seul coût, une seule facture, mais l'assurance que son message rejoindra le plus vaste auditoire possible. Évidemment, le réseau radio vend aussi des périodes d'antenne, station par station. Ainsi, dans le cas de *Sommital*, si jamais nous avons recours à un réseau radio, nous n'annoncerons que sur sa station montréalaise.

Percevant mon intérêt, le représentant des ventes développe maintenant ce qu'il m'avait déjà brièvement décrit, allant même jusqu'à me proposer de choisir entre quatre plans : (1) le plan ***ROS (Run of Schedule)***, le plus bas, où les annonces sont placées selon les disponibilités de la station ; (2) le plan ***TAP (Total Audience Plan)*** qui garantit une distribution équitable des annonces dans les diverses tranches horaires (1/3 le matin, 1/3 l'après-midi, 1/3 en soirée) ; (3) le plan ***Remote***, généralement une série d'annonces de 60 secondes en direct du point de vente, précédées de 30 secondes (*pré-remote*) annonçant la tenue de l'événement ; (4) le plan de commandite de 7,5 secondes à fréquence élevée. Je l'arrête là-dessus : ce n'est pas moi le directeur des achats radio de l'agence.

Justement, le directeur en question — l'homme aux mille stylos — me cherche. « *Il est au bout du fil* », précise la réceptionniste de la station. Qu'y a-t-il donc de si important ? « *Ne t'empresse pas de rentrer chez toi. Le métro est de nouveau en panne. Viens plutôt à l'agence.* »

Dans un bureau comme celui-là, personne ne semble pressé de s'en aller à la fin de la journée. L'heure qui suit la fin officielle des activités est même souvent la plus animée, en tout cas la plus détendue. Tandis que nous prenons un café — le directeur des achats radio, la planificatrice média, mon responsable de stage et moi —, je n'ai d'yeux que pour l'arc-en-ciel de couleurs que fait scintiller l'alignement des stylos sur le veston gris. Puis, mes trois guides tirent à la courte paille lequel d'entre eux me reconduira chez moi en voiture.

6e SEMAINE DE STAGE

Une judicieuse combinaison de médias

Cette semaine, il y aura quelque chose de nouveau — et de décisif — dans mon stage. J'aurai à présenter un plan média pour la publicité de *Sommital*. Si cette proposition est jugée raisonnable, je pourrai poursuivre mon séjour à l'agence, et l'on m'affectera à un second dossier. Sinon, je crains bien que mes jours de formation pratique ne soient comptés.

J'ai le choix entre cinq types de médias : (1) ceux disponibles autour du point de vente ; (2) ceux reçus à domicile ; (3) les quotidiens ; (4) les hebdomadaires ; (5) la radio. Pour chacun d'eux, plusieurs entreprises m'ouvrent leur porte : une vingtaine à la radio, six quotidiens, une dizaine d'hebdos et d'innombrables médias de proximité.

Comme pour rendre ma réflexion encore plus difficile, on m'a informée que j'avais « carte blanche », c'est-à-dire que je pouvais mettre tout le budget de *Sommital* dans un seul média ou le distribuer dans plusieurs. C'est dire à quel point je dois savoir, à la fois, embrasser large et cibler précis. J'aurai vraiment besoin de toute ma sensibilité publicitaire… et d'un peu de mathématiques.

1. LA CAMPAGNE PUBLICITAIRE SELON L'ANNONCEUR

Mon analyse commence de la bonne façon : la planificatrice média, responsable du compte de *Sommital*, a invité la direction de l'entreprise — l'annonceur — à une rencontre d'étape. Il est normal que j'y participe.

L'homme qui dirige *Sommital* est originaire de Pondichéry, ce comptoir français du golfe du Bengale remis à l'Inde en 1956. En plus de la langue française, il a conservé de ses parents certains traits coloniaux qui l'amènent à regarder parfois les gens un peu de haut. La vice-présidente, sa femme — qui est bien la personne qui m'avait servie lors de mon passage à la boutique, à la troisième semaine de mon stage —, descend d'une lignée bourgeoise de l'Inde musulmane. D'où l'importance que l'un et l'autre accordent à la qualité du produit offert ; mais d'où aussi ce regard qui m'avait paru snob, hautain, dominateur, mais qu'ils ont — paraît-il — corrigé depuis, pour mieux aller à la rencontre des consommatrices longueuilloises.

L'objectif poursuivi

Dès le début de la rencontre, le président de *Sommital* rappelle son objectif d'affaires, l'objectif marketing et l'objectif média, toutes choses qui m'avaient déjà été présentées à la deuxième semaine de mon stage. Les notes que j'avais alors prises ne me quittent pas, car c'est la base de la planification de cette campagne publicitaire.

J'en parcours les lignes maîtresses : « *Avec un budget de 72 000 $ pour une campagne d'un an — première partie d'un plan de trois ans —, nous devons attirer l'attention de 25 % (pour la première année) des 30 000 femmes de la région longueuilloise qui se procurent habituellement des vêtements haut de gamme (celles qui appartiennent à un ménage où le revenu atteint 80 000 $ ou celles qui, vivant seules, gagnent au moins 40 000 $). La campagne sera menée en hiatus, par le biais d'une mini-campagne au début de chaque cycle saisonnier de la mode.* »

La directrice du compte *Sommital*, qui agit comme modératrice de la réunion, intervient diplomatiquement et de façon ordonnée : elle dit souhaiter que tous les participants s'entendent sur les points analysés avant qu'on ne passe aux suivants. Ce qui donnera une séance un peu lourde par sa rigueur, mais efficace dans le résultat.

Le président de *Sommital* prend la parole le premier et rappelle l'étude de marché qu'il a fait réaliser pour préparer son plan d'affaires : les tendances sociales et démographiques, la publicité de la concurrence, les points forts de l'entreprise pour atteindre le groupe cible. Là-dessus aussi, j'avais déjà pris de nombreuses notes.

Des notes, au demeurant, fort utiles. Car le président utilise des expressions que j'ai eu, plusieurs fois, l'occasion d'entendre depuis mon arrivée ici, comme « AIDA » : attention/intérêt/désir/achat, ou « Les 4 P » : *product, price, place, promotion*, ou encore « avantage distinctif ». Ces tournures font partie du vocabulaire de la publicité, tant pour les annonceurs et les médias que pour les agences. Comment s'intégrer à un milieu si on n'en parle pas la langue ?

Application de quintiles à un indice

« *Le marché de la mode,* continue le président, *suit celui des cosmétiques.* » Le prestige est une valeur en hausse. La femme moderne — émancipée, autonome, plus riche qu'autrefois — veut imposer à la fois respect et admiration. Elle est prête à payer plus si elle est sûre d'obtenir de la qualité. C'est là-dessus qu'il faut mettre l'accent d'une campagne qui lui est spécialement destinée. D'où le slogan de la campagne : « *Une touche d'Orient pour m'épanouir* », formule qu'un « **créatif** » devra rendre magique, en la déclinant par voie de texte, d'image ou de jingle, après que nous aurons choisi le ou les médias porteurs.

> **Créatif**
>
> Cet adjectif se transforme en substantif pour désigner l'ensemble des activités engagées pour concevoir un message publicitaire : choix d'une approche visuelle et sonore qui l'identifiera, avec le texte, le slogan, le jingle et l'illustration appropriée.
>
> Exemple : « *Une bonne publicité tient largement à son créatif.* »
>
> On applique aussi ce nom à la personne principalement chargée de la conception du message.
>
> Exemple : « *C'est Paul qui sera le créatif de ce projet.* »

La planificatrice complète : « *Il peut être intéressant de savoir que sur le plan de l'utilisation des médias, les femmes des* **quintiles** *moyen et fort, qui constituent votre cible, ont un indice élevé d'utilisation des quotidiens, de la radio, des magazines, d'Internet, des hebdomadaires et de l'affichage, mais un indice plus faible par rapport à la télévision, aux centres commerciaux et aux transports en commun.* »

Là, je suis vraiment prise au dépourvu. Pour « indice », ça va : on m'a déjà enseigné ce mot. Mais qu'est-ce qu'un « quintile » ? Je n'ai pas encore appris le sens spécifique de celui-là. Je profiterai donc d'une pause pour demander à la planificatrice de m'éclairer.

Quintile

Division d'une population en cinq groupes, correspondant chacun à environ un cinquième du total. En publicité, cette répartition permet de mettre en relief des catégories dominantes d'utilisateurs et, par comparaison avec la population totale, d'établir des indices.

Cette définition ne me saute pas immédiatement aux yeux, mais je serai bientôt mieux éclairée. Car quand la séance reprend, la planificatrice présente une animation *PowerPoint* où elle rapproche indice et quintiles, de façon à illustrer ce qu'il lui semble être le contexte publicitaire de *Sommital*. Les habitudes de consommation du public ciblé constituent, en effet, un indicateur privilégié pour diriger le publicitaire vers le plan média optimal.

Exemple de répartition en quintiles de la lecture des magazines par les femmes de 18 à 49 ans ayant dépensé plus de 500 $ en vêtements pour elles-mêmes au cours de la dernière année

Quintile	Nombre de numéros lus par mois...	... dans l'ensemble de la population	... dans le groupe cible	Indice
1 – Fort	13,4 et plus	23,7 %	32,5 %	137
2 – Moyen/fort	7,8 à 13,4	21,7 %	24,8 %	114
3 – Moyen	4,4 à 7,8	20,3 %	23,1 %	114
4 – Moyen/léger	1,6 à 4,4	20,3 %	12,1 %	60
5 – Léger	moins de 1,6	14,0 %	7,5 %	54
Total		100 %	100 %	

Il ressort de ces données que les femmes qui lisent régulièrement les journaux (quintile 1) constituent moins du quart de la population féminine, mais le tiers de celles qui dépensent beaucoup pour des vêtements, ce qui se traduit par un indice de 137. Le quotidien serait donc un bon véhicule publicitaire pour cette cible.

Est-ce l'unique et le meilleur ? Il y a beaucoup d'autres rapports quintiles/indice à présenter et beaucoup d'autres paramètres à considérer. L'essentiel tient dans le poids média. Un plan tactique devra prévoir la répartition optimale. « *Doit-on maximiser la portée ou la fréquence ? Le marché géographique sera-t-il convenablement couvert ? Les médias choisis feront-ils ressortir les particularités du produit ? Saura-t-on tirer parti de sa saisonnalité ?* » C'est la préparation d'un tel plan que *Sommital* a confiée à l'agence. De questions en réponses, la planificatrice fait progressivement le tour du sujet. J'admire sa compétence et son doigté dans la façon de toujours centrer le propos sur l'annonceur et de présenter l'agence comme un soutien discret. J'aspire au jour où je pourrai, à mon tour, faire un exposé aussi clair, englobant et… comment dire ?… profondément respectueux du client.

Le budget

La planificatrice ayant terminé la projection, le président de *Sommital* aborde maintenant l'aspect budgétaire de la campagne. Il commence sentencieusement par cette vérité de La Palice : « *Poursuivre un objectif d'envergure avec un budget modeste, c'est indéfendable. Poursuivre un objectif modeste avec un budget d'envergure, c'est inexcusable.* » La planificatrice précise aussitôt que les éléments à considérer au moment de fixer le budget sont de six ordres : (1) l'importance de maintenir le nom de l'entreprise dans la tête des consommateurs ; (2) le marché géographique à couvrir ; (3) les consommateurs visés ; (4) la part de marché convoitée ; (5) le poids des concurrents ; (6) la situation actuelle de l'entreprise.

La vice-présidente, qui ne s'était pas encore exprimée, fait alors observer que la somme prévue pour la campagne a déjà été fixée — à 72 000 $ pour la première année — et qu'on a même déterminé la part de revenu des ventes qui serait affectée à la publicité : 3 %. « *Ce n'est évidemment qu'à la fin de la campagne que nous pourrons établir un* **A:S Ratio**. »

A:S Ratio (*Advertising Sales Ratio*)
Rapport budget de publicité/ventes
Rapport obtenu en divisant les dépenses publicitaires par les ventes effectuées pendant et immédiatement après le déroulement de la campagne. Comparé aux ventes qui précédaient la campagne, ce nombre permet de savoir jusqu'à quel point la publicité a été efficace.

« *Il n'est quand même pas inutile,* souligne la planificatrice, *de recon-firmer aujourd'hui cette prévision budgétaire, car nous sommes parvenus à l'étape de l'appliquer à des médias précis.* » En effet, si, au terme de la campagne publicitaire, les ventes augmentent plus — ou, au contraire, moins — que prévu, cela pourra être dû au message (excellent, bon ou moins bon) ou au plan média (parfait, correct ou insuffisant). Mais cela pourra aussi dépendre simplement de la somme investie. Investir plus qu'il ne faut, c'est peut-être gaspiller une part des profits. Investir moins, c'est risquer que le message n'atteigne pas le consommateur ciblé.

Les dépenses raisonnables

Il y a donc un seuil au-dessus duquel la publicité est superflue et au-dessous duquel elle est trop clairsemée pour être efficace. « *Vous avez fixé ce seuil à 3 %. Cela nous paraît convenable. Nous travaillerons sur cette base, mais ne saurons qu'à la fin de l'année, par l'analyse du A:S Ratio, si nous avions raison. En tout état de cause, la façon que vous avez choisie de concentrer les dépenses publicitaires au début de chacune des quatre saisons est assurément favorable au type souhaité de rétention du message.* »

En effet, quand on veut qu'une consommatrice achète vite, comme ici (avant que la mode ne change), on donne une poussée brève et vigoureuse (au moment où elle a le goût de nouveaux vêtements). On ne se soucie alors pas trop du **taux de rappel**. Au contraire, pour un achat à plus long terme, on recourt à une publicité moins voyante mais plus soutenue, qui ancre progressivement l'image du produit dans le cerveau. Selon l'option choisie, la dépense sera peut-être la même, mais l'effet sera bien différent.

> **Taux de rappel**
> Proportion d'une population, habituellement la cible d'une publicité, qui se souvient d'y avoir été exposée. On obtient ce taux le plus souvent par sondage, en distinguant la mention spontanée de la mention assistée.

Il ne faut toutefois pas oublier que le consommateur arrive fatalement à un état de satiété à l'égard des messages publicitaires. Au-delà d'un certain nombre de diffusions ou d'insertions, l'attention décroît ; la réaction devient parfois même négative. Tout le problème est de savoir à quel moment la fréquence devient « contre-productive ». Cela varie d'un produit à l'autre et d'un groupe sociodémographique à l'autre. Certains annonceurs utiliseront l'humour et produiront plusieurs applications créatives pour un même produit.

La réunion dure trois bonnes heures. Quand il apparaît qu'on a suffisamment fait le tour de la question, le président de *Sommital* propose d'y mettre fin, tout en souhaitant avoir le dernier mot : « *Nous savons bien que l'agence ne pourra jamais garantir que la somme dépensée pour la publicité entraînera automatiquement un retour équivalent en revenus de vente. Toutefois, pour vous donner les meilleures chances d'atteindre les consommatrices visées, nous vous laissons le soin de choisir entre une dispersion de la publicité à travers plusieurs médias (portée élevée) ou une concentration dans quelques-uns (fréquence élevée). Nous comptons sur votre compétence pour prendre la meilleure décision.* » Là-dessus, la séance est levée.

2. LA CAMPAGNE PUBLICITAIRE SELON LES MÉDIAS

Je venais d'avoir un exemple de la façon dont les annonceurs entrevoient une campagne publicitaire. Mais les médias, eux, sous quel angle l'envisagent-ils ? Telle sera la deuxième étape de mon investigation. C'est ainsi que, le lendemain de la rencontre avec la direction de *Sommital*, alors que j'essaie encore de bien situer l'élément central qui ressort de la réunion, la planificatrice me ramène aux documents d'autopublicité qu'elle m'avait montrés, au moment où je m'initiais aux PEB, il y a plusieurs semaines. « *L'essentiel de ce que les médias pensent d'eux-mêmes est là-dedans* », me répétera-t-elle.

Je reconnais bien ces textes promotionnels que j'avais rapidement parcourus et qui ne mettent en évidence qu'un côté de la médaille. Comme pour tout document de publicité ou de relations publiques, l'information qu'on y donne est rigoureusement vraie mais l'entreprise est présentée sous son meilleur profil. À la lecture de ces luxueux prospectus, chacun des médias semble avoir toutes les qualités. Il sera donc intéressant de comparer les éloges que chacun fait de lui-même.

Les quotidiens se vantent

À parcourir ce qu'en disent les autopromotions, les quotidiens seraient parfaitement adaptés à tous les types de publicité, et ce, en toutes circonstances.

Portée élevée et rapide — Par les journaux, les annonceurs atteignent rapidement les groupes qu'ils ont ciblés. En effet, malgré la concurrence d'Internet, une bonne partie de la population continue de lire son quotidien tous les jours.

Information détaillée — La nature même des journaux offre aux annonceurs l'occasion de déployer une publicité élaborée, de manière à fournir une explication détaillée de l'information qu'ils veulent véhiculer. En effet, les annonces ne sont pas limitées par un temps précis d'exposition, comme c'est le cas à la radio ou à la télévision. Elles peuvent même comporter des listes de distributeurs des produits ou des services.

Flexibilité quant aux formats — Dans les journaux, les annonces peuvent s'étaler dans tous les formats imaginables, depuis la simple mention de deux lignes jusqu'à l'ample annonce de deux pages. C'est l'annonceur qui décide.

Impact à court terme — Le quotidien facilite la mise en route rapide d'une annonce. Les délais requis pour l'achat d'un espace publicitaire sont très courts (quelques jours à peine, voire la veille même dans certains cas extrêmes). Ce qui permettra, par exemple, à un détaillant d'offrir des rabais de dernière minute dans le but de provoquer une réaction immédiate des consommateurs.

Accessibilité pour les annonceurs à faible budget — La précision des marchés régionaux et le faible coût unitaire d'une insertion publicitaire permettent aux annonceurs à petit budget d'annoncer dans les hebdos ou dans les quotidiens locaux. Les coûts de production d'une annonce y sont également moins élevés que pour d'autres médias.

Sélectivité — Les multiples sections des journaux (économie, immobilier, arts et spectacles, etc.), ainsi que leurs cahiers spéciaux (événement sportif, tourisme, rentrée culturelle, éducation, etc.), permettent une certaine segmentation de la clientèle et un meilleur ciblage des annonces.

Possibilité d'insertion de matériel de promotion — La distribution des journaux à domicile fournit aux annonceurs l'occasion d'insérer des coupons de réduction pour attirer le consommateur. À leur tour, ces coupons permettent de mesurer jusqu'à un certain point l'impact d'une publicité, l'ampleur de leur utilisation révélant rapidement l'efficacité tant de l'annonce que du média retenu.

La radio se félicite

La promotion des organismes regroupant les propriétaires de stations de radio n'a, elle aussi, que des éloges à faire de ce média comme véhicule publicitaire.

Fréquence élevée — La radio constitue — du moins, le prétend-elle — le meilleur média pour les annonceurs qui souhaitent obtenir une fréquence élevée de leur message, à un coût relativement faible. Du fait de cette capacité, l'annonceur pourra obtenir d'importants rabais de volume.

Haute sélectivité — Grâce à la variété des programmations, les stations de radio suscitent l'intérêt d'auditoires aux caractéristiques précises, offrant ainsi un éventail de possibilités, quel que soit le groupe cible ; et ce, non seulement d'une station à l'autre, mais aussi dans la même station selon les heures du jour.

Grande flexibilité — Les délais de mise en ondes à la radio sont relativement courts. En effet, un message peut être diffusé moins de 48 heures après la requête (incluant les étapes de planification, de production et d'achat) ; ce qui permet un déploiement rapide dans le cas d'une campagne subite.

Saveur locale — Comme on trouve des stations de radio non seulement dans les grandes villes, mais aussi dans les plus petites, n'importe quel annonceur est en mesure de s'adresser à des clients potentiels dans l'environnement immédiat du point de vente.

Impact à court terme — La radio permet de sensibiliser l'auditeur en très peu de temps. Pour les soldes de dernière minute, elle garantit la réaction la plus rapide du public. Cette réaction est même instantanée lors d'une publicité en direct depuis le point de vente.

Possibilité d'atteindre des populations mobiles — La radio est le meilleur média pour atteindre les gens actifs ou en déplacement (plus de 50 % de l'écoute radio se fait à l'extérieur du foyer).

Faibles coûts (achat et production) — Le coût unitaire et le CPM étant relativement bas, du moins plus bas que pour la télévision, les annonceurs feront souvent appel à la radio pour obtenir une fréquence de message élevée ou pour compléter leurs achats médias.

Les médias de proximité ne sont pas en reste

De *Publi-Sac* aux *Pages Jaunes*, les médias de proximité ne manquent pas de se mettre eux aussi en évidence. Ils se décrivent comme ayant une portée remarquablement élevée : ils atteignent un auditoire captif et jouissent d'une longue durée d'exposition. En outre, leur tarification est hautement concurrentielle.

À cet égard, l'affichage intérieur se révèle excellent pour la reconnaissance visuelle d'un message et pour l'efficacité par rapport au coût. *Publi-Sac* se démarque par une portée élevée, une grande flexibilité géographique et la capacité de bien décrire le produit. Les *Pages Jaunes* ont un taux de pénétration inégalé et une approche qui, plus que tout autre média, assure un accès rapide à n'importe quel fournisseur d'un secteur d'activités donné. Quant à la publicité directe, son efficacité vient surtout du faible coût d'investissement et de fonctionnement requis pour couvrir l'ensemble du territoire par téléphone.

Regard critique

À lire, tour à tour, chacun de ces luxueux prospectus, chaque média serait donc supérieur à l'autre en tout point, et aucun d'eux n'aurait la moindre faiblesse. Comme il est inévitable que chaque média ait des limites, je demande à la planificatrice de mettre un bémol à toutes ces belles phrases.

Elle commence par une observation générale : « *Lorsqu'on identifie des faiblesses ou des limites chez un média, il est peut-être plus exact de parler de défis.* » L'expression « défi » est non seulement plus délicate que « faiblesse » ; elle reflète aussi le fait que les médias sont conscients de leurs carences —

même s'ils n'aiment pas trop l'avouer — et cherchent constamment à les atténuer, tant par des ajustements de contenus que par des progrès techniques. Ainsi, certaines exécutions ingénieuses arriveront à contrer ce qui était, au départ, une limite du véhicule. Conséquemment, le fait qu'un média présente des défis (ou carences, faiblesses, limites) face à une caractéristique ne signifie pas qu'il faille automatiquement l'exclure d'une stratégie, car il peut compenser ce point faible par un avantage circonstanciel. *« Cela dit, voyons les choses de plus près. »*

Analyse plus pointue

Les quotidiens — Malgré d'importantes avancées au cours des dernières années, ils souffrent encore d'une qualité de reproduction inégale. En outre, ils peinent à atteindre certains groupes démographiques, tels les jeunes ou les personnes moins scolarisées. Par ailleurs, leur durée de vie est éphémère — de trente minute à une journée ; leur contenu est rapidement périmé. En outre, l'annonceur peut difficilement contrôler l'emplacement de son message publicitaire dans des pages déjà encombrées. Il est esclave du petit nombre de journaux par marché, parfois d'un seul qui y fait la loi. Le coût unitaire d'une annonce de grande dimension dans un quotidien à fort tirage est considérable, ce qui limite les élans d'une campagne où l'on privilégie une stratégie de fréquence élevée. Ce coût est d'ailleurs relativement élevé par rapport aux autres médias.

La radio — Les stations sont nombreuses, mais chacune d'elles a une portée limitée. La composition des auditoires est étendue, mais la fragmentation l'est tout autant, surtout dans les grands marchés. Par ailleurs, la courte durée de vie des messages, jumelée à un faible niveau d'attention des auditeurs, nécessite le recours à un usage percutant des sons pour compenser l'absence d'image. Pour l'annonceur, la portée de la radio peut se révéler coûteuse, car il doit annoncer dans plusieurs stations pour atteindre l'ensemble de son groupe cible. Quant à l'encombrement publicitaire, il résulte du fait qu'on diffuse souvent une longue suite d'annonces, ce qui a pour effet de noyer celles qui ne peuvent se démarquer.

Les médias de proximité — Ils ont également leurs limites… L'affichage extérieur est peu propice à la segmentation de la clientèle. *Publi-Sac* n'atteint que faiblement le public le plus consommateur, celui des jeunes adultes. Les *Pages Jaunes* sont rédigées en caractères si petits et les colonnes sont si serrées que, pour bien des gens, leur lecture en devient impossible. Pour ce qui est de la publicité directe, elle a souvent un effet repoussoir.

Forces et faiblesses des médias

Alors que je m'épuise à griffonner des notes, la planificatrice média me tend un tableau qu'elle a préparé. « *Jette un coup d'œil sur ce clin d'œil !* »

Il existe plusieurs variantes dans les tableaux « Forces et faiblesses des médias ». Tous se ressemblent, toutefois, en ce qu'ils mettent en relief les mêmes caractéristiques dominantes. Largement utilisés dans le monde du placement média, ces condensés d'informations serviront d'argumentaire pour le choix du meilleur véhicule publicitaire à utiliser dans un contexte donné.

« *Voilà*, conclut la planificatrice. *Tu sais maintenant comment se présente une campagne publicitaire, tant pour les médias que pour les annonceurs. Mais nous, les agences, qui agissons comme intermédiaires entre les uns et les autres, nous portons aussi un regard tout à fait original sur la publicité. Savoir comment nous envisageons une campagne, ce sera le troisième volet de ton analyse.* » La personne qui va me soutenir dans cet exercice est le directeur de la recherche.

Forces et faiblesses de chaque média : quel est votre avis ? Excellent ? Neutre ? Faible ?

Caractéristiques médias	Affichage extérieur	Radio	Télévision	Télé spécialisée	Journaux	Magazines	Publicité directe	Internet
Portée élevée								
Segmentation								
Capacité d'atteindre les jeunes adultes								
Capacité d'atteindre un auditoire de choix								
Fréquence								
Flexibilité géographique								
Capacité d'atteindre l'auditoire cible à l'extérieur de la maison								
Possibilité de distribuer des coupons de réduction								
Degré de séduction								
Démonstration du produit								
Reconnaissance visuelle								
Capacité de véhiculer de l'information détaillée								
Flexibilité								
Efficacité du coût								
Occasion de commandite								

Ce tableau a pour but de comparer chaque média par rapport aux autres.
Source : Carat.

3. LA CAMPAGNE PUBLICITAIRE SELON L'AGENCE

Avec ses vêtements noirs, son crâne rasé et les lunettes de soleil piqués au sommet du front, le directeur de la recherche ressemble plus à un garde du corps qu'à un intellectuel. Mais à tout prendre, leurs tâches exigent la même rigueur. Le garde du corps ne doit jamais perdre l'horizon de vue. L'homme de la recherche doit savoir décoder les moindres mouvements imprévus dans le paysage médiatique.

Ses premiers mots : « *Il n'y a pas de bons ou de mauvais médias. Selon les circonstances, certains conviennent mieux que d'autres.* » En plus, précisera-t-il, pour chaque catégorie de médias il faut aussi considérer les forces et les faiblesses de chaque véhicule : si l'on juge qu'il vaudrait mieux annoncer dans un journal plutôt qu'à la radio, sur quelles bases privilégiera-t-on *Le Journal de Montréal*, *La Presse* ou *Le Devoir* ?

Les critères de sélection d'un média

Alors, comment procéder ? « *Il faut ciseler une annonce comme on le ferait d'un bijou. En respectant le type de pierre qu'on polit, mais en se montrant inventif dans la finition.* » Un « artiste » du placement média pourra considérer jusqu'à vingt-cinq critères, qui porteront sur quatre aspects : (1) le potentiel intrinsèque des médias... « *c'est ce que chacun d'eux essaie de mettre en valeur, comme vous l'avez bien vu* » ; (2) la campagne telle qu'elle est planifiée ; (3) le message qu'on veut transmettre ; (4) le budget disponible... « *pour ces trois derniers points, il faut savoir écouter le client* ».

Cet homme fonctionne comme un ordinateur. Sa méticulosité me fait même un peu peur. « *Sous le premier de ces quatre aspects*, poursuit-il, *les capacités d'un média ou d'un véhicule sont jugées (1) en soi. Pour les trois autres, elles le sont en considération des besoins de l'annonceur. Ils portent alors (2) sur l'objectif que ce dernier poursuit, (3) sur la stratégie qu'il a choisie et (4) sur les ressources dont il dispose.* »

À chacun de ces aspects correspondent des critères. Pour *Sommital*, il me faudra concilier (1) une cible aisée et (2) des médias à grande diffusion, (3) tout en concentrant géographiquement le message pour limiter la perte d'auditoire. Il n'est pas facile de trouver le point d'équilibre d'un pareil triangle.

C'est un peu perplexe que je quitte le directeur de la recherche. J'ai peine à croire que cette mécanique soit infaillible. Mon responsable de stage se voudra rassurant quand je lui ferai part de mon désarroi : « *Rien, jamais, ne remplacera une fine intuition. Mais, pour un dossier difficile comme celui de* Sommital, *il ne vous suffira pas de vous fier à votre instinct. Vous aurez besoin de faire preuve de rigueur.* » Puis mon guide se déclare disposé à m'aider à mettre de l'ordre dans l'abondante documentation que j'ai accumulée depuis le début de la semaine. Dès le départ, il me rappelle, une fois encore — tant cela lui paraît déterminant —, le changement de perspective que connaît le marketing quand il investit les *médias de masse* par la publicité.

De la relation interpersonnelle à la communication médiatisée

« *Vous avez ici affaire à un détaillant qui ne vend qu'un seul produit, un produit au demeurant de type très particulier. Ce détaillant est fier des vêtements qu'il expose dans sa boutique ; il les montre dans des défilés de mode. En les mettant en vente, il veut évidemment s'assurer un revenu convenable, mais il cherche aussi à partager sa fierté avec une clientèle qui saura les apprécier. Les relations entre vendeur et acheteur ont donc un caractère interpersonnel élevé. À preuve, vous-même — vous vous en souvenez — n'avez pas apprécié votre relation initiale, de personne à personne, avec la vendeuse.* »

La relation médiatisée, au contraire, est tout à fait impersonnelle. Le public ciblé n'a pas de visage ; il devient un nombre. « *Vous connaissez peut-être ce mot terrible de Staline : "Un mort, c'est une tragédie ; un million de morts, c'est une statistique".* » On ne saurait mieux exprimer, si affreuse soit pareille phrase, l'aspect éthéré que prend le consommateur quand il devient, lui aussi, une statistique.

En publicité, l'agence doit connaître l'annonceur, le spécialiste de la création doit connaître le produit. « *Quant au spécialiste du placement média — vous, en l'occurrence, aujourd'hui —, il n'a à connaître le public cible que de façon économétrique. C'est pourquoi nous utilisons toutes ces formules pour nos transactions avec les médias.* »

« *À propos, vous souvenez-vous bien des équations que vous avez apprises depuis le début de votre stage ?* » Je réponds oui, et lui en fais aussitôt la démonstration en les citant une à une, sans coup férir, précisant même la semaine où on me les a enseignées. De quoi gagner le gros lot dans un jeu questionnaire. Mon mentor en est impressionné : « *Vous êtes sur la bonne voie.* » Ce à quoi il ajoute : « *Il revient au publicitaire, non à l'équation, de choisir la façon dont seront distribués les PEB d'une campagne, puisque la portée et la fréquence sont inversement proportionnelles. Autrement dit, pour un même nombre de PEB, le publicitaire est libre de mettre l'accent soit sur la portée, soit sur la fréquence.* »

Du PEB au CPM

Les morceaux du puzzle se mettent peu à peu en place. Cette façon de convertir le public cible en statistique n'aurait qu'un intérêt limité si l'annonceur ne procédait qu'à une seule diffusion/insertion. Mais le nombre d'expositions du message au public est généralement élevé, car ce n'est qu'après de patientes répétitions que l'attention du consommateur s'avivera.

Statistiquement, c'est donc l'accumulation des PEB, selon une certaine fréquence et une certaine portée, qui déterminera la percée d'un message. « *Si vous fixez à 1000 PEB l'efficacité d'une campagne publicitaire à la radio, il vous restera encore à décider si vous concentrez ces 1000 PEB dans une seule station ou si vous les répartissez dans plusieurs.* »

Exemple de campagne radio de 1000 PEB pour 4 semaines auprès des adultes de 18-49 ans dans le marché de Montréal francophone		Nbre d'occ.	PEB cumul.	Cote moy.	Fréquence moy.	Portée (%)	Portée (000)	Impressions (000)
campagne 1 sem.	Station 1	27	66,9	2,48	5,1	13,2	180,1	914,8
	Station 2	24	95,7	3,99	4,2	22,7	309,8	1308,8
	Station 3	25	88,5	3,54	4,0	22,3	304,9	1209,9
Total (1 sem.)		76	251,1	3,34	4,4	47,8	653,8	3433,5
Total (4 sem.)		304	1004,4	3,34	18,20	55,1	752,9	13734,0

« *Mais comment concilier vos 1000 PEB avec le CPM ? Comment savoir si votre investissement est placé de la manière la plus efficace possible, si votre rapport coût/bénéfice est idéal ? Voici une façon de vous en faire une idée. Il y en a d'autres.* »

1) L'agence fixe d'abord les paramètres statistiques du public visé et vérifie si leur configuration se reflète dans un média. « *Dans le cas qui vous concerne, il ne vous sert à rien de considérer des stations de radio qui s'adressent à un public trop jeune pour s'acheter des vête-ments de* Sommital. »

2) L'agence établit ensuite le rapport fréquence/portée qu'elle souhaite obtenir pour la campagne publicitaire, selon qu'elle se propose de mettre l'accent sur une répétition élevée du message à un public large (dans l'espoir d'aller chercher de nouveaux consommateurs), ou sur une répétition réduite à un public plus près de la cible (pour inciter les gens qui connaissent déjà le produit à se le procurer au plus tôt).

3) Après quoi elle considère le PEB cumulatif (ou le nombre d'impres-sions brutes, c'est la même chose) qu'on peut anticiper de chacune des émissions ou publications qui répondent a) au public visé, b) au rapport fréquence/portée retenu. Les analyses des firmes de sondage permettent d'établir ce PEB.

4) Elle obtiendra des stations, des journaux ou des autres médias (habituellement par des organismes intermédiaires) le tarif publici-taire des segments horaires ou des espaces qui lui paraissent propices à une diffusion/insertion.

5) Il ne lui restera plus qu'à calculer le coût par mille pour faire son choix final. « *Attention ! Le coût par mille sert à comparer deux médias de même type, journaux entre eux, stations de radio entre elles. On ne peut opposer un quotidien à un hebdomadaire ni une émission de radio à un prospectus dans un* Publi-Sac. *Cette première sélection aura été réalisée au début du processus, comme je vous l'ai indiqué.* »

4. MON PLAN DE CAMPAGNE

« *Il y aurait encore beaucoup à ajouter,* conclut mon responsable de stage, *mais vous avez encore du temps de formation devant vous.* » Au travail, maintenant ! J'ai une proposition précise à rédiger pour le dossier *Sommital.*

Je sais bien que ma recommandation ne liera pas l'agence : je ne suis, après tout, qu'une stagiaire. Mais elle sera sûrement déterminante pour mon propre avenir dans le métier. Si le projet de plan de campagne que je présente est trop farfelu, complètement irréaliste, peut-être mettra-t-on immédiatement un terme à ce stage en m'expliquant que je n'ai pas ce qu'il faut pour réussir en placement média. Si, au contraire, on trouve qu'il se tient convenablement, on m'invitera à poursuivre cette aventure en me confiant un dossier plus complexe.

L'impasse

Mon responsable de stage me conduit vers un cubicule inoccupé. Table vide, étagère vide, chaise droite, pas de téléphone… « *Ce sera votre poste de travail.* » J'étouffe déjà, moi qui suis habituée à travailler en équipe dans des lieux ouverts.

« *Au cours des dernières semaines, vous avez analysé tous les aspects du projet publicitaire de* Sommital. *Vous avez considéré divers moyens de communiquer son message — les médias de proximité (au point de vente et à domicile), les journaux (hebdos et quotidiens), la radio (locale et réseau). Le moment est venu de préparer un projet de campagne utilisant au mieux l'un ou l'autre de ces médias ou une combinaison de plusieurs d'entre eux.* » Là-dessus, il s'esquive. Sa compréhension m'est essentielle, car elle constitue le lien entre mon rêve professionnel et sa réalisation.

Je m'assois, allume l'unique lampe et commence à disposer les fiches que j'ai noircies depuis mon arrivée à l'agence. Mais mon esprit ne veut pas suivre. Tout ce que j'ai appris semble s'être soudainement effacé. Je remue mes feuilles sans savoir par où commencer. C'est le noir total. J'ai bien les yeux ouverts, mais je ne vois rien. Au bout d'une heure, découragée, je m'en vais, penaude, chez la planificatrice média rendre les armes… je ne suis pas à la hauteur du métier que je rêvais d'entreprendre.

Celle-ci s'esclaffe en m'apercevant : « *C'est bien ce que je prévoyais : ton mentor t'a fait le coup, comme aux autres. Pour lui, c'est un véritable rituel d'initiation. Il met ses stagiaires dans une situation stressante et les y abandonne, surveillant de loin leur réaction. Alors, si tu veux lui montrer ce dont tu es capable, tu vas devoir faire face.* » Elle m'aidera quand même un peu : « *Reconstitue soigneusement tes trois rencontres de la semaine.* » Simple réflexe, sans doute, à la confiance qu'elle m'accorde, tout commence de nouveau à s'éclairer. Je sors du tunnel.

Retour sur mes trois rencontres de la semaine

La première rencontre, avec la direction de *Sommital,* portait sur les attentes de l'annonceur. « *Rappelle-toi le mot d'ordre de notre agence* "Comment se faire inviter". *Pense à une campagne où les médias trouveront leur compte, car elle sera originale, et où les consommatrices se sentiront respectées, conformément à leurs attentes, comme l'a souhaité le président de l'entreprise.* »

La deuxième rencontre, avec le directeur de la recherche, portait sur les critères de sélection des médias, face à leurs prétentions. « *Tiens ! Voici un tableau que nous utilisons fréquemment pour choisir parmi les médias. Surligne les éléments qui te paraissent les plus importants pour la publicité de* Sommital. *Il ne te restera qu'à faire le total des points pour trouver les véhicules les plus favorables.* »

La troisième rencontre, avec le responsable de stage, portait sur la conciliation entre la meilleure exposition possible du message et le budget total disponible pour la première année de la campagne (72 000 $). « *Tu te souviens qu'il s'agissait d'établir un bon rapport impressions brutes/coût par mille. Fais-toi un calendrier de la campagne, en indiquant, semaine après semaine, le nombre de diffusions/insertions proposé, ainsi que le total des impressions brutes et des CPM pour chacune d'elles. Modifie tes calculs jusqu'à ce que l'investissement total représente le meilleur rapport coût/bénéfice. Tu vois comme c'est simple.* »

Même soutenue par l'enthousiasme de la planificatrice média, il me faudra un certain temps pour rédiger le plan. Je devrai le baser sur le plan marketing préalablement établi par *Sommital :* clientèle visée, situation du

Matrice de sélection des médias — objectif client			
	Critères de sélection	*Télé*	*Radio*
Auditoire	Portée globale	5	4
	Couverture rapide	4	4
	Ciblage	3	5
	État d'esprit de l'auditoire	4	2
Message	Impact/Démarquage	5	3
	Message détaillé	5	3
	Flexibilité créative	4	3
	Crédibilité	5	3
	Environnement	3	3
	Durée de vie	3	2
	Urgence/Actualité	0	0
	Prestige/Image	5	2
Coûts	Prix de revient	4	3
	Abordables	3	4
	De production	5	3
Divers	Affinité du produit avec le média	3	2
	Possibilités créatives en média	5	3
	Activités de la compétition	5	1
	Encombrement	3	4
	Call to action (Incitation à agir)	3	4
	Segmentation géographique	2	4
	Opportunités de commandites	5	5
	Effet sur la force de vente	5	3
Limites	Tombées des réservations	3	3
	Lois et restrictions	0	0
	Disponibilité, inventaires	4	4

Matrice de sélection des médias — objectif client *(suite)*			
Quotidiens	*Magazines*	*Affichage*	*Internet*
3	5	3	2
4	2	3	3
4	5	4	5
2	4	2	2
1	4	2	2
3	5	1	5
1	3	1	4
3	5	1	4
2	5	1	2
1	5	1	2
0	0	0	0
1	4	2	3
1	3	2	3
1	3	5	3
3	3	2	3
1	5	1	3
1	3	1	4
1	2	1	1
4	4	4	4
5	4	2	5
5	1	4	1
1	1	1	3
2	3	2	2
5	4	3	3
0	0	0	0
4	4	3	4

1 = Pas favorable ; 2 = Peu favorable ; 3 = Moyennement favorable ; 4 = Favorable ; 5 = Très favorable.
Source : Carat.

marché, objectifs marketing, place de la publicité, budget. Il s'appuiera également sur le slogan de la campagne : « *Une touche d'Orient pour m'épanouir* ». J'aurai à cœur de me montrer cohérente avec ces orientations.

La rédaction de mon plan

Voici donc comment je m'y suis prise pour construire mon plan de campagne :

1) J'ai d'abord indiqué l'approche publicitaire qui, à mon avis, refléterait le mieux la nature du produit (haut de gamme) et respecterait les sensibilités de la clientèle visée (milieu aisé). En me servant de la matrice que la planificatrice m'avait remise, j'ai fait une première sélection de médias susceptibles de répondre à ces exigences. Pour mon stage, il m'a fallu justifier ce choix, point par point.

2) Pour les médias que j'ai retenus, j'ai imaginé ensuite — suivant le principe « *Se faire inviter plutôt que chercher à s'imposer* » — une façon originale de présenter le message : le moment opportun (radio), le format et l'emplacement bien choisis (journal), la taille des affiches (médias de proximité du point de vente), l'attrait du prospectus (médias au foyer). Je devais avoir bien en tête une approche séduisante, qui attirerait le public cible (au lieu de le heurter, comme le font tant de messages) et qui, en même temps, répondrait aux attentes des entreprises de communication (qui tentent constamment de se renouveler). C'est à la lumière de ces diverses considérations que j'ai fait mon choix final de temps ou d'espace média.

3) Conformément au calendrier type — que j'avais également reçu de la planificatrice —, j'ai dressé un programme de diffusion/insertion en hiatus (à cause de la saisonnalité du produit), indiquant, semaine par semaine, le nombre d'impressions brutes prévues et leur CPM (ou le nombre de PEB et leur CPP, ce qui est identique) pour un total de 72 000 $.

Fin de ma première épreuve

Évidemment, je ne suis pas arrivée du premier coup à la formule idéale. Je l'ai donc ajustée jusqu'à ce que je sois minimalement satisfaite. Comme je suis une personne exigeante et minutieuse, je n'étais pas encore tout à fait sûre de mon choix quand j'ai quitté le placard où l'on m'avait placée pour rédiger ce plan.

Je me souviendrai longtemps de ce vendredi soir. J'étais la dernière à quitter le bureau ; j'avais donné tout ce que je pouvais ; la suite de mon stage tenait dans ces quelques pages.

Il ne me reste donc plus qu'à espérer que mon responsable l'accueillera de façon positive et — ce qui serait vraiment formidable — que la planificatrice média s'en inspire pour la proposition « officielle » que l'agence fera à l'annonceur.

NOTE DE L'ÉDITEUR

Tout lecteur peut s'entraîner à la planification média en rédigeant, pour son propre compte, les deux premières sections de ce modèle de plan. Pour ce qui est de la troisième, elle exige qu'on connaisse les impressions brutes et le coût par mille de chacun des médias qu'on aura choisis. Si l'accès à ces statistiques est confidentiel, il est toutefois possible en enseignement de présenter des exemples fictifs. C'est ce qui est fait au cours *Gestion des médias publicitaires (PBT2210D)* du Certificat de publicité de la Faculté de l'éducation permanente de l'Université de Montréal. Pour les coordonnées de ce cours, voir à la page 10.

TRANSITION

Ma cousine est habituée à mes coups de téléphone impromptus. « *Tu ne vas quand même pas t'en faire à ce point avec ton stage* », insiste-t-elle à chaque fois. J'ai beau lui dire que j'en ai assez des petits emplois sans avenir dont je peuple mes fins de semaine, qu'un poste stable en placement média est important pour moi, elle réagit toujours de la même façon en me rappelant que je dois avant tout avoir confiance en moi.

« *Tu ne sais même pas si ton plan média pour* Sommital *a été bien ou mal accueilli. Et puis, si tes idées n'ont pas été reçues comme tu le souhaitais, l'embauche dont tu rêves ne sera pas nécessairement compromise. On te donnera peut-être une seconde chance. Et, si ça ne marche pas, c'est sans doute que ton vrai talent se situe ailleurs.* » Que puis-je opposer à cette argumentation ?

Pourtant, quand la sonnerie du téléphone me secoue, ce matin, avant même que j'aie fini mon café, j'oublie tout ce que m'a dit ma cousine : ma respiration s'emballe. À l'autre bout du fil, c'est mon responsable de stage qui m'avise de me rendre à une adresse prestigieuse du centre-ville où il m'attendra. Je n'ai pas le temps de lui en demander plus ; il a déjà raccroché.

Le gratte-ciel où il m'a donné rendez-vous s'est voulu accueillant en se parant d'une fontaine et d'un carré de gazon. Malgré l'heure matinale, les portes tournent sans arrêt, faisant miroiter les rayons d'un soleil tangentiel. Mon tuteur m'attend au trente-neuvième étage : « *Vous voici chez l'homme le plus riche de la ville.* »

J'en prends clairement conscience quand un adjoint — qui a plutôt l'allure d'un valet — m'accueille et me conduit cérémonieusement à la bibliothèque dont il referme doucement la porte. Déjà assises autour de la table de teck, la directrice générale de notre agence et la directrice du compte de *Sommital* se racontent leur fin de semaine à voix étouffée. Toutes ces personnes ne se sont sûrement pas rassemblées dans un pareil endroit pour informer une simple stagiaire comme moi qu'elle a ou non réussi sa première épreuve. Il y a autre chose.

Autre chose il y a, en effet, et je le constate quand la porte de la bibliothèque s'ouvre de nouveau pour laisser entrer un paraplégique.

7ᵉ SEMAINE DE STAGE

Un annonceur national

Un homme prématurément vieilli est poussé en fauteuil roulant par une femme en tenue d'infirmière. S'avancent à ses côtés, une autre femme en tailleur portant un lourd porte-documents, ainsi que le président de notre agence, le sourire triomphant. À l'évidence, notre président a ses entrées chez l'homme le plus riche de la ville, ce multimillionnaire que je reconnais du premier coup d'œil, coqueluche des médias depuis son accident vasculaire cérébral. On l'avait cru à l'article de la mort ; les analystes des pages économiques se plaisent aujourd'hui à affirmer qu'il est mentalement plus vigoureux que jamais.

1. UN PROJET AMBITIEUX

La dame au tailleur, qui se présente comme la conseillère juridique personnelle du magnat, prend la parole : « *Monsieur Irrighen vous a invités afin de vous faire une annonce pour le moment confidentielle.* » La voix du handicapé se fait aussitôt entendre dans une sorte de râlement inaudible que l'infirmière, qui est aussi orthophoniste, traduit : « *Monsieur Irrighen dit qu'il vient de racheter* McFarlane. »

J'ai lu dans les journaux le récit de la lente et implacable faillite de *McFarlane*, propriétaire de la chaîne de restauration rapide *Reserve*, qui a affecté tout un pan de cette industrie, d'un océan à l'autre. Célèbre pour son adresse à réanimer les entreprises moribondes, M. Irrighen aura attendu le dépôt de bilan pour se présenter comme repreneur auprès du syndic, de manière à lancer la firme dans une nouvelle direction sans entraves d'aucune sorte, après l'avoir acquise pour presque rien.

Il compte manifestement sur notre agence pour apporter un soutien publicitaire à cette mainmise. C'est le sens que je trouve à la présente réunion. Mais pourquoi m'y a-t-on invitée, moi ?

La stratégie d'un plan d'affaires

L'avocate jette un regard appuyé sur l'assemblée et reprend la parole : « *Nous vous avons convoqués pour vous confier une campagne publicitaire d'envergure nationale. Toutefois, pour que vous compreniez bien ce que nous attendons de vous, nous devons d'abord vous présenter le nouveau contexte qu'entraîne l'acquisition de* McFarlane *et le plan d'affaires qui en découle.* »

À ces mots, me revient aussitôt le souvenir du dossier *Sommital* à propos duquel on avait tant insisté sur la continuité à assurer entre le plan d'affaires, le plan marketing et le plan média. Qu'un annonceur soit local ou national, la filiation d'un plan à l'autre doit toujours être maintenue. Ce que j'ai appris se révèle donc immédiatement applicable à une situation différente. Évidemment, le plan d'affaires que se met à décrire la conseillère juridique est plus complexe que celui de *Sommital*. Qu'importe. J'arriverai bien à le résumer de façon intelligible. En voici les principales étapes.

Robalmex, le holding que contrôle la fortune de M. Irrighen, comporte un éventail de sociétés, dont *Robalmex Trust* qui vient d'avaler *McFarlane*. La firme en faillite a aussitôt été segmentée en deux entreprises indépendantes, l'une pour l'ensemble du Canada, l'autre pour le Québec, des analyses de marché ayant révélé que les Québécois avaient des goûts alimentaires distincts.

« *Vous n'aurez donc jamais à travailler avec* Robalmex, *mais plutôt avec sa nouvelle filiale,* Québec 805669. *Faisant affaire sous le nom de* "À votre bonne santé", *celle-ci rouvrira, le plus tôt possible, les trente points de vente que la faillite a fermés et en créera progressivement de nouveaux. Nous ne reprendrons pas les franchisés, puisque tous nos restaurants seront corporatifs. Plus important encore, nous axerons notre produit sur un nouveau créneau.* » Le puissant homme d'affaires fait, de la tête, un signe qui indique qu'il est bel et bien derrière ce concept.

Un nouveau créneau

Commence alors une longue explication. Les études ont révélé qu'une part importante de la population ne fréquente jamais les restaurants-minute. Le plus souvent, c'est à cause de la composition des repas proposés. « *Ce n'est pas que les* fast-food *actuels servent de la mauvaise nourriture ; mais la preuve est faite — tout au moins, beaucoup de gens en sont convaincus — que se nourrir régulièrement ainsi est mauvais pour la santé. Ils ne vont donc jamais dans ces établissements où l'on ne trouve, disent-ils, que de la malbouffe.* »

Mais où se cachent les mets recommandés par les diététistes ? Sans doute trouve-t-on, dans quelques centres commerciaux, des comptoirs qui proposent des menus légers à base de légumes et de fruits. Mais, pour la pause du midi ou le service à l'auto, on cherchera vainement ce type de restaurants sur les boulevards. « *Les gens se satisfont des* fast-foods *actuels faute d'autres modèles.* »

Et pourquoi l'alimentation dite saine est-elle si peu offerte ? Parce qu'elle coûte plus cher à produire. « *M. Irrighen croit pouvoir contourner cet obstacle, comme le montre le plan d'affaires.* » Je vois alors se dérouler les étapes d'une bonne planification, comme j'en ai appris les règles avec le dossier *Sommital*.

(1) La mission de l'entreprise : Mettre sur pied, sur les ruines de la défunte chaîne *Reserve* de *McFarlane*, une chaîne de restaurants rapides axés sur la saine alimentation.

(2) L'originalité du produit : Servir dans ces restaurants des aliments « sains » par opposition à ce qu'on trouve habituellement dans ce genre d'établissement.

(3) Le mode de production : Disposer d'ententes contractuelles avec des fermiers sélectionnés et des épiceries spécialisées, dans une approche de convergence où le nom « *À votre bonne santé* » deviendra une marque déposée : (a) pour des matières premières vendues à la ferme ; (b) pour des aliments transformés vendus en épicerie ; et (c) pour des repas servis dans les restaurants-minute ; le tout sous le chapeau de *Robalmex*.

« *Comme votre agence ne sera concernée que par le volet restaurants-minute et par la publicité en langue française, je me concentrerai maintenant sur cet aspect de la restructuration en cours.* »

(4) Le marché visé de façon prioritaire par les restaurants-minute : élargir le marché actuel de la restauration rapide en créant un bassin de nouveaux clients de ce type de restaurant.

(5) L'objectif général de part de marché à conquérir compte tenu des concurrents : 15 %.

    a) Avant sa faillite, *Reserve* possédait 10 % du marché ; il faut en récupérer la moitié, soit 5 %.

    b) Il faut arracher une tranche de 5 % aux autres chaînes.

    c) Il faut conquérir de nouveaux consommateurs à hauteur de 5 % de la population.

(6) La répartition des coûts (budget annuel moyen par établissement) est la suivante :

    a) immobilisation (y compris le service de la dette sur 15 ans) : 250 000 $;

    b) fonctionnement (salaires, achat de nourriture, etc.) : 1 250 000 $. Soit un total de 1,5 million $ par établissement.

(7) Le financement requis : mise de fonds moyenne de 1,5 million $ par établissement, garantie par *Robalmex Trust* et remboursée par la vente aux clients.

(8) L'objectif spécifique du plan à court terme : la première année, rouvrir les 30 établissements hérités de *McFarlane*, à un coût de 45 millions $ (30 × 1,5 million $), somme qui sera remboursée par un achalandage d'au moins 4,5 millions de consommateurs/année (chacun d'eux achetant pour une valeur moyenne de 10 $). Le profit modeste de la vente à la ferme et dans les épiceries constituera un revenu d'appoint supplémentaire « *sur lequel il ne faut toutefois pas compter* ». Rentable à la fin de la deuxième année, la nouvelle chaîne devrait commencer à faire des profits dès la troisième.

(9) Pour réaliser cet objectif, la stratégie suivie consiste à axer le marketing dans deux directions :

    a) les habitués des restaurants-minute, avec, comme objectif, trois millions d'entrées/année provenant pour moitié des anciens clients de *Reserve* et pour moitié des concurrents ;

b) la portion de la population québécoise qui ne fréquente pas les restaurants-minute, afin de susciter une clientèle nouvelle d'un million et demi d'entrées/année.

(10) Les outils de contrôle : une vérification comptable sommaire de la réalisation du plan sera menée, à la fin de chaque mois, par l'équipe de *Robalmex Trust*. Un rapport circonstancié sera soumis à la fin de l'année, avec recommandations sur la fermeture de certains points de service non rentables, sur le site des nouveaux établissements à ouvrir et sur la façon d'attirer la clientèle.

Ces tout derniers mots s'adressent particulièrement aux personnes assises autour de la table. Car, si notre agence reçoit le mandat de faire connaître *À votre bonne santé*, on attend d'elle, « *avec obligation de résultat* », qu'elle aille chercher, par une publicité efficace, les quatre millions et demi de clients/année requis pour que la nouvelle chaîne soit viable.

2. DU PLAN D'AFFAIRES AU PLAN MARKETING

La dame en tailleur a clos sa présentation. Notre président assure M. Irrighen que l'agence qu'il dirige a l'expertise pour gérer ce dossier, puis présente les personnes « *qui en feront un succès* » : la directrice générale, la planificatrice média que j'ai accompagnée dans *Sommital* et qui prendra les rênes de ce compte-ci, « *ainsi qu'une stagiaire prometteuse qui assistera la planificatrice* ». C'est ainsi que j'apprends la raison de ma présence.

Tandis que le cortège se reforme autour du fauteuil roulant qui quitte la bibliothèque, la planificatrice me glisse à l'oreille que *Sommital* a beaucoup apprécié mon projet. Elle-même n'y a apporté que peu de modifications, et je verrai bientôt, dans les médias choisis, le résultat de mes efforts.

Une planification marketing accélérée

Dès le lendemain, nous rencontrons le président de la filiale *Québec 805669* pour une analyse du plan marketing auquel nous devrons ultérieurement greffer notre plan média. La directrice du compte m'indique que les méthodes de M. Irrighen tranchent avec celles de la plupart des grandes entreprises. Comme son holding n'est pas coté en Bourse, il a les mains libres pour prendre rapidement les décisions qu'il juge opportunes. Il a donc pu confier la rédaction du plan marketing au président de sa filiale sans faire intervenir d'intermédiaires. Celui-ci confirme : « *D'habitude, dans les consortiums de cette ampleur, la préparation du plan marketing est une démarche lourde, qui passe entre les mains de plusieurs spécialistes et va de révision en remise en question.* » En contournant pareil cheminement tracassier, M. Irrighen sème la concurrence. « *Si votre agence travaille au même rythme, nous aurons une longueur d'avance sur tout le monde. Nos compétiteurs seront à la traîne et devront ramer fort.* »

Le président de la filiale *Québec 805669* a déjà bien avancé le travail de planification. S'il nous reçoit dans un bureau vieillot et surchauffé, loué à la va-vite, c'est que, pour lui, l'environnement physique compte peu. « *Ce n'est pas la propreté des carreaux et la qualité des moquettes qui font un bon plan marketing.* » Son plan marketing, j'aimerais bien l'avoir rédigé. Conforme aux critères proposés par les meilleurs auteurs, il suit une logique impeccable tout en tenant compte des imprévus du quotidien : je le qualifierais d'ingénieux mariage de raison et de sensibilité.

L'environnement du projet

Un bon plan s'appuie sur les opportunités que favorise — ou non — le double environnement, interne et externe. En décrivant l'environnement interne, le président de *Québec 805669* ne manque pas de considérer froidement le risque financier que prend *Robalmex* en lançant ce nouveau « produit », mais il prend aussi en compte le talent confirmé de repreneur de M. Irrighen. Toutefois, ce sont surtout ses observations sur l'environnement externe qui m'impressionnent. J'en ai retenu les lignes directrices.

(1) Le macroenvironnement — La tendance de l'heure est au *slow food*, ce concept, né en Italie, qui valorise l'art de vivre plutôt que la hâte de produire. Dans ce contexte, manger n'est pas une nécessité dont on doit se libérer au plus vite, mais un plaisir qu'il faut savoir savourer.

(2) Les clients — La clientèle d'un restaurant-minute à tendance *slow food* sera surtout constituée de personnes de la classe moyenne, soit des gens qui peuvent se permettre de prendre un peu de temps pour bien vivre, mais qui ne sont pas assez riches pour fréquenter les grandes tables. Tous les âges sont susceptibles d'y être représentés.

(3) Les concurrents — Il n'existe pas de concurrence directe à ce genre de restauration, principalement parce que les autres chaînes n'arrivent pas, malgré certains efforts, à se libérer de la « nourriture américaine ». Les menus qui ont fait leur renommée risquent désormais de les affecter négativement, du fait de la lutte actuelle contre l'obésité.

(4) L'occasion d'affaires — Le parti pris de M. Irrighen pour cet audacieux projet vient de ce qu'il peut prendre le risque de lancer un mode de restauration absolument nouveau, du fait qu'il s'est procuré les trente établissements bien au-dessous du coût du marché, à la faveur d'une faillite.

Pour chacun de ces points, le président de *Québec 805669* associe trois scénarios (optimiste, pessimiste, réaliste), ce qui multiplie d'autant les hypothèses quant aux chances de croissance ou aux risques d'échec du projet. Je n'ose pas intervenir, mais il me semble que cela est inutilement lourd, puisque tout le monde sait bien que, dans ce genre d'exercice, c'est toujours l'hypothèse médiane qui est finalement retenue.

La stratégie privilégiée pour un marketing adapté au produit

J'écoute, je note, j'imagine déjà à quoi pourrait ressembler notre campagne publicitaire. Le président de *Québec 805669* décrit d'abord les trois stratégies fondamentales du marketing — selon qu'on l'appuie sur l'offre, la demande ou la concurrence — en précisant que la sienne s'appuie d'abord sur la demande, ensuite sur l'offre, la concurrence ne venant qu'en dernier lieu. En effet, dans le présent projet, l'élément clé du succès tient dans la « demande » croissante du public pour une alimentation saine, même si cette attente s'est peu manifestée explicitement dans la catégorie « restauration rapide ». On y répondra par l'« offre » d'un nouveau produit, qui s'adressera tant aux habitués de la restauration-minute qu'à un tout nouveau public. Il en découlera une « concurrence » pour les parts de marché, une capacité à compétitionner les chaînes qui occupent déjà le territoire et jouissent d'une clientèle assidue.

C'est par cette voie que le président introduit le *mix* marketing, ces « 4 P » dont on m'avait parlé dans le cadre du dossier *Sommital*. J'écoute attentivement, car ces « 4 P » sont autant de repères pour la campagne publicitaire qui va en découler.

(1) *Product*, le produit — il est original. C'est là-dessus qu'il faut insister.

(2) *Price*, le prix — il sera légèrement plus élevé que celui des compétiteurs. Il faut donc trouver moyen de montrer que le consommateur en a « beaucoup » plus pour son argent : il a la santé en prime.

(3) *Place*, la distribution — il faut espérer que le réseau allant de la ferme aux restaurants fonctionnera sans trop de heurts. Comme les menus tiendront compte des variations saisonnières, le marketing devra en faire un atout plutôt qu'une faiblesse.

(4) *Promotion*, la communication — plusieurs instruments de mise en valeur seront imaginés. On établira, en particulier, un échange de rabais, dans les deux sens, entre les restaurants et les épiceries qui vendront les produits *À votre bonne santé*. En outre, on prévoit commanditer des événements liés à la sauvegarde de l'environnement — même quand il n'y sera pas question d'alimentation —, de manière à créer, dans l'esprit du public, une image de sensibilité aux valeurs dominantes d'aujourd'hui.

Le président de *Québec 805669* achève sa présentation : « *Pour ce qui est de la publicité, principal volet de la communication, je vous laisse le soin d'en élaborer les contours. Mais, auparavant, je dois vous entretenir d'un cinquième " P ".* »

Le cinquième « P »

Si la notion des « 4 P » fait, depuis longtemps, consensus dans le monde du marketing, un cinquième « P » est récemment apparu aux côtés des quatre autres. « P » pour *People*, ces « personnes » qui, au contact de la clientèle, sont la face visible de l'entreprise. Le cinquième « P », je sais bien ce que c'est. Je me souviens encore, en effet, de l'accueil hautain que j'avais reçu lors de ma première visite chez *Sommital*. Je suis retournée plus tard à la boutique. Quelqu'un de l'agence avait parlé à la direction de l'entreprise, et la façon d'intervenir de la vendeuse avait complètement changé. J'étais désormais mieux reçue dans cet établissement. Le cinquième « P » avait fait la différence.

Le cinquième « P », c'est le visage que l'entreprise présente d'elle-même à la clientèle. Réceptionniste, téléphoniste, représentant, responsable du service après-vente : voilà ce que nous en voyons comme consommateurs. Au point où, dans l'attribution de leurs étoiles, les guides de restaurants accordent presque autant d'importance à l'attitude des serveurs qu'à la qualité des mets.

Bon nombre de firmes ont un programme d'encouragement, de reconnaissance ou de récompense à l'endroit de leurs employés les plus méritants. Directement ou indirectement, la bonne humeur suscitée par de telles initiatives finit par rejaillir sur les clients. Certaines entreprises vont même jusqu'à faire de leur personnel un argument publicitaire. On voit alors, à l'écran, l'un ou l'autre de leurs employés vanter le climat de travail en rappelant que ce sont les consommateurs qui, en dernière analyse, en profiteront.

À propos du cinquième « P », certaines firmes n'en font pas assez : celle où la caissière bavarde au téléphone avec un copain au point de vous oublier, celle où le serveur se détourne chaque fois que vous tentez d'attirer son regard, celle où le vendeur rapporte au client que vous êtes qu'il est mal payé et qu'il n'a pas suffisamment de congés, celle où le préposé aux plaintes répond à vos observations par : « *J'ai pas de problème avec ça.* »

Il y a aussi celles qui en font trop, parce que le personnel n'a pas été entraîné à comprendre le client, mais plutôt à suivre un rituel d'accueil qui se révèle vite artificiel. Du genre : « *Vous cherchez quelque chose ?* » On sait, à ce propos, que de grandes firmes vont même jusqu'à imposer à leur personnel des séances de motivation ubuesques. Que dire alors du message enregistré, au téléphone, qui répète pendant une demi-heure que « *votre appel est très important pour nous* » ?

Même dans les agences de publicité, la question du cinquième « P » peut se poser. Je me propose bien, pour ma part, de donner une image positive de la nôtre sans pour autant tomber dans la flagornerie.

3. DES RÈGLES À NE PAS OUBLIER

« *Voilà un gros mandat* », m'expose la directrice du compte au moment de rentrer au bureau. « *Tu t'es fait la main avec* Sommital. *Tu passes maintenant aux ligues majeures.* » Car demain nous aurons une seconde rencontre avec le président de *Québec 805669* ; cette fois-ci pour discuter du budget de la campagne publicitaire à venir. « *Tu vas voir que le budget de 72 000 $ dont tu disposais pour* Sommital *était peu de chose.* »

Et que dire des médias ? Jusqu'à maintenant je n'ai fréquenté que les journaux et la radio, en plus des médias de proximité. Je devrai désormais penser à la télévision, à Internet et aux autres médias interactifs, aux magazines et à la publicité sur les lieux d'affluence. J'ai vingt-quatre heures pour me préparer, juste le temps de faire le point sur l'essentiel de ce que j'ai appris depuis le début de ce stage. Je m'y mets tout de suite.

Mise en ordre de mes idées

Remontons à la source. Qu'est-ce, précisément, que la PUBLICITÉ ? Dans mes mots, je la décrirais comme l'art de communiquer un message marketing à des consommateurs potentiels par la voie d'un MÉDIA. Mais qu'appelle-t-on média ? Tout moyen de transmission utilisant une technologie spécifique susceptible d'atteindre une POPULATION. Et comment, en publicitaire que je suis en train de devenir, définirais-je une population ? C'est l'ensemble des personnes susceptibles d'être exposées à un média.

J'en arrive à des conclusions éclairantes. Il ne suffit pas de dire que l'agglomération montréalaise compte, statistiquement, trois millions et demi de personnes pour garantir qu'une publicité, présentée dans un média particulier, sera en mesure de les atteindre toutes. Car chaque média a son RAYONNEMENT. D'où, pour chacun, une population potentielle qui lui est propre.

Celle d'une station de radio ou d'une chaîne de télévision dépend de la puissance de son signal, tandis que celle d'un journal est fixée par son réseau de distribution. Celle de la télé spécialisée se limite aux ménages qui en ont pris l'abonnement. La population d'un panneau d'affichage est constituée des seules personnes qui fréquentent son environnement immédiat, alors que celle d'Internet se limite aux usagers d'ordinateurs qui ont accès à ce service.

C'est pour éviter le flou des multiples définitions du mot « population » qu'on a créé la notion de MARCHÉ. Il s'agit d'une délimitation du territoire où vivent les consommateurs visés par les annonceurs : un quartier, une ville, un pays. Ainsi, la gestion publicitaire ne traitera jamais d'un seul panneau d'affichage, mais de l'ensemble des panneaux qui couvrent un marché. À l'inverse, pour Internet, elle ne se souciera pas qu'un site puisse être lu dans tous les continents, mais se concentrera plutôt sur les internautes qui habitent le marché concerné. Pour la télévision, on parlera d'une chaîne, si le marché est local, ou d'un réseau, s'il est national.

Répartition de la population dans les marchés du Québec	
Montréal	48 %
Québec	10 %
Gatineau	3 %
Sherbrooke	2 %
Saguenay	2 %
Trois-Rivières	2 %
Autres	33 %

Les annonceurs vont encore plus loin. Pour eux, le marché ne saurait être que géographique. Il doit également subir un découpage sociodémographique. Car, sur un même territoire, le vendeur de jouets ne vise pas le même « marché » que le détaillant de lingerie féminine. D'où l'importance des études que mènent des organismes comme PMB sur les diverses variables (sexe, langue, revenu, niveau d'études, etc.) d'une population vivant sur un territoire pour en tirer des marchés sociodémographiques.

Dans le cas de *À votre bonne santé*, la cible que visera notre campagne est constituée des gens de la classe moyenne, de langue française, sans limite d'âge. Or, le nombre de personnes (1) parlant français (2) de la classe moyenne (3) sur le territoire du Québec s'établit, selon une estimation établie par les services conseils de M. Irrighen, à environ quatre millions de personnes. Tel sera donc le marché de notre campagne.

Les équations de base

Mais comment savoir quels médias sont les plus appropriés pour une campagne réussie ? Chacun d'eux a ses forces et ses faiblesses. Mais chacun d'eux, quelles que soient ses limites, peut aussi révéler une capacité unique d'attraction des consommateurs, pour peu qu'on exploite son potentiel de façon originale ou, comme dirait notre président, « *si nous avons l'art de nous faire inviter au lieu de nous imposer* ».

Encore faut-il que j'aie en main des moyens de vérifier l'efficacité des médias que j'aurai à sélectionner, compte tenu du budget dont disposera notre agence. Cela tient en quelques équations de base, qu'on m'a déjà apprises, mais qu'il ne m'est pas inutile de revoir en ce début de campagne. Elles sont toutes basées sur l'AUDITOIRE. Et qu'est-ce que l'auditoire ? C'est la portion d'une population qui fréquente une famille de médias à un moment donné.

Imaginons que, le lundi soir, entre 18 et 22 h, une moyenne de 48,6 % de la population sociodémographique de 2 ans et plus — du marché géographique du Québec — regarde la télévision ; ce qui représente un auditoire moyen de 3 147 200 personnes. C'est dire que les 51,4 % qui restent n'auront sûrement pas vu l'annonce que j'aurai placée, quelle que soit la chaîne qui l'aura diffusée. J'ai donc intérêt à répartir mes messages à divers moments et sur plusieurs chaînes, en tenant compte de leur COTE D'ÉCOUTE et de leur PART DE MARCHÉ, pour élargir mon auditoire.

$$\text{Cote d'écoute} = \frac{\text{auditoire moyen d'une émission}}{\text{population totale}} \times 100$$

$$\text{Part de marché} = \frac{\text{auditoire moyen d'une chaîne}}{\text{auditoire de l'ensemble des chaînes}}$$

Je ne dois toutefois pas oublier que cette statistique de 48,6 % s'établit sur l'ensemble de la soirée. Si, au lieu de considérer la moyenne, j'additionne plutôt les gens qui ont regardé la télé au moins une minute entre 18 et 22 h, j'arrive à un pourcentage, autrement supérieur, de 93,7 %. Des notions d'auditoire, de cote d'écoute et de part de marché, je serai passée à celle de PORTÉE.

$$\text{Portée} = \frac{\text{auditoire cumulatif (constitué de personnes différentes)}}{\text{population totale}}$$

Pour les médias écrits, comme on a pris l'habitude d'utiliser le mot « lectorat » au lieu d'« auditoire », il suffit de changer légèrement les termes pour parvenir à une conclusion identique.

$$\text{Portée} = \frac{\text{lectorat cumulatif}}{\text{population totale}}$$

Même après plusieurs semaines de stage, je ne suis pas parfaitement sûre de maîtriser toutes ces notions. Allons donc voir comment elles s'interprètent dans la réalité quotidienne.

Le cas de l'émission *ABCD*

L'émission *ABCD* du 16 mars a généré un auditoire moyen de 1 296 700 personnes âgées de 2 ans et plus au Québec francophone. L'auditoire moyen de l'émission divisé par la population totale du marché (6 477 000) donne une cote de 20. L'auditoire moyen de l'émission divisé par l'auditoire moyen total de la télévision du 16 mars de 21 à 22 h (3 124 600) nous donne une part de marché de 41,5 %.

Durant l'heure de diffusion de l'émission *ABCD*, le 16 mars, 2 487 000 personnes différentes ont regardé au moins une minute de cet épisode. C'est donc notre portée (ou l'auditoire cumulé) exprimée en nombre absolu. Pour l'obtenir en pourcentage, il suffit de diviser la portée par la population totale. L'émission du 16 mars a été écoutée au moins une minute par 38,4 % de la population québécoise francophone.

Une réponse diversifiée à un défi complexe

Évidemment, il n'est pas possible de comparer les portées respectives de familles de médias différentes parce que la base temporelle de mesure n'est pas la même. Les affiches peuvent rester sur leurs panneaux durant des mois, les magazines paraissent chaque semaine ou chaque mois, les journaux sont quotidiens ou hebdomadaires, les tranches horaires radio sont variables, les émissions de télévision durent habituellement une demi-heure ou une heure, un message sur Internet est disponible quelques heures ou quelques semaines.

Dans une même journée, un consommateur peut donc consulter tous ces médias tour à tour, de sorte que les sondages sur la portée se révèlent incompatibles, d'une famille de médias à l'autre. À la télévision, il est possible de mesurer l'écoute à la minute, alors que, pour les magazines, le lectorat est mesuré sur une moyenne mobile de deux ans.

En outre, la notion de portée se conjugue de diverses manières selon la tranche sociodémographique qu'on analyse. De sorte que même un véhicule publicitaire dont la portée est généralement inférieure à un autre peut avoir une portée supérieure pour la tranche de population visée.

Exemple de variation du lectorat selon les cibles				
		Totale	*Hommes 25-54 ans*	*Femmes 25-54 ans*
Population considérée		5 500 000	1 415 000	1 395 000
Lectorat	*Magazine pratique*	765 000	110 000	300 000
	Magazine Affaires	385 000	180 000	80 000

Par ailleurs, puisque l'auditoire d'un média est constitué de personnes différentes, il en est de même de la portée, qui en découle. Sur la durée, toutefois, compte tenu du fait que mon message sera présenté à plusieurs OCCASIONS, une même personne pourra le voir plus d'une fois. D'où la notion de FRÉQUENCE MOYENNE, elle-même fondée sur les IMPRESSIONS BRUTES.

Impressions brutes = nombre d'occasions $\times$ auditoire (ou lectorat) moyen

$$\text{Fréquence moyenne} = \frac{\text{impressions brutes (sur une certaine période)}}{\text{portée}}$$

Impressions brutes et fréquence moyenne

Soit, un magazine lu par 1 208 000 adultes québécois francophones. Si je place une publicité dans cinq éditions de ce magazine, j'obtiendrai donc un total de 6 039 000 impressions brutes, soit cinq fois 1 208 000.

Je ne dois pas en conclure, toutefois, que j'ai atteint ce nombre de personnes, car les impressions brutes ne précisent pas s'il s'agit ou non de personnes différentes. Il me faut retourner au sondage lui-même, où chaque répondant est identifié, pour établir le renouvellement d'auditoire d'un numéro à l'autre.

Dans ce cas-ci, les données révèlent que les cinq parutions ont été lues par 2 131 000 personnes différentes (la portée). Pour calculer la fréquence moyenne où ces lecteurs auront vu au moins une fois ma publicité, je divise simplement le nombre d'impressions brutes par la portée ; ce qui, ici, donne 2,8 fois.

La réponse médiatique au défi publicitaire s'avère donc complexe. C'est pourquoi, si la science statistique joue un rôle important dans l'analyse du potentiel de chaque média, l'expérience humaine y a toujours le dernier mot.

Ce sera assez pour aujourd'hui. La meilleure façon de se préparer à demain est de s'accorder une bonne nuit de sommeil.

Les incertitudes budgétaires

C'est dans l'enthousiasme que nous entreprenons, la directrice de compte et moi, une nouvelle journée, que nous occuperons à discuter du budget avec le président de *Québec 805669*. Dans son bureau exigu, celui-ci nous montre des yeux rougis par une nuit de veille : « *Vous savez, M. Irrighen est un homme exigeant et imprévisible. Si c'est à huit heures du soir qu'il décide de tenir une réunion de stratégie — avec mandat de produire un rapport le lendemain matin —, on ne peut pas refuser.* »

Le budget du plan de campagne pour la relance des restaurants *Reserve* — sous une nouvelle appellation et avec une vocation modifiée — sera réparti en de multiples tranches, car la campagne se déroulera par vagues, autrement dit par pulsations. « *J'espère bien que vous connaissez le sens technique de ce mot ; sinon on vous l'apprendra* », fait le président en me regardant de façon condescendante.

C'est alors que je constate à quel point mon succès dans le dossier *Sommital* m'a donné confiance en moi. J'ai toujours été craintive, j'ai toujours eu peur de m'affirmer. « *Tu vaux bien plus que tu ne le penses* », me répétait sans cesse ma cousine. Mais ce temps-là est fini. J'ai fait mes preuves. Je ne suis plus une étudiante en stage obligatoire ; je suis une publicitaire en formation accélérée. La phrase assassine de mon vis-à-vis ne m'atteint pas. Je ne réagis d'aucune façon à sa remarque même si je sais bien ce qu'est une campagne en pulsations. Comme si je n'avais rien entendu. Comme s'il ne valait pas la peine qu'on relève pareil paternalisme. Je me concentre plutôt sur les données budgétaires et sur la stratégie que nous devrons mettre au point, la planificatrice et moi, pour assurer le meilleur rendement aux dépenses publicitaires que nous allons bientôt engager.

En restauration populaire, la marge bénéficiaire est très restreinte. « *La part qui ira à la publicité ne saurait donc dépasser 3 %, soit 1 350 000 $ (3 % de 45 millions $). De cette somme, 350 000 $ seront mis en réserve, d'une part pour la création publicitaire, d'autre part comme tampon en cas d'imprévus.* » Nous disposerons donc de 1 000 000 $ pour le placement média.

La directrice du compte trouve, d'emblée, ce montant un peu faible. Une discussion s'engage. Elle rappelle d'abord que le budget de *Reserve* frôlait déjà cette somme ; ce qui ne l'a pas empêché de faire faillite. « *Pas tout à fait*, rétorque le président, *vous savez comme moi que l'échec de* Reserve *est plutôt dû à sa mauvaise gestion des franchisés. — Quoi qu'il en soit*, répond la planificatrice, *nous ne pouvons utiliser les données historiques, car nous sommes devant un concept de restauration radicalement nouveau. Nous ne pouvons pas, non plus, nous baser sur le pourcentage de ventes à venir dont il est impossible de prédire le résultat, tant le projet comporte d'incertitudes.* »

Ce n'est qu'au terme d'un long échange que le président accepte d'envisager un budget qui serait fondé, non sur une « enveloppe », mais sur les objectifs et les tâches. « *Mais il faut que j'en parle à M. Irrighen.* »

La suite de l'initiative revient à l'agence. Compte tenu (1) du caractère nouveau du projet, (2) de la clientèle (quatre millions et demi de consommateurs/année) que *À votre bonne santé* doit attirer pour faire ses frais, (3) des habitudes médias du public cible (la classe moyenne), nous devons indiquer l'investissement publicitaire requis pour atteindre une visibilité minimale. C'est sur cette conclusion que nous nous séparons, lui pour aller dormir, nous pour tracer les contours d'une stratégie capable de « secouer » des consommateurs déjà si sollicités que plusieurs en sont devenus désabusés.

4. NOUVELLE TENDANCE DES FORMATS PUBLICITAIRES

Plus je m'intéresse à ce dossier, plus je découvre que les annonceurs ne vont plus spontanément vers les formats publicitaires qui leur avaient pourtant apporté beaucoup de visibilité dans le passé. C'est que, munis de gadgets de plus en plus sophistiqués, les consommateurs arrivent à contourner la publicité traditionnelle. Mais, comptez sur la créativité d'une agence média comme la nôtre pour les rattraper au détour.

La fragmentation des auditoires

Les nouvelles tendances publicitaires prennent plusieurs formes. Car si le mot *média* est apparu dans le vocabulaire en se définissant comme moyen de communication « de masse », les choses ont changé et, si l'on peut dire, la masse a « rétréci » ! Ce phénomène contraint les annonceurs à revoir leurs stratégies. En effet, même si l'auditoire d'un média s'avère minime, la garantie d'y trouver avec constance un public attentif et intéressé pourra justifier un achat publicitaire ; alors qu'une publicité semée à tout vent, sans savoir si elle portera fruit, risque de constituer une dépense gaspillée. Les annonceurs hésitent désormais à investir dans des médias où l'auditoire réel est difficile à établir, préférant le faire là où le retour sur investissement est mieux assuré, parce que fondé sur des mesures fiables. Au lieu de viser la « masse » de la population, la publicité d'aujourd'hui s'attarde donc à bâtir une relation de confiance avec des individus bien identifiés, considérant qu'un client satisfait est le meilleur promoteur d'un produit. Ainsi sont nées de nouvelles règles de marketing où dominent les solutions sur mesure, les outils personnalisés, la publicité adaptée au client.

Les études montrent que les annonceurs envisagent de plus en plus de rediriger vers des solutions bidirectionnelles une partie de l'investissement publicitaire habituellement consacré aux médias classiques (où un émetteur s'adresse à des millions de consommateurs passifs). Comment ne le feraient-ils pas quand on observe la place croissante que le public accorde à l'interactivité depuis quelques années ? Alors que les journaux, les magazines et les livres stagnent, les médias de communication interactive s'envolent.

Le marketing d'hier et d'aujourd'hui		
	Hier	*Aujourd'hui*
Les consommateurs	passifs	sélectifs
Les aspirations	suivre la masse	se distinguer des autres
La télévision	peu de stations	centaines de canaux
Les magazines	à grands tirages	à créneaux spécifiques
La publicité	à optique large	très ciblée
Les marques	règne des grandes	marques de niche

La télévision s'inquiète. Elle doit se renouveler. Un nouveau jeu de cache-cache s'est instauré entre annonceurs et consommateurs. Alors que ceux-ci font taire la publicité grâce à l'**enregistreur numérique personnel** et à la **vidéo sur demande**, les publicitaires rétorquent par le **placement de produit**, l'**intégration de la marque** *(branded entertainment)* et l'*infotainment*.

Enregistreur numérique personnel (ENP)

Appareil d'enregistrement et de lecture en continu d'émissions télévisées. Sa capacité à restituer une émission en léger différé permet au spectateur de contourner les pauses publicitaires.

Vidéo sur demande (VSD)

Procédé par lequel une entreprise de câble offre à chaque spectateur la capacité de visionner une émission (ou un film) au moment où il le souhaite et non suivant un horaire fixe. Et, habituellement, sans pause publicitaire.

Placement de produit

Façon de mettre un produit en évidence dans le contenu même d'une émission télévisée ou d'un film, ce qui permet de contourner, à la fois, les exigences de la publicité traditionnelle et le comportement défensif de certains spectateurs face à la publicité. Exemple : montrer le produit comme élément apparemment naturel du décor.

Intégration de la marque *(branded entertainment)*

Application extrême du placement de produit où l'annonceur intervient, lors de la rédaction d'un scénario, pour faire jouer à la marque un rôle actif dans le déroulement de l'action. Exemple : faire changer le comportement d'un personnage grâce à l'intervention d'un produit de la marque.

Infotainment

Façon d'associer le placement de produit à une émission d'information sous forme d'insertion divertissante. Exemple : présenter un produit dans le style et le prolongement d'un bulletin de nouvelles, quoique dans un segment d'émission distinct (pour éviter toute confusion).

Dans la même veine, le secteur de l'automobile, qui s'appuie tellement sur la publicité qu'il en est, depuis longtemps, le leader absolu, transfère progressivement ses messages d'un média à l'autre par des moyens ingénieux, comme terminer un message télévisé en orientant le spectateur vers un site Web, qui précisera l'annonce et ira même jusqu'à proposer l'achat en ligne. Les médias relationnels, où le consommateur a l'impression d'être personnellement interpellé par l'annonceur, ont la cote.

Où se situe la restauration ?

Si je fais ces analyses, c'est évidemment pour m'aider à effectuer une sélection dans le dédale des médias pour le plan de campagne de *À votre bonne santé*. Ai-je intérêt à concentrer ma publicité dans l'un d'entre eux, qui me paraîtrait particulièrement porteur ? Ou, au contraire, devrais-je répartir mes messages dans plusieurs, avec l'espoir de joindre le plus grand nombre de personnes possible ? Et alors, lesquels en priorité ?

Je regarde de nouveau les données américaines, en prenant le meilleur exemple qui soit : *McDonald's*. Ce que je découvre me surprend. En quelques années, le budget télévision de ce géant a chuté des deux tiers à un tiers seulement de son investissement publicitaire total. Où est passé l'argent ? On le retrouve à des endroits aussi inattendus qu'une diffusion d'événements sportifs en circuit fermé pour des bars hispanophones ou un magazine personnalisé réservé à une chaîne de salons de coiffure afro-américains.

La situation de *À votre bonne santé* est sans doute différente. Il faut ancrer le nom de nos restaurants chez l'ensemble des Québécois, puis l'associer à l'idée d'alimentation saine. Il nous faut donc rechercher des médias qui assureront rapidement une portée élevée, de manière à établir notre notoriété.

Par ailleurs, si nous ne pouvons pas exploiter aussi aisément que *McDo* les rabais occasionnels ou les aires de jeu pour enfants, nous pouvons, autant que ce concurrent, mettre de l'avant l'aspect familial et festif de nos restaurants. Tout cela sans oublier que nous ne recruterons des clients que si nous trouvons le bon filon pour les joindre là où ils sont réceptifs à nos messages.

Un défi pour les médias

Ce que je retiendrai, en définitive, de ces observations, c'est que le choix des médias publicitaires est en pleine mutation, puis que le consommateur type s'est déplacé. Les grands conglomérats l'ont bien compris, d'ailleurs, en étendant leur emprise sur plusieurs médias, qu'ils appellent désormais « plates-formes ».

Ainsi, *Quebecor Media* rend certaines émissions de TVA disponibles en priorité sur *Illico* (où le téléspectateur peut les visionner à l'heure qui lui convient... et avant tout le monde). Mieux encore : cette entreprise, qui possède plusieurs chaînes de télé, aussi bien qu'un réseau de câble, de multiples sites Internet, sans compter la téléphonie, des quotidiens, des hebdos, de nombreux magazines et le principal regroupement d'éditeurs, avec ses imprimeries et ses détaillants, possède l'arsenal suffisant pour s'ajuster très rapidement à tout déplacement des consommateurs. Grâce à cette vaste panoplie de plates-formes, *Quebecor Média* ne saurait manquer de trouver le meilleur véhicule pour transmettre un message... et le deuxième meilleur véhicule pour le relayer. Les autres entreprises de communication, notamment *Cogeco* et *Astral,* vont dans le même sens.

La publicité dans les quotidiens est aussi en effervescence. Les journaux proposent des formats d'annonces inattendus, des îlots qui s'étirent, des pages surdimensionnées. Ce n'est pourtant pas suffisant. Tout comme pour la télévision, il leur faut créer des plates-formes complémentaires. Ici encore, c'est à Internet qu'ils s'accrochent — ils y sont tous —, se positionnant auprès de sites particulièrement fréquentés, pour rattraper les consommateurs.

L'intégration de publicités aux vidéos et aux jeux électroniques est une autre voie envisagée. Dans un de ces jeux multi-joueurs en ligne, alors qu'il est difficile de quitter l'action pour passer à table, il suffit d'entrer la formule « /pizza » pour que le site de *Pizza Hut* s'affiche et qu'on puisse commander son repas directement de la console.

Les centres de divertissement à domicile ouvrent de grandes possibilités publicitaires. Les téléphones cellulaires ne sont pas en reste, surtout depuis que la télévision y diffuse des émissions spécialisées. Je suis étourdi par cet amoncellement de nouveaux supports. Et dire que, pour le plan média de *À votre bonne santé*, je dois choisir parmi tant d'avenues pour faire une proposition valable avant la fin de mon stage !

5. LA PRÉPARATION BUDGÉTAIRE

Une autre journée, un autre type de tâche. Je ne cesse de m'initier aux diverses facettes du métier de publicitaire en placement média. Aujourd'hui, je reprends le volet budgétaire de notre campagne, de manière à pouvoir fournir au président de *Québec 805669* des données incontournables.

Comment on détermine un budget publicitaire

Parmi les diverses méthodes utilisées pour déterminer un budget de publicité, deux se détachent particulièrement : la réponse aux ventes et l'analyse marginale. La première mesure l'effet de la publicité sur les ventes, alors que la seconde le fait sur les profits. On peut dire qu'elles se complètent.

Il existe deux théories à propos de l'effet de la publicité sur les ventes. L'une, appelée « fonction de réponse concave vers le bas », prétend que les dépenses publicitaires ont un effet décroissant sur les ventes. Les personnes les plus susceptibles de s'intéresser au produit annoncé se précipitent en premier. Les autres restent plus longtemps froides à la multiplication des messages. Après un certain temps, quoi qu'on fasse, la croissance des ventes s'arrête.

L'autre théorie, dite « fonction de réponse des ventes en forme de S », conclut, pour sa part, que la publicité a peu d'impact sur les ventes, au début, mais que son influence s'affirme avec le temps. Toutefois, au-delà d'un certain seuil, elle devient du gaspillage quand le produit a fait son plein d'acheteurs. D'où une représentation en forme de S : influence faible sur les ventes en période de lancement, importante par la suite, puis, finalement, à peu près nulle.

Les fonctions de réponse des ventes à l'effort publicitaire

Fonction de réponse concave vers le bas

Ventes

Dépenses publicitaires

Courbe de réponses aux ventes en forme de S

Ventes

Plage A   Plage B   Plage C

Dépenses publicitaires

Source : *Communication marketing, une perspective intégrée*, p. 271.

« *Quant à l'analyse marginale, elle estime à partir de quel niveau de dépenses ce qu'il en coûte en placement média risque de dépasser ce que la publicité rapportera en ventes. Monsieur Irrighen, en homme d'affaires avisé, est susceptible de préférer cette théorie aux deux précédentes.* » Au début ou après un certain temps — selon l'une ou l'autre des théories précédentes —, les messages publicitaires influent considérablement sur les ventes. « *Qui dit hausse des ventes dit hausse des profits.* » Mais vient un moment où les messages coûtent plus cher à diffuser que ce qu'ils rapportent en nouvelles ventes (dans le graphique, c'est la différence entre dépenses de publicité et marge brute). La publicité passe alors d'investissement à dépense, réduisant les profits au lieu de les augmenter.

Une analyse marginale

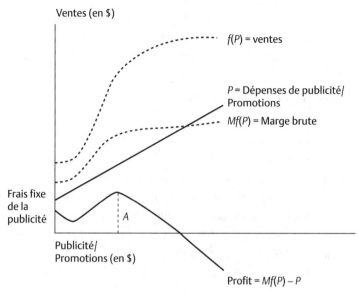

Source : *Communication marketing, une perspective intégrée*, p. 270.

Je me permets d'intervenir en faisant valoir que le volume des ventes ne découle pas seulement de la publicité, mais aussi des autres éléments dont sont constitués les « 4 ou 5 P » : le prix, la qualité du produit, le service après-vente, etc. L'effet marginal de la publicité, prise isolément, sur les profits est donc relatif.

J'insiste : c'est autrement qu'il faudrait budgétiser. Il vaudrait mieux, à mon avis, s'en tenir aux objectifs de communication et observer dans quelle mesure chaque média peut contribuer à les atteindre. La planificatrice se défend : « *C'est ce que je crois, moi aussi ; mais il faut quand même présenter un budget qui entre dans la logique comptable de monsieur Irrighen. L'analyse marginale me paraît alors la meilleure.* »

Voilà que j'argumente... oui, vraiment, j'ai acquis beaucoup d'assurance... je me permets de contester la planificatrice. L'analyse marginale, c'est bien ; mais les caractéristiques d'un projet, c'est mieux. Pourquoi ne pas en faire état auprès de M. Irrighen, pour qu'il comprenne pourquoi nous devons investir plus que ce que le président de *Québec 805669* n'a prévu ? En effet, notre projet répond à la plupart des aspects qui militent pour un taux élevé de publicité.

(1) Le produit est hautement différencié, comporte des qualités cachées et fait appel à des motivations d'achat de nature émotionnelle.

(2) Il en est à l'étape d'introduction dans un marché où la concurrence est intensive.

(3) C'est la première étape du cycle de vie de la marque et l'on en attend pourtant déjà une certaine marge bénéficiaire.

La directrice du compte se rend à mes arguments. Nous présenterons une analyse marginale appuyée sur les résultats espérés de la campagne publicitaire, compte tenu des facteurs que je viens d'indiquer. Une budgétisation de bas en haut : d'abord, les activités publicitaires requises pour que soit atteint l'objectif de quatre millions et demi de consommateurs/année ; ensuite, seulement, l'établissement du budget qui en découle. C'est donc que le plus difficile reste à faire.

La portée et la fréquence minimales

Le « produit » que nous nous préparons à mettre en valeur est, en fait, un « service » de restauration. Pour la publicité, ces deux mots sont interchangeables. Quel est notre défi ? Il est double : que le plus grand nombre possible de personnes soient exposées à notre message (la portée) et qu'elles le soient assez souvent pour en être influencées (la fréquence). La combinaison de ces deux variables donne le POINT D'EXPOSITION BRUTE (PEB).

PEB = portée × fréquence

Combien faut-il de PEB pour atteindre au mieux les quatre millions et demi de personnes de la classe moyenne réparties sur tout le territoire québécois qui constituent notre cible ? Et à quel coût revient l'achat du temps ou de l'espace publicitaire qui permettra d'atteindre ces PEB ?

Selon les médias que nous choisirons pour communiquer le message, il faudra un nombre variable d'occasions — et, donc, de PEB — pour susciter chez elles (1) la reconnaissance du produit, (2) un intérêt pour ce qu'il propose, (3) une première démarche pour se le procurer. Seul le plan média, que nous présenterons au terme de notre analyse, indiquera en détail la répartition de ces occasions dans les divers médias, lieux et moments, avec les coûts afférents.

Il faut pourtant établir immédiatement un ordre de grandeur. Quels placements médias sont suffisants, sans être superflus, pour assurer à l'ensemble des trente restaurants *À votre bonne santé* une fréquentation de quatre millions et demi de personnes/année, tout en considérant que la publicité n'est pas l'unique moyen d'attirer une clientèle ?

Le budget « théorique » de 3 % des ventes attendues — 1 350 000 $ (3 % de 45 millions $) — qu'a présenté le président de *Québec 805669* se basait sur l'expérience acquise, au fil des ans, en cette matière. Il ne s'applique toutefois pas automatiquement à notre situation. Il faut donc pousser l'analyse plus loin. Que fait la concurrence dans la même catégorie de produits ? Quel est son niveau d'investissement ? Avec quel poids média et quelle périodicité ?

Cela dit, le lancement de la marque *À votre bonne santé*, commande une portée élevée au début. Par la suite, pour équilibrer portée et fréquence, je tiendrai compte de trois facteurs.

(1) Le cycle d'achat du type de produit que nous proposons. Plus ce cycle est court, plus la fréquence doit être élevée (pour que les consommateurs se précipitent). Plus il est long, plus la portée dominera (pour qu'un plus grand nombre possible de consommateurs mémorisent l'information). Puisque ce cycle est généralement d'une dizaine de jours en restauration rapide, il faut nécessairement multiplier les cycles pour atteindre une portée et une fréquence satisfaisantes.

(2) L'auditoire total nécessaire pour aboutir, en fin d'année, à quatre millions et demi d'entrées dans nos restaurants, conformément au plan marketing. C'est le fondement de la portée.

(3) Le nombre moyen de fois où un message doit être présenté (les occasions) pour que l'ensemble de l'auditoire l'ait remarqué. Ce nombre va de trois fois et plus pour la radio, la télévision, les journaux et les magazines et jusqu'à dix fois pour un panneau-affiche. C'est le plancher minimum de fréquence requis pour atteindre un niveau suffisant d'efficacité.

À la fin de ma réflexion, je propose la formule suivante : (1) 25 cycles de 10 jours au cours de l'année ; (2) une portée de 40 % par cycle de 10 jours, en vue d'une portée totale de 90 % à la fin de l'année ; (3) une fréquence de 4 à chaque cycle.

La planificatrice accepte ma proposition, qu'il reste maintenant à mesurer en ressources financières requises. Résultat : compte tenu de la concurrence, notre campagne exige, à notre avis, un investissement minimal de 1 500 000 $, soit : (1) 250 000 $ pour le lancement de la marque ; (2) 50 000 $ pour chacun des vingt-cinq cycles (sous-total de 1 250 000 $). Cette somme comprend la création (à hauteur de 15 à 20 %), le placement média et les imprévus.

La réaction de M. Irrighen

C'est ensemble, la planificatrice et moi, que nous nous sommes présentées au bureau du président de *Québec 805669* avec dans notre cartable le nombre fatidique de 1 500 000 $. Tel était, à la lumière de nos analyses, le minimum requis pour une campagne efficace.

À notre surprise, l'homme reçut le document de façon positive, comme s'il avait déjà deviné que la somme de 1 350 000 $ qu'il avait envisagée était insuffisante, mais qu'il avait besoin de se le faire confirmer pour tenter, à son tour, d'en convaincre M. Irrighen. Comment y parvint-il ? Nous n'avons pas assisté à leurs échanges. Mais, dès le lendemain, nous fûmes informées que ma proposition budgétaire n'avait été réduite que de 50 000 $, façon, semble-t-il, pour M. Irrighen, de démontrer qu'il a toujours le dernier mot.

Je suis fière d'avoir tenu mon bout et, surtout, d'avoir su trouver les mots pour persuader la planificatrice que j'avais raison. Je me vois déjà dans un an, tout à fait confirmée dans mes convictions et mes intuitions, portant personnellement jusqu'à l'annonceur, mon client, une façon de présenter le budget auquel il ne pourra que souscrire. Et ce, sans intermédiaire : je ne serai plus une stagiaire.

Une autre semaine s'achève. Elle aura été particulièrement féconde. J'aurai brièvement fréquenté l'homme le plus riche de la ville. J'aurai été mise au parfum d'un projet encore secret. J'aurai appris comment on établit un budget publicitaire. Et surtout, on m'aura informée du succès de la première partie de mon stage ! Et dire que je n'en ai même pas fait part à ma cousine ! Je l'appelle à l'instant.

8ᵉ SEMAINE DE STAGE

La télévision

En cet autre lundi matin, mon huitième comme stagiaire à cette agence, mon mentor m'attendait dans son bureau, avec sa bonne humeur habituelle, pour notre échange hebdomadaire. Après m'avoir félicitée pour mon excellent résultat à la première étape du stage, il ne manqua pas d'ajouter que la seconde partie exigerait de moi un travail intensif : le risque est plus élevé, l'entreprise plus considérable, la variété des médias plus étendue.

« *Je vais quand même vous aider un peu. Il faut d'abord déterminer si l'on fera une publicité de marque — faire connaître l'existence des restaurants* À votre bonne santé *— ou de produit — présenter les rabais et spéciaux du prochain week-end ; ce qui commande des approches publicitaires différentes.* » Je compris que son choix était déjà fait : le nom de nos restaurants devait prédominer.

1. LE POIDS DE LA TÉLÉVISION

Là-dessus, il me confia à la directrice du compte *À votre bonne santé* de la firme *Québec 805669*, cette planificatrice média avec qui je m'entends si bien depuis le début du stage. Un moment, je me pris à imaginer le visage pétrifié de M. Irrighen quand je lui présenterai notre plan média, comme si cet homme si puissant se préparait déjà à le réduire en poudre. Puis je me souvins que je n'étais que la stagiaire ; ce n'est pas moi qui aurais, la première, à subir ses foudres si le projet n'était pas à son goût. Mais pourquoi ne le serait-il pas ? Si le plan de campagne de *Sommital* a été bien accueilli, il n'y a aucune raison pour que celui-là ne le soit pas. Mettons-nous à l'ouvrage.

La place de la télévision chez les Québécois d'hier...

La planificatrice me conduisit au bureau d'une collègue, qui, à l'agence, occupe le poste de directrice des achats télévision ; une collègue dont elle est très proche, ayant suivi avec elle le cours de publicité. Au moment des présentations, elle lui précisa, en posant une main sur mon épaule : « *Cette stagiaire a déjà étudié les médias de proximité, ainsi que les journaux et la radio. Il est maintenant temps qu'elle s'initie à la télévision, comme véhicule publicitaire. Tu peux la tutoyer.* » Sur quoi, elle retourna à son bureau, me laissant seule avec ce nouveau guide.

La directrice des achats télévision aime étonner : « *Peux-tu imaginer à quoi ressemblait une soirée chez les Québécois avant l'avènement de la télévision ?* » Assurément que je le peux : qu'on me permette d'en témoigner. Car je passe des soirées entières sans ouvrir la télé. Je clavarde, je navigue dans Internet, je téléphone, je sors, je vais au cinéma, j'écoute de la musique tout en lisant, j'invite des amis. Je ne suis pas du tout une esclave du petit écran. « *Alors, tu appartiens au quintile faible.* »

Quintile fort et quintile faible

Pour mieux distinguer le comportement des divers groupes sociodémographiques, les firmes de sondage classent souvent le public en quintiles. Or, pour *Sondages BBM* (télévision), les plus grands utilisateurs constituent le cinquième quintile, alors que pour *Print Measurement Bureau* (médias écrits), c'est le premier quintile qui regroupe les utilisateurs les plus fréquents. Pour éviter toute confusion, on a donc pris l'habitude d'attribuer aux quintiles une note qualitative (occasionnel, faible, moyen, assidu, fort) plutôt que quantitative (1, 2, 3, 4, 5).

La directrice sembla surprise de ma réaction, mais ne chercha pas à récuser mon commentaire. Quant à moi, je ne pus qu'être fière de cette assurance qui m'habite depuis que mon plan pour *Sommital* a été bien accueilli. Non seulement ce stage m'aura-t-il beaucoup appris ; il m'aura aussi beaucoup aidée à croire en mes ressources.

Elle reprit son exposé : « *Il est vrai que la télévision n'occupe plus le rang social auquel elle avait accédé à ses débuts.* » Dans les années 1950, elle avait envahi le champ public comme aucun média ne l'avait fait avant elle. C'est même à l'occasion de son avènement qu'on avait créé le mot « média ». Pour ce qui est du Québec, il n'est pas exagéré de dire qu'elle fut l'une des

L'écoute de la télévision selon les quintiles : un aperçu			
Quintile	Population de 2 ans +	Hommes 18 ans +	Femmes 18 ans +
Q1 – Occasionnel	15 %	14 %	11 %
Q2 – Occ. / Moyen	17 %	16 %	12 %
Q3 – Moyen	21 %	22 %	19 %
Q4 – Moy. / Assidu	21 %	23 %	21 %
Q5 – Assidu	26 %	24 %	36 %

sources majeures de ce qui devait devenir la Révolution tranquille. C'est elle, en effet, qui sema les nouvelles idées jusqu'aux villages les plus éloignés ; c'est elle qui présenta de nouveaux modèles à la population.

Ces idées germèrent ; ces modèles s'imposèrent. Pour la première fois, la collectivité entière — et non seulement l'élite éduquée — était exposée quotidiennement à la contestation des valeurs dominantes et à un réalignement des influences. Si bien que, dix ans plus tard, la société en était totalement transfigurée.

...et chez ceux d'aujourd'hui

Aujourd'hui, la télévision perd peu à peu son rôle de rassembleur. Elle n'est plus qu'une voix parmi d'autres. Son influence sur l'évolution de la société décroît. Il lui reste bien toujours sa fonction récréative. Elle distrait les gens fatigués ; elle n'oriente plus les gens assoiffés.

« *Quoi qu'il en soit*, poursuit la directrice, *pour bien tirer parti de la télévision il faut en mesurer l'écoute selon divers paramètres.* » Ainsi, les périodes fortes se situent en hiver et en automne : mars, février et novembre, respectivement, sont les mois où l'auditoire est le plus élevé. Par ailleurs, l'écoute moyenne par auditeur est plus élevée en région : de 10 à 15 % supérieure à ce qu'on trouve à Montréal.

Autre constatation : si l'impact de la télé américaine au Québec fut jadis important, l'écoute des chaînes qui diffusent près de la frontière est, aujourd'hui, de moins en moins fréquente, représentant moins de 2 % de l'écoute totale au Québec francophone. « *Mais attention! Ces données ne signifient pas nécessairement que les émissions américaines sont peu regardées, car elles sont souvent diffusées simultanément sur des chaînes canadiennes.* »

Plus frappant encore, les émissions que les gens regardent le plus sont produites ici : « *Bon an, mal an, 18 ou 19 émissions du "Top 20" sont québécoises.* » C'est tout à l'honneur de la créativité de nos artisans. « *On en déduira aisément que l'achat de temps d'antenne à des fins publicitaires doit être confié à des spécialistes du marché québécois, mieux en mesure que quiconque de trouver les mots qui portent pour un auditoire à l'identité aussi clairement affichée.* »

La consommation de la télévision

Les instruments de mesure d'écoute de la télévision se sont perfectionnés avec les années. Pendant longtemps, la personne sondée devait remplir des **cahiers d'écoute** « *comme c'est encore le cas pour la radio* ». Toutefois, entre le moment de l'émission et celui de l'annotation par le téléspectateur, il y avait un décalage de quelques heures susceptible d'entraîner des erreurs ou des oublis. Au début des années 1990, on remplaça donc le cahier d'écoute par un **audimètre (***système PMT***)**, appareil relié directement au téléviseur. Cet instrument a lui-même cédé sa place, du moins au Québec, à l'**audimètre personnel portable (***système PPM***)**.

Cahier d'écoute ou *Diary* : Brochure que les répondants d'un échantillon représentatif doivent remplir avec le détail de leur écoute pour chaque tranche de 15 minutes. Utilisé en télévision et en radio.

Audimètre ou *Picture Matching Technology* (PMT) : Appareil relié directement au téléviseur recensant tout ce qui y est diffusé. Utilisé seulement en télévision, il permet une mesure à la minute. La firme Recherche Media Nielsen a commencé à utiliser cette technologie au début des années 1990.

Audimètre personnel portable ou *Portable People Meter* (PPM) : Petit appareil portatif ressemblant à un téléavertisseur qui capte un signal inaudible lors de l'écoute télévisuelle. Utilisé seulement (pour le moment) en télévision, il permet une mesure à la minute. Système mis au point par la firme américaine Arbitron.

Une information de plus en plus précise sur l'écoute de la télévision incite les producteurs d'émissions, tout autant que les annonceurs, à améliorer constamment leurs messages, de manière à maintenir l'intérêt. Par ailleurs, comme les nouveaux instruments fournissent des renseignements nouveaux sur l'auditoire, il est parfois nécessaire de retoucher les grilles de coûts des annonces.

Les instruments de mesure de l'écoute révèlent que toutes les tranches démographiques sont présentes à un moment ou un autre devant le petit écran. Les segments démographiques qui, statistiquement, représentent le plus fort taux d'écoute sont les personnes âgées de 60 ans et plus, ainsi que celles à revenu modeste (moins de 20 000 $ par année).

On imagine alors le taux d'écoute d'une personne à la fois âgée et démunie : « *Au cours d'une année, elle sera rivée au petit écran 900 heures de plus qu'un jeune cadre de sexe masculin, diplômé et gagnant un fort revenu, qui se situe à l'autre bout du spectre.* » Je ne dois toutefois pas en conclure que la télévision est un mauvais véhicule pour atteindre ce « jeune cadre ». Il suffit de cibler les chaînes et les émissions auxquelles il est le plus assidu, « *car il regarde, lui aussi, la télévision, à ses heures* ».

Quand elle constata que je l'écoutais attentivement et prenais des notes, la directrice des achats télévision entreprit d'aller plus avant dans sa description du média : « *Au-delà de ces statistiques, tu veux sans doute savoir dans quelle mesure la télévision serait un bon média pour faire connaître la chaîne de restaurants* À votre bonne santé. » À mon signe affirmatif, elle s'engagea dans un exposé qui révélait à quel point il est important de bien connaître toutes les variables de la question.

Ce qu'on raconte sur la télévision

« *On colporte que l'achat télé, ça coûte cher. Je répondrai : oui et non.* » Le coût unitaire des grandes émissions est sans doute intimidant. Par contre, selon le groupe cible, la saison et les ambitions (portée élevée immédiate ou développement progressif de la notoriété), il y a moyen d'investir modérément. On peut, par exemple, recourir aux chaînes spécialisées, dont le coût des occasions publicitaires est relativement bas. C'est pourquoi, certains annonceurs (surtout si leur produit ou leur service s'adresse au plus grand nombre) réservent à ces chaînes une partie de leurs budgets publicitaires, soit pour compléter leurs achats télévisuels, soit pour atteindre une fréquence plus élevée du message.

« *À l'inverse, il est faux de prétendre qu'on peut obtenir de bonnes occasions publicitaires à bas prix.* » Si l'on tient compte de tous les facteurs qui affectent les tarifs, on découvre qu'on en a toujours pour son argent. La course au coût le plus faible ne doit pas réduire l'achat télé à un coût par point qui ne tiendrait pas compte du public visé.

Le public visé : on y revient invariablement. « *Tu as peut-être été étonnée de voir, au beau milieu d'un bulletin de nouvelles, la publicité d'un "mesureur de taux sanguin pour diabétiques".* » Après tout, le diabète n'atteint qu'une faible proportion de la population ; 95 % des téléspectateurs ne sont donc pas concernés par une telle annonce. C'est pourtant une situation où médias et annonceurs se sont découvert un intérêt commun.

En effet, les analyses ont montré que les personnes atteintes de diabète étaient hautement représentées à l'heure des informations télévisées et, en plus, qu'elles étaient particulièrement attentives à la publicité qui les concernait. Les médias, pour leur part, ont fait le pari que les autres spectateurs ne changeraient pas de canal à cause de trente secondes de publicité qui ne les concernait pas ; mieux encore, que les personnes qui ont des parents ou des amis diabétiques leur communiqueraient l'information sur la marque annoncée.

« *On prétend aussi que les bonnes périodes de télé, c'est compliqué à acheter.* » En effet, les achats (et les négociations qui y mènent) peuvent s'avérer complexes en comparaison d'autres médias... sans oublier qu'il faut s'assurer d'un suivi serré. Quelles émissions atteignent le mieux la cible ? Le prix est-il juste ? Qu'arrive-t-il si, pour quelque raison, une occasion publicitaire n'est pas diffusée ?

Les grilles des réseaux sont en constante mouvance, les changements de programmation sont fréquents et difficiles à suivre. Le temps est révolu où un calendrier d'émissions s'amorçait en septembre pour se poursuivre sans modification majeure jusqu'au printemps. Désormais, des émissions nouvelles sont lancées à tout moment, même l'été. C'est pourquoi les agences confient la tâche de choisir les occasions télévisuelles les plus prometteuses à des acheteurs expérimentés.

« *Il y a aussi ceux qui prétendent que la télé, c'est pour les pauvres.* » Nous l'avons vu, l'écoute est plus élevée chez les personnes à revenu faible ou d'âge avancé, comparativement aux gens d'affaires, aux jeunes et aux personnes plus instruites. Pourtant, malgré une écoute globale inférieure, ces derniers segments, aux préférences bien exprimées, se révèlent souvent surreprésentés dans l'auditoire de plusieurs types d'émissions.

Ainsi — « *Je cite en vrac les sondages* » —, les diplômés universitaires aiment regarder les nouvelles, le tennis, les concerts, les documentaires et les biographies. Les cadres et les professionnels sont friands de golf, de football, de séries policières et de suspense. Les personnes gagnant plus de 40 000 $ sont fidèles aux nouvelles et aux autres émissions d'information. Les hommes âgés de 25 à 34 ans regardent les vidéoclips et les sports de toutes sortes, dont le football, la course automobile (notamment la F1) et les sports de combat. « *Tu observeras, en outre, que les 25-34 ans sont particulièrement nombreux à regarder la télévision après 23 h, un moment où le CPM est bas.* »

2. POURQUOI CHOISIR LA TÉLÉVISION

La directrice des achats télévision aime passer du chaud au froid. « *Attention ! Il ne faut pas surestimer l'impact et la magie de télévision. Il ne faut surtout pas privilégier la quantité par rapport à la qualité.* » Beaucoup d'annonceurs se voient offrir des blocs de 50 ou 100 *spots* à la chaîne *XYZ*. S'agit-il d'occasions pertinentes pour leur cible ? Ou a-t-on plutôt affaire à des invendues dont le diffuseur veut se départir ?

Sans doute la télévision est-elle hautement valorisée par les annonceurs, qui ont un préjugé favorable à son endroit. « *Mais quelle ne fut pas la déception d'un d'entre eux, qui avait décidé de mettre son produit en valeur dans tout le Canada, lors des éliminatoires du hockey. Il dut reculer lorsqu'on lui apprit que son budget ne lui permettrait que quatre occasions pour les six semaines de sa campagne. Ou la mésaventure de celui-ci, qui, fier de sa campagne de 260 occasions, s'est fait dire par un analyste que 120 d'entre elles n'atteignaient même pas, chacune, le "1 couché".* »

Le « 1 couché »

Pendant longtemps, les firmes de sondage signalaient par un simple trait (–) une cote d'écoute inférieure à 1 %. Dans le milieu, on parlait alors de « 1 couché » pour tourner en dérision une telle absence de téléspectateurs. Avec la multiplication des chaînes, le nombre d'émissions où l'écoute est inférieure à 1 % est devenu plus important. Les sondeurs utilisent donc désormais des fractions de pourcentage, le plus petit étant 0,1 %.

La restauration et la télévision

« Cela dit, tu constateras que la télévision est le véhicule privilégié par le plus grand nombre dans le domaine qui t'intéresse : la restauration. » Elle me montre alors un tableau décrivant les dépenses que 52 catégories de commerces consacrent aux journaux, aux magazines, aux affiches, à la radio et à la télé. *« Qu'est-ce que tu retiens de ce document ? »*

Les données brutes indiquent que la restauration occupe le huitième rang dans la liste des investissements publicitaires, après (1) la vente au détail, (2) les fabricants d'automobiles, (3) la nourriture, (4) le divertissement, (5) les services financiers et les assurances, (6) les concessionnaires d'automobiles, (7) le voyage. Dans la perspective de *À votre bonne santé*, je dois sans doute pondérer légèrement ces indications, vu que la catégorie « Restauration » recouvre, outre les restaurants, les services de traiteurs à domicile et les clubs. Mais l'ordre de grandeur est bien là.

De toute façon, ce n'est pas ce qui m'intéresse prioritairement. Ce que je veux surtout savoir, c'est la place que la restauration, prise isolément, tient à la télévision comme véhicule publicitaire. Je découvre alors que près des trois quarts des sommes consacrées à la publicité de la restauration passent par ce média. Autrement dit, la télé est incontournable.

Je pousse plus loin mon analyse des données. Cette domination de la télévision est propre à l'investissement publicitaire du domaine agroalimentaire, soit l'alimentation (3ᵉ rang général, 1ᵉʳ rang télé) et la restauration (8ᵉ rang général, 2ᵉ rang télé). C'est le signe que la part de la publicité télévisée varie considérablement d'une catégorie à l'autre, et c'est même l'inversion totale quand on va de l'alimentation aux concessionnaires auto (81 % contre 4 %).

Les annonceurs dans le domaine de l'alimentation et de la restauration consacrent la majorité de leurs investissements médias à la télé. Sans doute pour donner, dans le cadre d'un divertissement, le désir aux consommateurs de goûter leurs produits. À l'inverse, les concessionnaires auto et les agences de voyages favorisent les journaux. Sans doute pour dévoiler toute leur gamme de prix alléchants aux différents lecteurs.

Pour quelles raisons la catégorie « Restauration » privilégie-t-elle si nettement la télévision, alors que d'autres secteurs commerciaux partagent autrement leurs investissements entre les divers médias ? La directrice des achats télévision intervient : « *Avant de faire une étude aussi pointue, peut-être devrais-tu considérer les points forts et les limites de la télévision en général ?* » Je me souviens aussitôt des fameuses « forces et faiblesses » dont on m'avait déjà parlé à propos, notamment, des journaux et de la radio.

Les points forts de la télévision

Presque tous les foyers possèdent au moins un téléviseur. Cette donnée est cruciale dès qu'on la met en relation avec une campagne publicitaire qu'on souhaite mener partout au Québec. Quelques rares émissions rassemblent même une large portion de la population : aux États-Unis, une publicité diffusée pendant le Superbowl atteint 130 millions de téléspectateurs ! C'est dire qu'à la télévision, une portée élevée est rapidement atteinte. Ce à quoi s'ajoutent, tout au moins pour les grandes chaînes, les avantages de la flexibilité régionale, certaines émissions pouvant être achetées par marché géographique.

Par ailleurs, en dépit du fait que la télévision est un média de masse, il est possible de procéder à une certaine sélection de l'auditoire, vu la diversité de ses émissions. Qui plus est, les chaînes spécialisées, dont l'offre globale est très segmentée, comportent des auditoires au profil sociodémographique hautement pertinent pour la promotion de produits spécifiques. « *Tu peux ajouter que, de tous les véhicules publicitaires, c'est la télévision qui jouit du taux de rappel le plus élevé, grâce, souvent au **porte-parole** de l'annonce.* »

> **Porte-parole**
> Personne de notoriété qui vante les mérites d'une marque, d'un produit, d'un service ou d'une attitude dans un message publicitaire.

« *Le monde de la publicité se souvient encore, un demi-siècle plus tard, du cri d'Olivier Guimond : "Lui, y connaît ça !", à propos de la bière "Labatt 50".* » C'est pourquoi les grandes entreprises ont souvent recours à un porte-parole pour diffuser des messages visant à se donner une image positive, à la maintenir ou à la restaurer (s'il survient une crise).

Fréquemment perçue comme un véhicule publicitaire de prestige, la télévision confère à l'annonceur une position de leader dans son marché. *Bell Canada* l'a bien compris, dont la stratégie semble être d'envahir l'écran, afin de confirmer sa suprématie dans l'industrie de la téléphonie à l'heure où la déréglementation la défavorise.

Grâce aux images, la télévision permet de projeter des sentiments, de créer un environnement émotif de grande intensité, effets difficiles à recréer avec d'autres véhicules publicitaires. Il faut dire qu'elle s'infiltre dans l'intimité du consommateur, au moment où il est disponible et alors que ses mécanismes de défense psychologiques sont au repos. Grâce aux effets spéciaux, la capacité d'animer un produit en fait le véhicule de choix pour le lancement des nouveautés : « *Ce tout nouvel instrument de cuisine qu'un fabricant cherche à vendre, la télévision le montrera en action ; ce qui contribuera plus sûrement à susciter l'assentiment du public que si l'on n'en avait qu'une image fixe.* »

Ses points faibles

La télévision a donc plusieurs atouts dans son jeu. Mais toute médaille a son revers. « *Nous avons vu tout à l'heure que les plus fidèles adeptes du petit écran se retrouvent chez les personnes âgées et moins nanties. Mais parce que moins nantis, justement, et peu portés vers la nouveauté, ces segments sont moins recherchés par les annonceurs.* » Quant aux personnes scolarisées ou disposant d'un revenu supérieur, qui consacrent beaucoup moins de temps à l'écoute de la télévision, leur ciblage exigera beaucoup de recherche.

L'un des désavantages les plus marqués de la télévision est certainement le coût unitaire élevé des messages publicitaires. « *Reprenons l'exemple du* Superbowl *: l'annonceur qui souhaite s'y assurer du temps d'antenne devra débourser plusieurs millions de dollars pour quelques occasions de 30 secondes.* » Au Québec, il n'est pas rare qu'une seule occasion, diffusée dans une émission de grande écoute, coûte plus de 25 000 $.

Et c'est sans compter le coût élevé de production d'un message publicitaire. « *On peut évidemment réaliser des commerciaux limités à quelques plans pour moins de 5 000 $, mais l'investissement moyen pour tourner un message de qualité se situe au delà de 150 000 $.* » Sans parler des tarifs qu'il faut sans cesse négocier ; ce qui — à la différence des imprimés — rend difficile une juste estimation, à l'avance, des coûts de diffusion.

« *Encore faut-il pouvoir se faufiler dans l'encombrement publicitaire, surtout s'il s'agit d'émissions jouissant d'une forte cote d'écoute.* » L'inventaire disponible des occasions les plus intéressantes s'épuise longtemps à l'avance. L'achat télévision dans une stratégie de communication qui se veut d'attaque doit donc tenir compte d'un fort délai de réservation. Autrement, on n'aura accès qu'aux périodes invendues, parce que suscitant moins d'intérêt.

La dérobade

Quant au message lui-même, sa durée est brève — généralement trente secondes —, ce qui impose qu'il soit répété à satiété avec, parfois, le risque de lasser. Car, le doigt constamment sur la détente, le téléspectateur peut s'y dérober facilement. Selon certaines données de PMB, une proportion élevée du public a recours au ***zapping*** (changement de chaîne), au ***muting*** (mise en sourdine du son) ou au ***zipping*** (glissade en accéléré sur les commerciaux, quand on regarde une émission enregistrée). Le planificateur média doit donc être inventif pour retenir les consommateurs.

Zapping, zipping, muting
Que font les téléspectateurs pour se dérober aux messages publicitaires ?
- 50 % changent de chaîne (*zapping*)
- 40 % font tourner l'enregistreur en accéléré (*zipping*)
- 20 % mettent l'appareil en sourdine (*muting*)

« *Une bonne façon pour toi d'apprendre est d'être attentive aux tactiques utilisées par certains annonceurs pour s'assurer que le public verra leur publicité. Avec la formation que tu as acquise, tu as déjà l'œil, j'en suis sûre.* » L'une de ces tactiques porte le nom de **barrage** *(roadblock)*.

Barrage (*Roadblock*)

Diffusion simultanée du même message publicitaire sur plusieurs réseaux. Certains annonceurs utilisent cette tactique depuis plusieurs années, immédiatement avant les nouvelles de fin de soirée. L'annonceur cherche ainsi à contrer la dérobade (*zapping*). Cette façon de faire s'avère efficace, bien que coûteuse.

« *Sur un autre registre, tu noteras l'efficacité d'un message sectionné en deux parties : quinze secondes au début d'un bloc publicitaire et quinze autres à la fin.* » Le téléspectateur, qui a hâte de connaître la fin de la courte intrigue dont est constitué le message, restera sans doute attentif à l'ensemble de la pause publicitaire. Non seulement l'annonceur de cette publicité, mais aussi les autres annonceurs du bloc publicitaire y trouveront leur compte.

3. LES NOUVELLES TENDANCES DE LA PUBLICITÉ TÉLÉVISÉE

De retour à la maison, quand je regardais la télé, je ne voyais plus les émissions et leurs messages publicitaires de la même façon. Quand je revis la directrice, elle revint — avec une légère variante — à son thème du début : « *Peux-tu imaginer à quoi ressemblait une soirée chez les Québécois quand il n'y avait qu'un seul réseau de télévision ?* »

Le premier âge de la télévision

Il y eut, en effet, une époque — qui nous semble bien lointaine, 1952 —, où le choix des téléspectateurs se limitait à une seule chaîne… bilingue (mais Radio-Canada segmenta vite ses publics selon la langue). On s'agglutinait alors chez le plus fortuné du coin, celui qui pouvait se payer le lourd téléviseur bourré de lampes (plus tard, de transistors). La rapidité avec laquelle l'écran aux coins arrondis pouvait transmettre, en noir et blanc, les images — animées — d'un incident local émerveillait, habitué qu'on était à devoir attendre le journal du lendemain pour en voir une simple photo.

La plus grande avancée technologique de l'époque eut lieu dès l'année suivante, plus précisément le 2 juin 1953, lors du couronnement de la reine

Élizabeth II. Les bobines de film utilisées pour immortaliser la cérémonie avaient alors été envoyées par chasseurs militaires ultra-rapides, de Londres à Terre-Neuve, puis transférées dans un laboratoire aérien où on les avait transformées en kinescopes (films adaptés à la projection électronique) durant le vol vers Montréal. Au sol, des relais hertziens avaient ensuite porté le signal à toutes les chaînes de l'époque, qui avaient alors pu diffuser l'événement avec un décalage de quelques heures à peine. *« Pour ce qui est du kinescope, il fut supplanté, en 1956, par le magnétoscope. Les anciens se souviennent de la célèbre marque Ampex. »*

Au cours des années suivantes naquirent Télé-Métropole (aujourd'hui le réseau TVA) et son pendant anglophone, CFCF (aujourd'hui le réseau CTV). C'était l'époque des « oreilles de lapin », des longues antennes qui encombraient les toits et des douze canaux hertziens disponibles en ondes VHF. *« Il fallut attendre l'ère des satellites de communication (Telstar, 1962) pour que naisse Mondovision, aube d'un rayonnement planétaire qui devait faire des six milliards d'humains un village global, observant en direct, en 1969, les premiers pas de Neil Armstrong sur la lune. »*

Durant toutes ces années, le modèle de publicité « de masse » — associé aux origines mêmes de la télévision — ne fut à aucun moment remis en cause, vu que le public n'avait que peu de choix entre les chaînes. Les auditoires n'étant pas dispersés, il était facile de les cibler.

Quand on créa la bande UHF (positions 14 à 83), les sources de diffusion s'élargirent, en français à Radio-Québec (aujourd'hui Télé-Québec), puis, beaucoup plus tard, à TQS (aujourd'hui V) et, en anglais, à Global. Mais déjà la démocratisation de l'image (vidéocassette, 1970 ; caméscope, 1983) était en train de changer le rapport entre la télévision et son public.

Les chaînes spécialisées

Les quatre concurrents de la télévision francophone québécoise devaient voir leur suprématie mise en péril avec l'avènement du câble. D'abord simple moyen de transmission des signaux télévisés, la câblodistribution changea la mise quand elle fut autorisée à diffuser — et même à susciter — des chaînes jamais présentées en ondes hertziennes libres. Plus récemment, la numérisation permit l'acheminement, par satellite, de signaux ensuite relayés soit par câble, soit par antenne parabolique.

Aujourd'hui, les chaînes accessibles par un moyen ou un autre se comptent par centaines. On parlera bientôt de milliers, à mesure qu'Internet et le téléphone cellulaire ajouteront leurs propres mini-réseaux. Pour la publicité, c'est le casse-tête total. « *C'est pourquoi les statistiques sont si importantes. La masse des téléspectateurs se confine à un petit nombre de chaînes. C'est là qu'un message grand public les trouvera. En revanche, de petits groupes aux intérêts identiques se concentrent dans quelques réseaux à vocation bien définie.* »

Incontestablement, l'atout majeur des chaînes spécialisées est leur capacité à atteindre un groupe cible précis. Grâce à une programmation thématique, elles éveillent l'attention d'une catégorie sélectionnée de téléspectateurs, contrairement à la télévision traditionnelle qui s'adresse au plus large éventail d'auditeurs possible. Pour la promotion de certains produits et services, elles procurent donc un environnement avantageux, puisque leur auditoire est « spécifique » (par opposition à « général »).

Par le biais des chaînes spécialisées, l'annonceur est aussi en mesure d'approcher un segment complémentaire d'un marché plus vaste. Ainsi, à l'heure où une plus forte concentration de personnes plutôt âgées est à l'écoute de la télévision traditionnelle, il voudra peut-être faire connaître aussi son produit par une chaîne où s'est réfugiée une partie de sa cible. C'est le cas de *RDS*, qui attire principalement les hommes à revenu moyen ou élevé, de *Canal Vie,* plus orienté vers un public féminin relativement jeune, et de *Musique Plus,* axé surtout sur les jeunes adultes et les adolescents. « *Tu observeras également que la télévision spécialisée rejoint un pourcentage plus élevé de gens très scolarisés et que, globalement, l'écoute des chaînes spécialisées diminue avec l'âge.* »

Particularités d'achat dans les chaînes spécialisées

Les annonceurs de produits grand public ne doivent pas pour autant faire une croix sur les chaînes spécialisées. Car elles maintiennent, et parfois même augmentent, leur auditoire quand l'écoute des chaînes traditionnelles fléchit. C'est bien le cas en été ou au temps des fêtes, alors que les émissions dites « gros canons » — celles qui enregistrent une écoute très élevée dans tous les segments de la population — sont retirées de l'horaire.

« *Pour la négociation d'achat publicitaire dans les chaînes spécialisées, tu tiendras compte de variables particulières.* » Comme l'écoute de ces chaînes est relativement faible, il faut négocier soigneusement le CPM et le CPP. Elles ont tendance à être plus flexibles en matière de tarification parce que la publicité est une source secondaire de financement, les redevances des abonnés comptant pour plus de la moitié des revenus.

Il faut aussi tenir compte de certaines données qualitatives, par exemple, la concentration d'auditoire. Ainsi, la période de diffusion — le moment de la journée — est un critère de négociation relativement peu important pour ces chaînes, car l'écoute est plus uniforme, qu'il s'agisse du jour, du soir ou du week-end. Certains réseaux offrent même des forfaits où les occasions sont placées dans une rotation qui s'étale sur 24 heures.

Du fait d'une grande disponibilité de temps d'antenne, le format des annonces est moins rigoureux ; ce qui laisse place à des expérimentations dont on pourra ensuite tirer parti dans les réseaux traditionnels.

Infopublicité et téléachat

Les canaux du câble ou des satellites sont tellement nombreux — et chacun d'eux dispose de tant de temps disponible — qu'il est possible d'utiliser de longues périodes de diffusion ou même des canaux complets comme « *Publi-sacs électroniques* ». Ici, la publicité ne cherche pas à se glisser dans une émission ; elle est l'émission. À cet égard, il existe deux modèles : l'**infopublicité** et le **téléachat**.

Infopublicité

On désigne sous ce nom le segment de temps d'antenne utilisé par un annonceur pour faire connaître un produit. Ce qui apparaît, au premier abord, comme une émission d'information, se révèle être un « cahier publicitaire ». La plupart des chaînes privées y ont recours à un moment ou l'autre de l'horaire, le plus souvent en fin de semaine ou la nuit. L'infopublicité peut aussi prendre la forme d'« annonces classées ».

Les publicitaires américains distinguent deux formats d'infopublicité :

- le format court, habituellement de deux ou trois minutes, souvent inséré à l'intérieur des pauses publicitaires régulières d'une chaîne ;

- le format long, habituellement de plus de dix minutes, constituant un élément de la grille des programmes.

Téléachat
Ce type d'émission incite le téléspectateur à se procurer sur-le-champ le produit annoncé, en composant un numéro de téléphone ou une adresse électronique, avec garantie de livraison et de satisfaction.

Certains canaux du câble sont totalement consacrés à l'infopublicité : immobilier, voitures d'occasion, autopromotion du câble lui-même. D'autres se spécialisent dans le téléachat. Pour ajouter au mélange des genres, il arrive qu'une campagne de vente soit relayée en partie par un réseau généraliste et en partie par un réseau spécialisé. *Shopping TVA* en constitue l'exemple typique : la même équipe, dans le même décor, y offre ses produits sur *TVA* à certaines heures et sur une position du service *Illico* à d'autres.

La force de l'infopublicité et du téléachat provient d'abord de ce que l'annonceur a tout le temps voulu pour faire la démonstration de l'efficacité de son produit devant le public. Cette technique promotionnelle rappelle l'époque des hâbleurs qui, autrefois, dans les marchés ou au coin des rues, vantaient les mérites des verres incassables : « *Mesdames et messieurs, voyez par vous-mêmes ! J'en jette un sur le sol et il résiste. Vos enfants ne parviendront jamais à les briser. Et vous, vous ne pourrez plus vous en passer. Approchez ! Ils sont à vous pour presque rien.* »

En outre, l'auditoire de ces publicités n'est pas contraint de les « supporter » sous forme de pause dans son émission préférée ; il a choisi de se brancher sur la chaîne qui les diffuse. De sorte que le nombre d'appels reçus révèle instantanément l'intérêt soulevé par le message et, en conséquence, l'espoir d'un bon retour sur l'investissement. D'ailleurs, le coût de production de ces émissions étant souvent absorbé par un réseau, la vente se réalise presque sans frais. En fait, ces coûts sont si bas que des organismes de charité n'hésitent pas à recourir à cette façon de faire pour amasser des fonds.

« *Tu te demandes peut-être pourquoi l'infopublicité ne s'est pas fondue peu à peu dans le téléachat, plus efficace pour vendre.* » C'est que le téléachat porte généralement sur des biens peu coûteux, que le consommateur peut courir le risque de se procurer sans réfléchir plus avant. Personne n'achèterait une maison ou une voiture de cette façon.

La commandite

Commanditer une émission est une façon d'associer une entreprise aux intérêts du public cible. Cette association peut être philanthropique (par exemple, commanditer une émission sur l'éducation) ou corporative (par exemple, commanditer une émission sur la rénovation domiciliaire). Elle peut être discrète (simple indication en début et fin d'émission), plus explicite (association du produit au titre même de l'émission) ou plus affirmée encore (insertion dans le contenu même de l'émission). Quelle que soit l'approche, il s'agit toujours de mettre la marque en évidence.

> **Commandite**
>
> Association du nom d'une marque à une émission télévisée. Elle peut se faire par une contribution au coût de production.

La commandite vise à créer un lien émotif entre le téléspectateur et l'entreprise. Elle aura donc comme caractéristique d'afficher clairement les valeurs communes où l'un et l'autre se rencontrent. Ainsi, une firme qui propose des services téléphoniques pourra-t-elle commanditer une émission sur le rôle de la communication dans l'avancement de l'humanité, même s'il n'y est jamais question de téléphonie. Par cette association, elle signalera au public qu'elle ne fait pas que vendre un produit, mais qu'elle est également soucieuse des liens qui se tissent entre humains quand on communique.

Si généreuse qu'elle apparaisse, la commandite n'est aucunement une démarche de pure gratuité. Elle doit inscrire pour longtemps le nom du commanditaire au cœur d'un domaine cher au téléspectateur visé. « *Dans le cas de* À votre bonne santé, *le domaine de commandite est tout trouvé : la saine alimentation.* »

« *Pour une agence comme la nôtre, qui veut moins s'imposer au consommateur que se faire inviter par lui, la commandite se révèle une approche idéale. On t'accueille en ami au lieu de te rejeter comme gêneur.* » Je m'empresse d'ajouter que le commanditaire se fait inviter non seulement par le consommateur, mais aussi par le producteur et le diffuseur à la recherche de partenariats d'affaires. C'est le cas, particulièrement, dans les émissions à concours où chaque prix est l'occasion de faire connaître un annonceur en dehors du cadre des messages de la publicité classique.

Le placement de produit

Un autre pas a été franchi avec la croissance accélérée du placement de produit. Cette façon de procéder diffère de la précédente en ce qu'elle n'affiche pas ses couleurs. Bien au contraire. Le spectateur ne doit surtout pas déceler explicitement ce qu'on annonce, mais plutôt s'en laisser imprégner inconsciemment. En commandite, on veut rapprocher expressément l'annonceur des intérêts du téléspectateur. En placement de produit, on vise plutôt une juxtaposition subliminale par la médiation d'un tiers, le protagoniste de l'émission.

À cet égard, j'ai déjà appris, la semaine dernière, à distinguer deux cas de figure correspondant aux principaux types d'intégration d'une marque à une émission. Le premier — *Branded Entertainment* — porte sur les émissions de fiction. Il s'agit d'associer une marque commerciale à un personnage auquel le public s'identifie favorablement. Le cas classique est celui de cette héroïne d'un téléroman à qui l'intrigue imposait de servir d'hôtesse aguichante lors d'un salon de l'auto. « *Je te laisse le soin d'imaginer le nombre de fois où il a été possible d'identifier la marque de la voiture auprès de laquelle la jeune femme vivait, une heure durant, cet épisode du feuilleton.* »

Dans le cas d'une émission d'information — c'est le second type, appelé *Infotainment* —, le médiateur est l'animateur qui, à l'écran, commente l'actualité. Par définition, il s'agit d'une personne de confiance, que l'on imagine absolument objective. On ne pensera donc pas, un seul instant, que le gadget qu'il est possible d'entrevoir, de temps à autre, sur le coin de son pupitre, n'a pas été oublié là par hasard. Surtout quand il le prend soudainement à la main et, l'air de dire « *À quoi ça sert ?* », se met à le manipuler en tout sens en « découvrant » ses multiples qualités.

« *C'est dire assez l'aspect "dissimulation" du placement de produit. On a dépassé l'époque naïve de la marque de bière apparaissant clairement sur la bouteille qu'un personnage tenait à la main.* » Certaines fictions sont littéralement écrites de manière à mettre en valeur un produit ou un service.

C'est ainsi qu'on aura vu, aux États-Unis, quatre émissions de prestige de la même chaîne insérer dans leur scénario, la même semaine, une scène où un personnage était pris de court parce qu'il avait négligé de se doter d'une assurance. « *Cherche le commanditaire !* »

Pendant ce temps, à la chaîne concurrente, on suivait le même type de scénario pour insérer une marque de parfum dans l'intrigue d'une émission dramatique. « *Tu ne seras pas étonnée si je te dis que ce parfum fut bientôt en rupture de stock dans les grands magasins.* »

Je fais observer que le placement de produit risque de briser la frontière entre le divertissement et le commerce. La directrice des achats télévision ne partage pas mes inquiétudes éthiques. « *Cette limite ne sera franchie que si la signification de l'intrigue en est modifiée. Dans la scène du "parfum", un homme offre un flacon pour se faire pardonner. Qu'il offre du parfum ou tout autre chose n'a pas réellement d'importance... et un parfum de cette marque-là encore moins. Tout le monde y trouve son compte.* »

Et le placement de produit dans une émission d'information ? La directrice semble avoir réponse à tout : « *Il faut distinguer entre le rigoureux bulletin de nouvelles et certaines émissions où le récréatif côtoie l'information, comme celles qui accompagnent le déjeuner. Le public sait faire la différence entre les deux types de renseignements qu'on lui sert.* » Mais alors, pourquoi le CRTC, au Canada, et la Communications Commission, aux États-Unis, ont-ils jugé important de se pencher sur cette question ? À cela, la directrice n'a pas de réponse.

L'interactivité

Longtemps média de masse par excellence, la télévision n'est plus totalement à sens unique (d'un émetteur à des récepteurs). L'interactivité est devenue incontournable : dans tous les domaines, les gens veulent s'exprimer, porter un jugement, participer ; ce que démontre bien la place croissante que tous les médias consacrent désormais à l'opinion du public. À la télé en particulier, presque toutes les émissions d'information incitent les auditeurs à se manifester et à donner leur avis, tout au moins en rédigeant un courriel. Et les gens n'y manquent pas.

Ainsi est née la **télévision interactive** aux formes multiples, dont certaines risqueraient de rendre la vie dure à la publicité si les entreprises de communication n'avaient pas besoin de la publicité pour survivre et ne lui ménageaient donc pas de nouvelles voies d'entrée.

Télévision interactive

Modèle d'utilisation de la télévision où le téléspectateur peut interagir avec l'émission en cours plutôt que la regarder passivement. Il existe de multiples procédés techniques pour réaliser cette interactivité, depuis l'appareil téléphonique classique jusqu'à la console spécialisée.

Le téléachat constitue une forme de télévision interactive. Autrement dit, le spectateur n'est plus exclusivement passif — il est invité à réagir —, ce qui ne peut être que favorable à la publicité.

Une autre forme, de plus en plus appréciée, de télévision interactive consiste, pour le téléspectateur, à choisir un moment personnalisé pour le visionnement d'un film : « *Ce que je veux, quand je le veux, où je le veux.* » Chez nous, cette vidéo sur demande est l'aboutissement d'un processus entrepris par *Vidéotron* dès les années 1970. Longtemps en avance sur son temps, cette entreprise de câblodistribution a multiplié à grands frais des systèmes d'interactivité plus ou moins efficaces, jusqu'à ce que la numérisation des signaux lui permette d'aboutir à une formule fiable et rentable.

Au premier abord, il semblerait que le visionnement d'un film permette au téléspectateur d'échapper à la publicité, vu qu'il paie pour se le faire projeter. Nenni ! Sans doute le film n'est-il pas entrecoupé d'annonces, mais il n'est pas interdit de le faire précéder d'un ou deux messages percutants, proches du sujet même du film ou des conditions de visionnement du spectateur, qui auront pour double effet de préparer le petit public du cinéma maison à apprécier le film tout en associant la publicité à un moment agréable de la soirée.

L'enregistreur numérique personnel s'avère plus perfide pour les annonceurs, car il permet d'éviter les publicités. Certains modèles reconnaissent même le changement qui se produit dans le signal quand une émission fait place aux pauses publicitaires et passent donc à l'accéléré jusqu'à la reprise de l'émission.

Mais il en faut plus pour décourager le monde de la publicité. Dans plus d'un cas, les annonceurs sont en mesure d'insérer, dans l'enregistrement lui-même, un programme qui incruste, au moment de l'avance rapide, un plan fixe servant de substitut à la publicité que le téléspectateur souhaitait éviter.

L'enregistreur numérique personnel peut aussi servir à la publicité dans la mesure où celle-ci n'est pas imposée au spectateur, mais librement choisie. On en proposera, par exemple, sous forme de zone interactive dans le guide des émissions.

Diverses études sur l'utilisation de l'enregistreur numérique personnel ont conduit à des conclusions opposées quant à l'attitude des spectateurs à l'endroit des pauses publicitaires. Ce qui est sûr, c'est que le consommateur se sent plus à l'aise maintenant qu'il tient les commandes du média télévision. Le publicitaire en conclura que ce média n'est donc pas aussi en perte de vitesse que plusieurs le prétendent ; il a simplement changé de conducteur.

L'évolution de l'interactivité

Les émissions sportives ont été parmi les premières à se prévaloir de l'interactivité. On a commencé par fournir, sur demande, des renseignements et des images complémentaires multiples. Puis on a accéléré la cadence. Ainsi, pour des matchs d'envergure, *ExpressVu* propose (à un faible coût) un nombre élevé d'options : le signal de base, plus une seconde vue du terrain, plus la poursuite par la caméra d'un joueur en action, plus la reprise du déroulement du jeu à 45 secondes de délai, plus des scènes en boucle des moments clés du jeu, plus des tableaux statistiques parmi lesquels le téléspectateur peut choisir. Reste à la publicité à se tailler un peu de place dans cet amoncellement d'information.

Une forme de télévision interactive en pleine croissance est le rapprochement entre l'ordinateur et le téléviseur. Ce fut le cas, par exemple, pour *Un homme mort*, où un site Internet permettait de suivre l'intrigue et même de la développer. Parfois l'ordinateur reproduit des émissions télévisées en y ajoutant des angles de vue non montrés à l'écran (c'est souvent le cas dans les émissions de téléréalité). Ailleurs, grâce à une console adaptée, le téléviseur envoie le spectateur à l'ordinateur pour un complément d'information.

Certains croient en l'avènement prochain de l'instrument unique — texte, son, image (fixe et animée) —, puisque l'informatique permet de traduire en binaire tous les codes d'information. Ce support commun ouvrirait alors à la publicité des perspectives où l'imagination des esprits les plus brillants serait sollicitée. Certaines consoles de jeu sont déjà devenues de véritables « centres multimédias de divertissement », intégrant la vidéo sur demande, le téléchargement de musique et une application d'enregistrement personnel. Les problèmes actuels de lenteur de transmission, qui freinent l'avènement de cette technologie intégrée, trouveront peut-être une solution dans l'exploitation de la nanotechnologie.

D'autres pensent, au contraire, que les appareils de l'avenir seront de plus en plus spécialisés. Ils apportent comme preuve le jeu vidéo — encore — qui, né devant un téléviseur, a migré vers l'ordinateur avant de se donner sa propre plate-forme. Dans ce cas, le lien entre les divers supports prendrait la forme d'une passerelle. Pour la publicité, le résultat serait le même.

« *Car la publicité traditionnelle, comme elle s'est affichée à la télé durant un demi-siècle, ne saurait avoir cours dans le monde de l'interactivité. C'est trop statique, trop préfabriqué, trop directif.* » On lui substitue de plus en plus des formules participatives. L'une d'entre elles, appelée « télescopique », place une icône au milieu d'un message publicitaire classique de trente secondes. En cliquant sur cette icône, via la console du câble, le spectateur a accès à un message étendu sur le produit annoncé. On lui propose même d'accéder à ce message immédiatement... mais il perdrait la suite de l'émission ; ou mieux, de placer un simple signet électronique sur l'icône pour visionner le message publicitaire plus tard.

Certains ont déjà fait un pas de plus en cryptant, dans le film lui-même, des signaux qui incitent à l'achat : « *Dans l'une de ces expérimentations, si le t-shirt du protagoniste te plaît, tu n'as qu'à le pointer à partir de ta console vidéo, et une fenêtre s'ouvre, t'indiquant comment te le procurer sans plus attendre.* » Mon esprit critique intervient aussitôt : comme ça, tout le monde portera bientôt le même t-shirt ! Mais je garde mes idées pour moi.

La création de « chaînettes » de télévision adaptées aux capacités du téléphone cellulaire constitue une autre voie de transmission des annonces publicitaires. Comme le positionnement des cellulaires est suivi à la trace, il n'est pas interdit de penser que le jour viendra où les messages publicitaires seront adaptés à l'environnement physique où se trouvera la personne au moment où elle utilisera son appareil. Ainsi, les annonces pourront changer selon qu'on déambulera rue Sainte-Catherine ou avenue Laurier.

Je fais alors observer — ce à quoi la directrice des achats télévision acquiesce — que cette approche est déjà exploitée par le système GPS où, compte tenu du lieu où l'on se trouve, une liste d'établissements sélectionnés (restaurants, hôtels, magasins) est accessible sur demande. Un tel rapprochement entre le message et le point de vente ne peut manquer d'exercer une influence sur la décision d'acheter ou de se prévaloir d'un service.

La directrice me pose une autre question : « *Comment les médias facturent-ils leurs services en télévision interactive ?* » Comme je n'en ai aucune idée, elle m'indique que, de façon générale, l'annonceur paie au média un certain coût chaque fois que le consommateur requiert des renseignements sur le produit annoncé. Il y ajoute une commission si une vente suit cette requête. « *Mais il y a d'autres façons. Tu les apprendras la semaine prochaine.* »

4. AVANT D'ACHETER DU TEMPS D'ANTENNE

Pour calmer les inquiétudes des annonceurs quant à l'efficacité de leur publicité, il est devenu impératif de mesurer le retour sur l'investissement que garantit tel ou tel choix de réseau, d'heure et d'émission. Pour y parvenir, trois pistes se révèlent prometteuses : (1) « encercler » le client à l'aide de plusieurs réseaux ; (2) privilégier les chaînes où le nombre de fois où le consommateur est exposé au message peut être le plus rigoureusement mesuré ; (3) accentuer la pression auprès des diffuseurs pour qu'ils améliorent les mesures d'auditoire.

L'offre et la demande

Les chaînes de télévision ont droit à douze minutes de publicité à l'heure selon une réglementation du CRTC. Or, si les messages ont longtemps eu une durée fixe de trente secondes, on essaie de plus en plus de rompre ce rythme pour créer un effet de surprise, avec des annonces allant de dix à quatre-vingt-dix secondes. Aux États-Unis, l'annonce en format traditionnel est passée, en vingt ans, de 94 % à 56 % seulement du volume publicitaire total.

Les pauses courtes — identifiées comme telles pour que le consommateur n'ait pas le réflexe de quitter son fauteuil — peuvent s'avérer fort efficaces. Les pauses très longues aussi, si la nature même du message les rend indiquées. Ou encore des mini-programmes comportant quelques scènes d'une émission sur le point de commencer dans lesquelles on insérera de brefs messages publicitaires.

D'autres formats recherchés sont le sous-titrage, les écrans partagés, les bannières, les amorces, les logos d'autopromotion, les panneaux d'ouverture, les surimpressions. *« Et nous en inventons constamment de nouveaux, comme, par exemple, la "publicité à la demande" où le spectateur qui loue un film accepte de regarder une publicité longue durée en échange d'une réduction du coût de location. »*

Car l'achat de temps d'antenne à la télévision peut être comparé pour une bonne part aux transactions à la Bourse, où s'effectue un jeu d'offre et de demande. Les diffuseurs disposent d'un inventaire dans une gamme d'émissions susceptibles d'atteindre un nombre plus ou moins élevé d'auditeurs aux caractéristiques variées.

La disponibilité du temps publicitaire est du même type que celle des chambres d'hôtel ou des sièges d'avion. Au décollage de l'appareil, les sièges non vendus représentent une perte sèche pour la compagnie. Il en est de même pour les occasions publicitaires qui n'ont pas trouvé preneur : le diffuseur n'en tirera aucun profit. Par ailleurs, tout comme le nombre de sièges à bord d'un avion est limité, de la même façon le temps publicitaire (limité à 12 minutes par heure) n'est pas extensible, de sorte qu'il arrive qu'on doive se bousculer pour monter à bord. Comme les diffuseurs sont nombreux, l'acheteur média dispose d'un choix fort vaste, de sorte qu'un va-et-vient s'amorce au moment de la négociation. Il y a échange de coups de téléphone jusqu'à la conclusion d'une entente verbale, qui sera suivie d'une remise de documents.

La directrice des achats télévision me montre alors, sur un coin de son bureau, l'aide-mémoire qu'elle ne manque jamais de consulter au moment de discuter, au téléphone, avec le représentant d'un réseau en train de vanter ses résultats pour obtenir une commande au meilleur taux. Il s'agit des arguments stratégiques de son vis-à-vis.

Le jeu de cartes des diffuseurs

Pour négocier le coût d'achat d'occasions publicitaires, le réseau de télévision dispose de cartes qui lui sont plus ou moins favorables selon les circonstances. En voici les principales :

- Position générale du réseau dans son marché
- Auditoire particulier de chaque émission
- Inventaire des occasions invendues
- Délai de réservation
- Période de l'année
- Groupe cible visé
- Volume d'achat envisagé
- Heure de diffusion
- Émissions concernées

Source : Carat.

« L'exécution d'achat à la télévision impose souvent d'amalgamer plusieurs émissions dont la somme permettra d'exposer le message au nombre souhaité d'auditeurs. » La directrice précise, pour que son propos soit bien compris : « *Les diverses variables en cause sont analysées à partir des données relevées par les firmes de sondage et font état de la cote d'écoute, de l'AMQH, de PEB et des impressions totales brutes.* »

Je suis en mesure de conclure moi-même son exposé en rappelant que le calcul se fait alors par CPM et CPP. Vu le sourire qu'elle affiche, je déduis qu'elle considère que j'ai bien compris. Là-dessus, tout comme l'avaient fait les directeurs des achats des médias précédents, elle me propose de rencontrer un représentant des ventes d'un réseau. « *Il est important pour toi de connaître les gens avec qui nous dialoguons.* » C'est donc avec cette idée en tête que je frappe chez l'un de ceux qui seront mes vis-à-vis si, un jour, j'accède au poste de directrice de compte.

Les variables qui influent sur les tarifs

Celui-ci ouvre l'échange par ce constat : « *Il n'y a pas de carte de tarifs fixes à la télévision.* » Une occasion de diffusion dans tout le Québec, en période de grande écoute, dans une émission atteignant près de deux millions d'auditeurs, ira facilement chercher dans les 25 000 à 30 000 $, l'unité de 30 secondes. À l'inverse, une émission diffusée très tard en soirée dans un petit marché pourra ne coûter que quelques dizaines de dollars par occasion. Il faut donc savoir négocier.

« *Parmi les éléments qui font varier les coûts à la hausse ou à la baisse, on notera principalement la saison de diffusion, le bloc horaire, la performance d'une émission, la durée du message et la possibilité d'escompte.* » Tiens ! Ça me rappelle le jeu de cartes de la directrice des achats télévision. Au moment où je m'apprête à répondre « *oui, je sais !* », il enchaîne en précisant que la télévision compte deux saisons pendant lesquelles la demande de temps d'antenne est particulièrement forte... autre confirmation de ce que la directrice m'avait déjà exposé.

Puisque la tarification est établie selon l'offre et la demande, il en coûtera plus cher à un annonceur pour obtenir une occasion, au sein d'une même émission, durant ces périodes-là de l'année, et moins cher l'été. Ce qui ne signifie pas, toutefois, que la réduction des tarifs sera directement proportionnelle à la baisse de l'écoute.

Le choix des blocs horaires a aussi une influence directe sur la tarification. Comme les tarifs sont surtout basés sur le nombre d'auditeurs, le coût à l'unité des émissions en période de **pointe** (*prime time*) sera plus élevé. Les émissions en période **hors pointe** (*fringe*), qui atteindront un public plus restreint, se vendent à des CPM/CPP inférieurs.

Pointe (*Prime time*)|Hors pointe (*Fringe*)

En publicité, périodes communément reconnues comme attirant un nombre plus ou moins élevé de téléspectateurs. Au Québec, la période de pointe s'étend de 18 à 23 h ; au Canada anglais, elle va plutôt de 19 à 23 h (dans les deux cas, tous les jours de la semaine). Le coût d'un message publicitaire est considérablement affecté par la période retenue.

Un acheteur répartit généralement ses achats télévision entre période de pointe et période hors pointe. Toutes les combinaisons sont possibles, mais le rapport le plus souvent utilisé est de 60 % en période de pointe et de 40 % en période hors pointe ou encore de 70 et 30 % respectivement. Il est, bien sûr, possible d'acheter 100 % des occasions publicitaires dans la seule période hors pointe sans perdre d'efficacité. « *Car ce n'est pas le nombre total d'auditeurs qui compte, mais le nombre d'auditeurs ciblés.* » Pour certains produits, les données des sondages sur les composantes sociodémographiques d'un auditoire pourront privilégier une période hors pointe.

Une fois établie la combinaison période de pointe/période hors pointe, l'acheteur passe au choix des émissions qui conviennent le mieux au message. Évidemment, plus une émission est populaire, plus elle risque d'être coûteuse. Dans une stratégie d'achat, on établit en tout premier lieu le pourcentage d'émissions du « Top 10 » ou du « Top 20 » où il conviendrait de placer son annonce. Comme ce sont les émissions les plus réclamées de la clientèle, le coût « payé » et le coût par point s'en trouvent affectés. Dans une grille d'achat, on essaie toujours de faire correspondre le plus possible les coûts payés et les émissions à plus grande visibilité.

Pour ce qui est de la durée du message, il est bon de savoir que le tarif pour une occasion de 15 secondes est équivalent à 65 % du tarif d'une occasion de 30 secondes. Par contre, lorsqu'il s'agit du tarif publicitaire d'un 60 secondes, le tarif d'un 30 secondes est souvent tout simplement doublé. « *Outre les tarifs négociés à partir des CPP, il est possible de bénéficier de certaines réductions supplémentaires par le biais d'un **escompte de volume** ou d'un **escompte de continuité**.* »

Escompte de volume

Tarif réduit si l'annonceur réserve un nombre d'occasions jugé important par la chaîne télé. Le principe peut aussi s'appliquer aux autres médias.

Escompte de continuité

Tarif réduit si l'annonceur achète une campagne s'étalant sur une longue période. Le principe peut aussi s'appliquer aux autres médias.

Les catégories d'achats

J'expose au représentant les besoins publicitaires des restaurants *À votre bonne santé*. Il enchaîne alors : « *Votre annonceur peut se prévaloir de deux catégories d'achat : l'achat réseau et l'achat sélectif.* » Je n'ai pas de peine à comprendre qu'il s'agit, dans un cas, de couvrir tous les marchés disponibles (soit au Québec, soit au Canada) et, dans l'autre, de ne considérer qu'un marché bien circonscrit. *« C'est juste. D'ailleurs, l'achat sélectif s'appelle aussi "achat marché".* »

Il est important de savoir que les chaînes exclusives au câble et au satellite ne peuvent proposer que des achats réseau. *« C'est pourquoi vous verrez souvent, chez vous à Montréal, des annonces qui ne concernent que les consommateurs de Québec. Le coût de ces occasions est si bas que l'annonceur se considère gagnant lors même qu'il s'adresse en pure perte aux trois quarts du public. »* Même dans les réseaux conventionnels, la grille de programmation comporte certaines occasions disponibles exclusivement pour des achats réseau. *« Ce type d'achat vise donc des annonceurs à l'échelon national, comme celui que vous analysez présentement. »*

Il arrive souvent qu'un annonceur ajoute un achat sélectif à sa base d'achats réseau. Cette façon de faire permet d'accentuer ou d'équilibrer les impacts médias par marché. *« Par exemple, si un achat global réseau inscrit un total de 640 PEB à Trois-Rivières, mais seulement de 600 PEB à Montréal, l'annonceur aura intérêt à acheter des occasions supplémentaires à Montréal, sous forme d'achat sélectif, pour couvrir les 40 PEB manquants. »*

Chaque diffuseur a sa politique quant aux achats réseau et aux achats sélectifs. Il ajuste périodiquement le contenu des occasions disponibles pour l'une ou l'autre des catégories. Certaines émissions permettront même les deux types d'achat, côte à côte.

Le « comparagraphe »

Me trouvant attentive et se considérant lui-même bon pédagogue, le représentant des ventes me confie alors ce qu'il appelle son « secret » pour une négociation avantageuse de placement média. *« Permettez-moi d'intervertir les rôles et de me mettre dans la peau de l'acheteur média de votre agence. Il se doit d'être au fait des dernières nouveautés de la programmation de chaque chaîne. Les réseaux ajoutent et retranchent fréquemment des émissions, en plus de les déplacer dans leur horaire. Il importe donc qu'il ait en main des grilles horaires à jour. »*

Cela dit, le processus d'achat débute plusieurs mois avant la mise en ondes. En effet, dès le printemps les réseaux présentent aux agences leur programmation de l'automne à venir. Celles-ci élaborent alors un « comparagraphe », gigantesque damier sur lequel elles inscrivent les émissions de chaque grand diffuseur pour chaque heure de chaque jour de la semaine. Comme son nom l'indique, un tel document sert à comparer les stratégies de programmation des diffuseurs, ainsi que les mesures de contre-programmation de leurs concurrents.

Le comparagraphe aide aussi l'acheteur à faire ses propres projections d'auditoire pour les nouvelles émissions. Des articles de publications spécialisées lui permettront de prévoir lesquelles, parmi les émissions encore en chantier, connaîtront du succès et lesquelles ne survivront pas. Ces prévisions ne sont toutefois pas sans risques. « *On a vu des* block-busters *disparaître de l'écran dans un silence général n'ayant de comparable que le bruit des cocktails dînatoires que leur avait valu leur lancement.* »

Puisque les réseaux fixent le prix d'une émission sur une anticipation de l'auditoire, l'annonceur exigera une équivalence si le public n'est pas suffisamment au rendez-vous. Cette compensation prendra la forme soit de temps d'antenne — d'un coût et d'un poids média semblables — dans le cadre d'une autre émission, soit d'un supplément d'occasions dans la même émission.

Comme le temps passe vite, je propose d'aborder un autre aspect de la question. « *Que voulez-vous savoir ? — Eh bien, dans ce métier on ne parle jamais que de ses bons coups. Chacun doit pourtant connaître parfois des échecs. J'aimerais qu'on me donne un exemple de mauvais placement. Car on apprend beaucoup de ses erreurs.* »

Le représentant hésite entre rire et soupir. « *Des erreurs, oui, chacun en fait de temps à autre. Je n'étais pas fier de moi le jour où j'ai négligé de vérifier dans quel contexte d'émission une publicité pour une marque de soutien-gorge serait diffusée. Or, il s'agissait d'une émission sur le cancer du sein.* » Plusieurs émissions, surtout celles diffusant des films, sont vendues sans que le titre et le sujet ne soient connus au moment de l'achat, ce qui risque d'entraîner des situations embarrassantes de ce genre.

5. LE LONG PROCESSUS D'ACHAT

Le représentant m'invite à le revoir le lendemain, car *« je ne vous ai pas encore expliqué le processus d'achat de temps d'antenne »*. Il s'agit, en effet, d'une opération longue, surtout si on la compare à celle d'autres médias, comme les journaux ou la radio.

Quand j'arrive, à l'heure prévue, il a déjà déployé deux tableaux d'un plan de campagne, comme ceux que j'aurai à suggérer, à titre de stagiaire, pour À *votre bonne santé*. Puisqu'il a déjà travaillé dans une agence, il connaît fort bien la manière dont s'y déroule une planification. C'est à la lumière de ces tableaux, (1) calendrier média et (2) estimation des coûts, que notre agence formulera une recommandation d'achat.

Le calendrier média et l'estimation des coûts

Le calendrier média fait le lien entre les objectifs (et stratégies) de la campagne et les occasions publicitaires proposées pour y répondre, tous médias confondus. Sous le nom d'« estimation préliminaire des coûts », un autre tableau (voir page suivante) complète le précédent en se concentrant sur un seul média, ici la télévision.

Simple au premier abord, l'analyse des coûts s'avère complexe dès qu'on multiplie les occasions et les médias. *« Pour calculer le budget publicitaire imparti à la télévision, vous multipliez le nombre de PEB par le coût par point. Ce CPP, vous l'aurez obtenu à l'usage, lors de campagnes antérieures. »* Je m'exerce aussitôt au calcul : si l'objectif d'une campagne télévisée est de 1200 PEB et si le CPP se situe à 180 $, le budget télévision s'établira à 216 000 $ (1200 PEB × 180 $). *« Ce nombre de 1200 PEB n'est pas fortuit. Au-delà d'un tel taux de diffusion, un message subit généralement les effets du* **wearout factor.** *»*

> **Wearout factor** (facteur d'usure)
> Usure d'un message quand il est trop souvent ou trop longtemps diffusé.

Le représentant y va alors d'un autre truc d'initié : *« Sa présentation faite, l'annonceur sera peut-être tenté d'apporter ultérieurement des ajustements*

Un exemple :
Estimation préliminaire des coûts – Télévision

Campagne :	Coutellerie d'argent
Format :	15 secondes
Note :	Budget en croissance
Cible achats :	Adultes 25-54 ans
Cible consommateurs :	Adultes 35-54 ans, avec un noyau 35-49 ans, bien nantis avec un revenu familial de 75 000 $ et +
Chaînes de base :	Radio-Canada, TVA, Télé-Québec
Chaînes spécialisées :	LCN et RDI sont des incontournables, RDS et autres si performants et nécessaires – RATIO de 25 %
Type d'émission :	Nouvelles, services, affaires publiques, documentaire, cinéma, variétés, dimanche soir, sports
Ratio période de pointe :	65 %
Impacts visés :	Atteindre 90 % de la portée dès la première semaine de mise en ondes
	Efficacité Montréal francophone : portée 85 % / fréquence moyenne de 16,4 fois/portée à une fréquence de 3 et + : 68 %

MARCHÉS	Indice Imp.	Janvier					février		PEB TOTAUX	CPP À 25-54	TOTAL $ (Brut)
		2	9	16	23	30	6	13			
Montréal (fr)	100		400	300	250		280	200	1 430	0,00 $	0,00 $
Québec	80		320	240	200		225	160	1 145	0,00 $	0,00 $
Sherbrooke	80		320	240	200		225	160	1 145	0,00 $	0,00 $
Trois-Rivières	80		320	240	200		225	160	1 145	0,00 $	0,00 $
Chicoutimi-Jonquière	80		320	240	200		225	160	1 145	0,00 $	0,00 $
Gatineau (fr)	80		320	240	200		225	160	1 145	0,00 $	0,00 $
Rouyn	80		320	240	200		225	160	1 145	0,00 $	0,00 $
Rivière-du-loup	80		320	240	200		225	160	1 145	0,00 $	0,00 $
Rimouski-Matane-S.-Îles	80		320	240	200		225	160	1 145	0,00 $	0,00 $
Carleton	réseau		160	120	100		120	80	580	0,00 $	0,00 $

Grand total brut :	0 $
Budget brut :	0 $
Écart :	0 $

Source : Carat.

Note : Les coûts ne sont pas indiqués dans ce document pour une question de confidentialité.

aux paramètres de sa stratégie, considérant que le temps d'antenne disponible aura sans doute changé. Résistez à cet appel des sirènes. Il peut jouer contre vous. Dites-vous qu'il est préférable d'entreprendre la négociation dès que tous les paramètres de la campagne auront été approuvés... et de ne plus y toucher ensuite. »

Les six étapes à franchir

La recommandation d'achat issue des deux tableaux est mise au point par le planificateur média de l'agence, puis proposée à l'annonceur (le client). Quand les deux parties sont parvenues à un accord sur le déroulement de la campagne, le processus d'achat de temps d'antenne peut s'amorcer. Le planificateur média cédera alors l'avant-scène à un acheteur de l'agence, chargé de négocier avec le représentant des ventes de chacune des chaînes de télévision invitées à soumissionner. Il s'agit d'un exercice qui se déroule en six grandes étapes.

1ʳᵉ étape : Rassembler les données et informations pertinentes.

Factuels, ces renseignements portent sur le client, le projet, les semaines de diffusion, le format des messages, le marché, les objectifs de PEB, le ratio période de pointe/période hors pointe, etc.

2ᵉ étape : Demander une soumission (aussi appelée « présentation ») aux représentants des ventes.

Le représentant des ventes de chaque réseau approché proposera alors un amalgame d'émissions correspondant, selon lui, aux besoins du client.

3ᵉ étape : Évaluer chaque soumission.

Pour effectuer cette évaluation, on s'assure que l'estimation de l'auditoire est juste, que les dates sont exactes, que le rapport pointe/hors pointe est retenu, que la durée du message est conforme, bref, que tous les paramètres sont respectés.

4ᵉ étape : Négocier les tarifs proposés par le représentant des ventes.

Il s'agit d'arrimer le mieux possible les coûts attendus par l'annonceur pour sa campagne et les espoirs de vente des réseaux. Le meilleur rendement publicitaire (rapport PEB/CPP), telle est la clé pour l'annonceur ; le meilleur revenu par segment horaire vendu, telle est celle du représentant.

5e étape : Acheter le temps publicitaire sur les chaînes retenues et signer le contrat.

L'achat est d'abord exécuté verbalement, sous forme de réservation ; ce qui est particulièrement important en période de maraudage. Une nouvelle analyse de conformité précédera toute confirmation écrite.

6e étape : Faire le suivi de l'achat.

Il revient au service du routage de l'agence de s'assurer que les messages publicitaires seront bien remis aux réseaux ou aux stations pour diffusion. Au même moment, les acheteurs procéderont à une « pré-analyse » de l'impact attendu (nombre de PEB et d'impressions brutes) de la campagne. Plus tard, lorsque les sondages auront mesuré l'écoute réelle des émissions pour lesquelles les achats ont été faits, l'acheteur pourra comparer les résultats aux prévisions de la pré-analyse en vue de savoir si les objectifs ont été atteints : ce sera la « post-analyse ».

La confrérie des communicateurs

Le représentant des ventes prend une longue inspiration : « *Je me rends compte que je vous ai moins parlé au nom de ma station qu'en celui de votre agence. Tout ce que je vous ai exposé s'applique tout autant à nous, les médias, quoique sous un mode « miroir ». Je vous ai dit ce que l'annonceur doit surveiller à chaque étape. Pensez bien que nous devons, nous aussi, exercer la même attention, point par point, mais en pensant à notre entreprise. Je vous ai montré nos intérêts communs, à vous et à nous, beaucoup plus que nos avantages opposés. À la fin, une approche en partenariat est toujours profitable aux deux parties. Il ne sert à rien d'essayer de jouer l'autre... même si parfois la tentation est forte. Il y va, tant pour l'agence que pour le réseau, de sa crédibilité à long terme.* »

Sur le visage de cet homme je lis qu'il veut être loyal à son entreprise, pour laquelle l'annonceur — incluant l'agence que je représente — est une ressource à exploiter : on attend de lui qu'il joue rude, non qu'il livre les secrets de son réseau. Mais, en même temps, j'observe une personne qui a conscience d'appartenir au « tout petit monde » des communicateurs où chacun se connaît — soupçonnant l'autre ou s'entraidant selon les circonstances —, un monde où l'on traverse aisément la frontière entre un poste dans un média et un poste en agence ou même chez l'annonceur.

J'ai cru comprendre, au sourire qu'il m'a adressé au moment où je le quittais, que, pour lui, venir en aide à une stagiaire en début de carrière était une façon de se montrer loyal, par-delà son employeur, à la confrérie des communicateurs. J'espère bien le revoir. Il a encore beaucoup à m'apprendre. Non seulement sur le média télévision, mais aussi sur le côté humain de notre tâche, que nous l'exercions pour un annonceur, une agence ou un média.

9e SEMAINE DE STAGE

Le numérique

Toujours à son poste le lundi matin, mon responsable de stage m'attend avec une question. « *Êtes-vous encore inquiète ?* » Inquiète, moi, non... Pourquoi serais-je inquiète ?

Il me rappelle à quel point je me faisais du souci pour tout et pour rien à l'époque du dossier *Sommital*. Cette observation me fait constater l'ampleur de la confiance en moi que j'ai acquise depuis le début de mon stage. Je venais ici pour m'initier à une discipline qui me faisait peur, la gestion média, et voilà que je découvre que ces quelques semaines ont, plus que tout, modifié l'image que j'avais de moi-même.

« *Puisque vous êtes prête pour un nouveau défi, en voici un. La planificatrice média de qui vous dépendez vient d'être mise au repos : burnout. C'est donc moi qui vais vous piloter provisoirement pour la suite du compte À votre bonne santé. Mais je vous laisserai beaucoup de latitude, étant moi-même fort occupé.* » Voilà que je suis envoyée au front sans y être pleinement préparée. C'est le moment ou jamais de montrer ce que je peux faire.

« *J'aimerais que vous rencontriez le président de* Québec 805669 *pour le sensibiliser au plus récent outil publicitaire : le monde du numérique.* » C'est que je ne connais pas du tout la dimension publicitaire d'Internet et des autres outils qui en sont issus. « *Vous êtes ici pour apprendre. Nous ne vous laisserons pas dans le noir.* »

1. L'INVASION PAR LA PUBLICITÉ

À chaque réédition, les dictionnaires ajoutent de nouveaux mots ; pourtant le nombre de pages n'augmente pas. Pourquoi ? Inutile de chercher loin : il suffit d'enlever autant de mots démodés qu'on en insère d'émergents. « *Mais sur quelle base décide-t-on qu'un mot n'est plus en usage ? Je vous le donne en mille. Plus précisément, c'est Alain Rey, rédacteur en chef du Robert, qui indique sa façon de procéder.* »

Comment l'on ajoute ou supprime un mot dans le dictionnaire

« *C'est facile : on utilise* Google *et si on a 300 000 références, on le met ; si on a 300 références, on ne le met pas.* » — Alain Rey, cité par Sébastien Béranger dans *Le Devoir*, 5 décembre 2005.

Voilà donc que, par le biais d'Internet, les lecteurs s'invitent chez les lexicographes. Mais pas seulement pour trier les mots — ceux à retenir, ceux à oublier —, mais également pour fournir leur définition et tout le bagage encyclopédique qui s'ensuit : grâce au **wiki**, l'un des outils préférés du **Web**.

Web

Contraction de *World Wide Web (WWW)*. Mode de transmission des signaux entre ordinateurs à travers le réseau Internet, devenu peu à peu la norme universelle. Il est caractérisé par la capacité de sauter instantanément d'un document à un autre, grâce à un procédé identifié par le sigle HTTP (*Hypertext Transport Protocol*).

Wiki

Site Web dont les pages sont modifiables en tout ou en partie par les internautes ; ce qui permet l'écriture collaborative de documents. Le premier wiki a été créé en 1995, par Ward Cunningham, pour réaliser une section de son site sur la programmation informatique qu'il a appelée WikiWikiWeb. Le plus consulté de tous les wikis est l'encyclopédie libre Wikipédia.

Les voies de transit d'Internet

Mais alors, comment le Web retrace-t-il les mots ? Grâce à un **moteur de recherche**, ce fureteur, ce fouineur, qui vous renseigne sur n'importe quelle personne la moindrement connue, ouvre n'importe quel livre le moindrement à succès, reprend en vidéo les meilleures émissions télévisées de la veille et scrute, par satellite, les moindres lopins de terre de la planète.

Moteur de recherche

Catalogue informatisé des sources d'information accessibles dans Internet. À la différence des catalogues passifs de la bibliothéconomie traditionnelle, qui distinguent les sujets par thèmes et sous-thèmes, le moteur de recherche combine des mots et des membres d'une phrase. Ainsi, en liant l'adjectif « vieux » au nom propre « Québec », on accédera automatiquement aux documents sur le Vieux-Québec sans avoir à se demander où un bibliothécaire les aurait classés : section « géographie », section «histoire» ou section «urbanisme». Si Google est le plus connu des moteurs de recherche, il en existe bien d'autres, comme ceux créés par MSN et Yahoo. Le choix des mots apparentés et leur disposition sont effectués par un programme d'insertion.

Un algorithme complexe détermine alors l'ordre d'affichage des sites ou des pages ainsi rassemblés. Pour les commerçants cet ordre est capital. Car, si la recherche d'une combinaison de mots — par exemple, «table en teck 1970» — produit deux cents *entrées* de commerçants qui vendent cet article, chaque détaillant aimerait bien voir le nom de son entreprise apparaître dans la liste des dix ou vingt qui s'afficheront à la première page des résultats. De nouveaux moteurs de recherche concentrent leur exploration sur le sujet pour lequel l'internaute interroge plutôt que sur les mots qu'il utilise dans sa requête. Ainsi peuvent-ils éliminer, des résultats obtenus, des homonymes ou autres doubles sens, sources d'ambiguïté.

C'est dire à quel point le numérique modifie notre façon de trouver de l'information. Et aussi de transmettre la publicité. « *Allez donc à votre ordinateur. Observez les annonces qu'on affiche et essayez de vous faire une idée du cheminement du placement publicitaire dans Internet. Sans doute y trouverez-vous des idées pour le plan média de* À votre bonne santé. »

Quelques clics sur la souris et me voici **en ligne**. À peine ai-je atteint mon **portail** habituel que je suis déjà envahie de réclames. Si je m'engage le moindrement sur le chemin de l'une d'elles, d'un **site Web** à l'autre, j'entre dans un univers publicitaire de grande ampleur dialoguant par **hyperliens**. Bienvenue dans le Web et sa multitude de **pages**, nombre d'entre elles invitant à la consommation.

En ligne

Expression désignant qu'on accède en temps réel à un site Web. C'est de cette manière que le site peut devenir interactif.

Portail

Porte virtuelle que franchit l'internaute pour accéder au *World Wide Web*. Il s'agit en premier lieu du fournisseur d'accès à Internet (FAI) auquel on s'est abonné. À travers ce site de départ, il est ensuite possible d'accéder à des agrégateurs de contenu — portails secondaires — dont la tâche consiste à rendre disponible une multitude de sites présélectionnés. Ainsi, un agrégateur spécialisé dans les journaux quotidiens rendra immédiatement accessibles des centaines de titres. Certains portails se transforment même en compilateurs de contenu, résumant l'information des sites qu'ils couvrent avant d'y renvoyer le lecteur.

Site Web ou **Site Internet**

Emplacement d'un émetteur d'information sur le *World Wide Web*. Un « site » est constitué d'une ou de plusieurs « pages » électroniques.

Page d'un site Web

Délimitation des blocs d'information qu'un émetteur transmet par ordinateur. Ce qu'on désigne comme « page » dans un site Web peut comporter un grand nombre de pages d'écriture, ou encore du son ou des images (fixes ou animées).

Hyperlien

Procédure numérique permettant de sauter instantanément d'un contenu à un autre placé dans une page ou un site différent.

Les formats d'annonces publicitaires

Je passe d'une page à l'autre. J'apprends à reconnaître les formats qu'utilise un annonceur pour se faire connaître dans le Web. Ils rappellent quelque peu ceux des journaux, mais en y ajoutant le mouvement et la possibilité d'interagir.

Bannière

Publicité qui renvoie d'une page Web à une page tampon ou à un site Web différent. On utilise aussi l'expression « bandeau publicitaire ». La bannière est dite « rotative » quand l'espace prévu à l'écran sert à diffuser, en séquence, les messages de plusieurs annonceurs.

Bouton

Publicité plus petite qu'une bannière, de forme carrée ou rectangulaire.

Gratte-ciel

Publicité plus haute que large.

Microsite

Fenêtre d'information complémentaire associée à un site. On y a souvent recours pour transmettre des images animées.

Pop-up

Fenêtre de message superposée à la fenêtre déjà affichée. Elle oblige l'utilisateur à effectuer une action (ne serait-ce que celle de fermer cette fenêtre). IAB Canada, l'organisme régulateur de la publicité par Internet, en interdit l'usage publicitaire, parce qu'il contredit l'« éthique » d'un média où l'internaute doit toujours demeurer libre de choisir lui-même sa façon de naviguer. L'Office québécois de la langue française traduit *pop-up* par « fenêtre contextuelle ».

Publicité à liens multiples

Fenêtre qui conduit vers différents points d'un site pour attirer l'attention sur autant de produits.

Publicité flottante

Message qui se déplace à l'écran comme s'il y flottait. Cette facture publicitaire dynamique très recherchée est connue sous plusieurs noms (*voken, DHTML*) et utilise diverses technologies (*Flash, GIF* animé).

Publicité interstitielle

Message qui surgit entre deux pages Web.

Surimpression *(overlay)*

Format consistant à recouvrir une partie d'une page Web par un texte ou par une illustration, celle-ci pouvant être dynamique (*DHTML*). Selon les circonstances, la surimpression pourra être transparente ou opaque.

Le profil de l'internaute

Je clique sur plusieurs liens publicitaires. Si certains reprennent des messages déjà vus à la télé ou dans la presse, les plus originaux sont exclusifs à la numérisation. Car les annonceurs ont compris que, dans le Web, il leur est possible de se libérer de la communication de masse pour entrer en relation personnalisée avec le client éventuel, grâce à la trace que l'internaute laisse de lui-même au fil de sa **navigation**, ce qui permet d'en dresser le **profil**.

Si les entreprises choisissent de faire connaître leurs produits ou leurs services à l'écran de l'ordinateur, du téléphone intelligent, de la tablette

Navigation

Parcours d'un internaute d'un site à l'autre, à la manière d'un marin qui navigue de port en port.

Profil

Caractéristiques personnelles qu'un internaute révèle tant par des renseignements explicites qu'il lui arrive de fournir que par sa simple manière de fréquenter les sites Internet.

numérique, du livre électronique et, bientôt, du téléviseur interactif, c'est surtout parce qu'elles peuvent y suivre leur public cible plus aisément que pour tout autre média.

En effet, tout comme l'audimètre personnel portable — que j'ai étudié la semaine dernière — permet de savoir quels téléviseurs sont ouverts à un instant donné dans les foyers sélectionnés et quelles stations sont syntonisées, ainsi, des outils équivalents, mais plus raffinés encore, suivent à la trace les tendances des internautes. Pas chacun d'eux individuellement, sans doute, car des barrières ont été dressées pour empêcher les sites autres que celui du serveur d'avoir accès à cette information confidentielle. Mais globalement ou, si l'on préfère, statistiquement.

En effet, les gens révèlent de diverses manières, à travers leurs habitudes d'utilisation d'Internet, l'intérêt qu'ils portent à un sujet ou à un produit. Sur cette base, des programmes informatiques permettent de regrouper les internautes de profils voisins, puis de guider les annonceurs vers ces cibles.

L'engagement

Dans ce contexte, le premier instrument d'évaluation de l'efficacité d'un message publicitaire sur le Web tient dans l'addition du nombre de clics de souris vers une page comportant l'annonce d'un message publicitaire, puis vers ce message lui-même. Mais cet outil demeure périphérique. Un second le perfectionne en mesurant le temps que passe l'internaute sur une page et sur les messages publicitaires qui y sont présentés ; ce qu'on obtient en analysant les mouvements de la souris vers diverses parties de la page. On parle alors d'**engagement**, une notion qui mérite d'être analysée de plus près.

> **Engagement**
>
> En langage Web ce mot désigne le temps qu'un internaute passe à consulter un site, une page ou un message publicitaire, démontrant ainsi son intérêt pour le contenu.

En recoupant diverses traces que l'internaute laisse de lui-même, il est possible de peaufiner de plus en plus finement les divers profils. Cette information permet ensuite à l'annonceur d'interagir avec l'ensemble des clients potentiels qui présentent le même profil. Il ne reste alors qu'à cibler au plus près ceux qui correspondent au type de client recherché, tout en éliminant les autres. Ainsi la rentabilité de l'annonce s'en trouve-t-elle considérablement augmentée par rapport aux messages semés à tout vent.

Un premier message publicitaire permettra souvent de pousser plus loin encore l'engagement du client ciblé. Il suffira qu'il comporte divers incitatifs amenant l'internaute à livrer son adresse courriel. Dès lors, la porte sera ouverte pour un contact tout à fait individuel avec lui. Contact efficace parce que libre.

Je vais vérifier cette observation sur le site où je m'approvisionne parfois en vêtements. Le site est divisé en sections (jupes, jeans, vestes, robes, manteaux, chaussures, etc.). La page d'accueil de ce site m'a longtemps montré une variété de débardeurs ; depuis quelque temps, voilà qu'elle affiche plutôt des chemisiers. Facile à comprendre : j'ai acheté des chemisiers à deux ou trois reprises. Le marchand numérique a repéré mon profil et en a tiré ses conclusions. Il a fait de l'**intelligence d'affaires (*datamining*)**.

> **Intelligence d'affaires (*datamining*)**
>
> Extraction de connaissances à partir de données. Appliquée à la publicité elle permet de mieux cibler les messages par une identification plus adéquate des destinataires souhaités.

J'observe en passant que je reçois de plus en plus souvent, à mon adresse de courriel, des invitations à me procurer divers produits qui correspondent assez bien à ma personnalité de consommatrice, mais que je n'avais pourtant pas demandés. C'est que, profitant de sa connaissance de mon profil, mon site de vêtements a vendu mon nom à d'autres commerçants, selon le modèle des ventes croisées (*cross selling*) que j'avais étudié pour le dossier *Sommital*.

Mais mon adresse courriel n'est-elle pas confidentielle ? Pas quand j'autorise — au moins par défaut — un commerçant à la diffuser. J'aurais dû lire le petit texte de consentement placé au bas de la page. Et puis… Autant je déteste le publipostage (comme je l'ai signalé plus tôt dans ce stage), autant j'aime parcourir les courriels publicitaires. Allez donc y comprendre quelque chose !

De la publicité à la vente

Voilà donc une piste que je me promets bien d'exploiter pour faire connaître les restos *À votre bonne santé*. Si je ne veux pas gaspiller mon investissement publicitaire, j'ai intérêt à tirer profit de l'*engagement* de l'internaute, qui révèle ainsi son *profil*, afin d'entrer en interaction avec lui en exploitant l'*intelligence d'affaires*. Évidemment, tout cela a un prix… On n'a rien pour rien. D'autres approches peuvent se révéler moins coûteuses, à défaut d'être aussi efficaces. Il n'est quand même pas mauvais de les connaître.

Il y d'abord la méthode « classique », qui consiste à insérer, dans un site d'information générale ou dans un moteur de recherche, un bref message conduisant au site de *À votre bonne santé*. Cette façon de faire est tellement généralisée que je dois absolument en connaître toutes les procédures. Je me propose donc de demander à mon responsable de stage s'il peut m'éclairer ou, tout au moins, me guider vers un membre de l'agence qui maîtrise bien les rouages de cette publicité.

En attendant, j'analyse quelques façons de faire plus singulières. Je pourrais, par exemple, intégrer discrètement quelques mots sur *À votre bonne santé* dans un renseignement non publicitaire ; il s'agirait, en fait, d'une sorte de placement de produit.

Comment m'y prendre ? Un exemple possible : le monde de l'alimentation saine s'affiche dans un grand nombre de sites Internet. Pour une somme convenue, *À votre bonne santé* pourrait obtenir d'y laisser une trace sous forme de simple mention. Autre cas de figure : supposons qu'un portail conduise l'internaute vers le site d'une festivité locale liée à l'alimentation où l'on verrait une comédienne lire un court texte. Cette cyberlectrice pourrait simplement se tenir à l'entrée d'un restaurant *À votre bonne santé ;* le message serait suffisamment suggestif pour qu'il ne soit pas nécessaire d'en dire plus.

La blogosphère peut s'avérer une autre voie intéressante de mise en valeur. À la condition, évidemment, que le message inséré dans le blogue soit clairement identifié comme tel. Autrement, les internautes ne mettraient pas beaucoup de temps à déjouer une tactique susceptible de créer de la confusion dans l'esprit du lecteur.

Quoi encore ? Les réseaux sociaux se révèlent d'excellents véhicules publicitaires. Gratuits, en plus. Qu'un internaute ait apprécié *À votre bonne santé* et y filme ses copains pour YouTube ou encore en devienne un « ami » dans votre site Facebook, ou en parle dans MySpace, LinkedIn ou Twitter, y a-t-il meilleure façon d'en faire réaliser la promotion par le destinataire lui-même ?

C'est le rêve de tout cuisinier de voir le client vanter à la ronde les mérites de son restaurant. Toutefois, ici encore, l'honnêteté est de rigueur. Pas de « faux » clients qui seraient vite démasqués… les internautes ont des antennes !

Le commerce électronique

Plus loin que la publicité ou le placement de produit, plus loin que les réseaux sociaux, nous pourrions franchir un pas supplémentaire en faisant savoir que nous sommes en mesure de vendre certaines des spécialités de *À votre bonne santé* à domicile par Internet. La publicité ne servirait plus seulement à faire connaître ces produits. Elle y conduirait le client instantanément, sans autre intermédiaire. Nous ferions alors du **commerce électronique** (*e-commerce*).

Commerce électronique (*e-commerce*)

Activité commerciale développée complètement par l'intermédiaire du réseau Internet. La publicité se situe au tout début d'un cycle de vente qui, du choix de l'article au bon de commande et au paiement, ne quittera le réseau qu'au moment où l'article sera expédié au client. C'est pourquoi on parle aussi de vente en ligne.

Je réfléchis à cette dernière approche en m'appuyant sur le fait que les résultats du marketing interactif sont évalués instantanément par un programme informatique dont les données permettent aux analystes de tirer rapidement des conclusions. De la sorte, les entreprises peuvent être aussitôt informées du taux de succès de leur campagne, ce qui leur fournit l'occasion d'en modifier rapidement l'orientation, si nécessaire. Autre supériorité par rapport aux médias traditionnels.

Mais y a-t-il un cyberacheteur type? De moins en moins. Il y a peu d'années encore, le commerce en ligne faisait figure d'avant-garde; ce territoire était donc réservé aux adeptes de *gadgets*. Aujourd'hui, la livraison garantie et rapide du produit acheté est bien confirmée, alors que la crainte de se faire «cybervoler» sa carte de crédit diminue. L'achat par Internet se révèle donc, peu à peu, un moyen parmi d'autres de faire ses emplettes.

J'ajouterai qu'il est possible d'utiliser le Web pour publiciser et vendre un produit sans nécessairement créer, pour ce faire, un site spécialisé. C'est la clé du succès des grands sites d'enchères, comme *eBay* ou *PriceMinister*, où le prix de vente de l'objet annoncé fluctue au gré de l'intérêt manifesté par les acheteurs. D'où, également, l'acceptation croissante des modes de paiement informatisés, appelés **P2P**, dont *Paypal* est le plus connu.

> **P2P**
>
> Ce système, dit pair-à-pair (*peer to peer*), permet à deux individus d'être tour à tour, l'un pour l'autre, vendeur ou client. Il s'agit en quelque sorte d'une procédure de virement d'argent entre abonnés.

Le vocabulaire publicitaire d'Internet

Tout cela ne me dit pas si Internet pourrait s'avérer le meilleur média pour faire connaître *À votre bonne santé* ni comment je pourrais en convaincre le président de *Québec 805669*. Pour obtenir les renseignements nécessaires, mon responsable de stage me dirigera vers le directeur de la recherche (que j'avais déjà rencontré au moment d'établir le plan média de *Sommital*).

L'homme au crâne rasé, qui me faisait penser à un garde du corps, m'accueille en me tutoyant comme il l'avait fait la première fois. Sa phrase d'ouverture est aussi précise que l'était alors son analyse de l'efficacité comparée des médias : « *Comme Internet est un média aussi bavard qu'indiscret, il est plus facile que pour tout autre d'y mesurer l'efficacité de la publicité. Toutefois, avant de parler de mesure, il va te falloir renouveler ton vocabulaire.* »

Il faut savoir, en effet, qu'Internet utilise des expressions qui lui sont particulières pour désigner ce que les médias traditionnels appellent CPP, portée, PEB, quintile, etc. Les principales d'entre elles sont : **visiteurs uniques, impressions, pages vues, taux de clics** et **taux d'engagement**.

Visiteurs uniques

Nombre total de personnes différentes qui visitent un site Web. On les retrace grâce à l'identificateur *Global User ID* (GUID) du site ou à un témoin (*cookie*) installé chez l'utilisateur. Ce qui est unique, en fait, ce n'est pas la personne elle-même, mais son adresse électronique.

Pages vues

Nombre de fois où une page Web a été visitée par des internautes.

Impressions

Nombre de fois où le message publicitaire a été livré. Autrement dit, nombre de fois où il a été présenté à un internaute ouvrant la page où il a été placé.

Taux de clics

Pourcentage d'internautes qui, depuis une page vue, ont cliqué vers une page de publicité.

$$\text{Taux de clics} = \frac{\text{nombre total de clics}}{\text{nombre total d'impressions}}$$

Taux d'engagement

Mesure du temps passé par un internaute sur un site, une page ou un message publicitaire.

Le directeur de la recherche complète ces définitions en m'indiquant comment on mesure les coûts publicitaires sur Internet. Je note soigneusement que la publicité s'y facture selon quatre modèles principaux : **coût** par clic (CPC), **coût par mille impressions (CPM)** et **coût par acquisition** ou **par vente (CPA, CPV)** et **coût par engagement**. Chacun d'eux répond à sa rationalité propre, que je m'empresse de saisir.

CPC (coût par clic)
Coût d'un message établi en fonction d'un prix préalablement fixé pour chacun des clics effectués par les internautes sur la mention publicitaire apparaissant à l'écran.

CPM (coût par mille impressions)
Coût d'un message établi à partir du nombre de milliers d'impressions.

CPA (coût par acquisition)/CPV (coût par vente)
Coût établi à partir des acquisitions (abonnements, ventes) générées par le message publicitaire.

Coût par engagement
Coût établi selon le temps réellement passé par un internaute devant un message publicitaire. Comme ce modèle se fonde, non pas sur des prévisions, comme les précédents, mais sur une réalité — dont personne ne sait à l'avance ce qu'elle sera —, les gestionnaires des sites n'y ont recours qu'après avoir d'abord proposé ceux qui leur garantissent un revenu ferme.

Chaque firme a ses méthodes de facturation, mais elles tournent toutes autour de la fréquentation des sites ; ce qui leur est facile à découvrir en dénombrant les appels de page réalisés par l'internaute. Puisque cette fréquentation n'est pas évaluée par de simples sondages, comme à la télé ou dans les journaux, mais relevée en temps réel, le résultat est juste. Quand un site se vante d'avoir reçu 32 629 visiteurs, on peut être sûr que ce nombre est exact dès lors qu'il est authentifié par un organisme fiable.

J'entends déjà à l'avance le président de *Québec 805669* rétorquer à la présentation que je lui ferai : « *Qui dit fréquentation d'un site ne dit pas nécessairement intérêt pour le produit annoncé. Je suis allé plus d'une fois vers des sites publicitaires dont je me retirais aussitôt. Pourtant, j'y ai sûrement été compté comme visiteur.* »

J'ai déjà la réponse toute prête : ne vient-on pas de me la donner ? Je lui parlerai donc du temps passé par un internaute sur une publicité — l'engagement —, ainsi que des pratiques d'intelligence d'affaires.

2. LES ÉTAPES DU PLACEMENT MÉDIA

Le directeur de la recherche insiste pour que je lui montre que j'ai bien compris ma leçon : « *Comment les firmes d'analyse sont-elles en mesure d'établir le profil des visiteurs sur Internet ?* » Je réponds aussitôt en bonne élève.

La stratégie du placement numérique

En premier lieu, elles compilent les pages les plus fréquemment consultées et la durée d'engagement des internautes, de façon à constituer des statistiques sous forme de répertoire. Elles s'intéressent ensuite aux « visiteurs uniques » et tentent par divers moyens de déterminer leurs coordonnées, tant géographiques que sociodémographiques, notamment en ce qui touche leurs habitudes d'achat. Elles considèrent aussi les réseaux sociaux, qui ont le double avantage de jouir d'une grande crédibilité et de se révéler gratuits pour l'annonceur.

À la lumière de ces renseignements, l'entreprise peut savoir si elle prendrait un bon ou un mauvais risque en investissant dans Internet une part de la somme dont elle dispose pour sa publicité. Serait-ce pour elle une bonne stratégie ?

Le directeur de la recherche me félicite, puis précise : « *Stratégie, tactique, plan média, devis (ou estimé), tout ce vocabulaire que tu utilises, depuis le début de ton stage, pour décrire la planification, tu le retrouveras à propos de la publicité dans Internet. Il en sera ainsi, également, pour les notions de processus d'achat, d'exécution et d'évaluation (pré- et post-), que tu connais déjà.* »

« *Je pense donc que, pour procéder dans l'ordre, le plus important pour toi serait d'apprendre d'abord comment se déroule concrètement l'achat d'espace. Je vais t'expliquer.* » C'est donc lui qui complétera l'information qui me manquait tout à l'heure à propos de la publicité « classique » par Internet. Ce qu'il m'apportera comme renseignement s'avérera capital.

En effet, si le placement média sur Internet obéit aux mêmes règles que pour les autres médias (analyse des besoins de l'annonceur, négociation avec le fournisseur de services, signature d'une entente, acheminement du matériel publicitaire, exposition au public, suivi de la campagne), il le fait d'une manière à laquelle je ne suis pas encore habituée. Il importe donc que je m'astreigne à considérer attentivement ses étapes, une à une : planification, exécution, évaluation.

La planification

Comme pour tout média, la planification commencera par une recherche statistique visant à savoir jusqu'à quel point et dans quel contexte mon groupe cible visite le Web et quels sites il fréquente. Où trouvera-t-on cette information ?

La recherche s'appuiera sans doute sur les études de Statistique Canada, comme pour les autres médias. Mais elle aura aussi recours à deux organismes spécialisés : PMB (que j'ai appris à connaître quand j'ai étudié les journaux), et *Media Metrix*, outil d'analyse propre à Internet. Ces recherches me permettront d'identifier les sites les plus favorables au message que je veux transmettre.

> **Media Metrix**
> Outil de mesure de l'achalandage des sites Web canadiens. Analysant les meilleurs sites pour atteindre des cibles précises, il contribue largement à une bonne planification média.

Il ne me restera ensuite qu'à choisir un format dans l'espace publicitaire dont disposent les sites et à négocier les coûts (par clic, par mille impressions, par acquisition ou par engagement). Bons d'insertion, vérification des contrats et signatures suivront.

Le directeur de la recherche : « *À la télévision, on "commande" des PEB ; autrement dit, le réseau promet de livrer tant de PEB si j'annonce à tel moment de l'horaire, faute de quoi il m'assurera une équivalence. De la même façon, dans le Web on obtient la garantie d'un certain taux d'exposition des internautes à un message. »*

Tout le long de l'exécution ainsi qu'au moment de l'évaluation, on comparera donc les impressions commandées et celles effectivement livrées. Sauf dans le cas du coût par engagement, où, comme je le sais déjà, aucune cible n'aura été fixée au préalable.

L'exécution

L'exécution d'une campagne publicitaire tient naturellement compte du message, mais doit aussi tenir compte du support. En informatique, il s'agit de programmes écrits dans des langages que comprend le Web, tels **HTML, GIF, JPEG** et tous les autres systèmes désignés par l'expression **média enrichi (Rich Media)**.

HTML (HyperText Markup Language)

Langage de balisage Web qui indique aux navigateurs comment afficher le texte et les images. D'autres langages ont permis d'améliorer progressivement la présentation à l'écran, en particulier CSS (*Cascading Style Sheet*) et XML (*Extensive Markup Language*).

GIF (Graphic Interchange Format)

Format graphique utilisé pour les grandes surfaces d'une même couleur, comme c'est souvent le cas pour un logo. On peut combiner plusieurs images GIF, présentées en succession rapide, pour créer un effet de mouvement.

JPEG (Joint Photographic Experts Group)

Format graphique utilisé pour les images comportant un grand nombre de couleurs et de tonalités, en particulier pour les photographies.

Média enrichi (Rich Media)

Désignation générique des technologies qui permettent à une publicité de s'enrichir d'animations, de sons, d'effets spéciaux ou d'éléments interactifs. Les plus connues sont Java, JavaScript, RealAudio, RealVideo, Enliven, Shockwave, Flash et VRML. Il s'en ajoute constamment.

Dans les portails et autres sites grand public, la disposition des messages publicitaires est généralement prédéterminée. Leur dimension est indiquée en **pixels** (300×250, 160×600, 234×60 et 728×90).

Pixel

La plus petite portion d'une image qu'affiche un écran d'ordinateur, correspondant au « point » en typographie. Il faut savoir que la taille du pixel dépend de la puissance de l'ordinateur.

Pour être complet, il ne faut pas oublier les formats dits *vidéo*, c'est-à-dire ces messages de 7, 15 ou 30 secondes affichés dans le cadre d'un document vidéo retransmis par le Web. Ces messages sont connus sous le nom général de **prédiffusion**, lui-même décliné en **mi-** et en **post-**.

Prédiffusion, mi-diffusion, postdiffusion *(pre-roll, mid-roll, post-roll)*

Format publicitaire où un message précède, entrecoupe ou conclut la diffusion d'un document vidéo sur le Web.

Le directeur de la recherche poursuit, et mon cahier de notes se noircit. « *Il est important de s'assurer que le message a été affiché conformément aux clauses du contrat et que le nombre d'impressions facturées correspond au nombre d'impressions livrées.* »

Trois outils interviennent dans cette gestion : le **serveur de contenu**, le **serveur publicitaire** et la **balise de routage**.

Serveur de contenu

Ordinateur de grande taille gérant la circulation, sur le Web, du contenu des divers sites.

Serveur publicitaire

Ordinateur assurant, par abonnement, la gestion de l'inventaire publicitaire de sites Web. Il en existe plusieurs, dont *Doubleclick* est un leader mondial.

> **Balise de routage**
>
> Signal émis par un serveur publicitaire central aux divers sites Web qui ont négocié la diffusion d'un message de l'annonceur. Intégré au serveur publicitaire du site, ce signal fera le décompte des impressions, des visiteurs uniques et des clics générés par le message au moment où il transite par le serveur de contenu.

L'évaluation

Comme pour les autres médias, une évaluation prospective cherchera à déterminer, à l'avance, l'effet que la publicité par Internet aura sur les ventes : « *Il faut être attentif aux détails et tirer parti de toute information susceptible de faire apparaître quelque corrélation entre une annonce, les clics qu'elle provoque, les ventes qui s'ensuivront et les coordonnées du consommateur.* »

Une fois l'évaluation prospective réalisée, il revient à l'agence de s'assurer, au début de la campagne, que la mise en ligne s'effectue correctement, puis de vérifier les liens avec les sites concernés et d'effectuer des captures aléatoires (*screenshots*) d'écrans. Puis, à mesure qu'elle reçoit les renseignements sur le nombre d'impressions livrées, le taux de clics et la fréquence, c'est encore elle, l'agence, qui décide des moyens d'optimiser la campagne ou de la modifier. « *Il est difficile d'annuler une campagne, mais on peut déplacer une part de l'investissement vers une campagne ultérieure.* »

Le rapport statistique postcampagne, qui permet de savoir si une publicité par Internet a été fructueuse, comprend généralement six données : (1) nombre d'impressions livrées ; (2) taux d'impressions livrées (par rapport à celles commandées) ; (3) nombre de clics ; (4) taux de clics (par rapport aux impressions) ; (5) nombre de visiteurs uniques ; (6) fréquence des impressions (par rapport aux visiteurs uniques). Ces renseignements ne deviendront évidemment significatifs qu'après interprétation.

3. AGIR DE FAÇON STRATÉGIQUE

« *Maintenant que tu maîtrises bien l'outil Internet, il te reste à en tirer la plus grande efficacité publicitaire possible. J'imagine que tu commenceras par créer un site pour ton client.* » Le directeur de la recherche me prépare ainsi, par approches successives, au dialogue que j'aurai, avant la fin de cette semaine, avec le président de *Québec 805669*, sur les mérites du numérique en matière de publicité.

On peut se faire connaître de différentes façons dans le Web. Le directeur de la recherche me présente les modèles les plus fréquents, en commençant par les moteurs de recherche.

Les liens commerciaux dans les moteurs de recherche

On appelle moteurs de recherche ces sites relais dont l'unique mission consiste à satisfaire les requêtes d'information des internautes à la recherche de pages où ils pourraient trouver une réponse à leur question. Puisque l'interrogation peut porter sur un service ou un bien de consommation, les moteurs de recherche se financent en proposant, autour du sujet abordé, des **liens commerciaux** qu'ils font payer aux annonceurs à chaque clic des utilisateurs.

> **Liens commerciaux**
>
> Renvois par hyperlien à des sites publicitaires. On parle aussi de *sites sponsorisés* ou de *liens promotionnels*.

Ces liens commerciaux apparaissent dans une bande bien identifiée sur fond de couleur, à la droite de l'écran, de manière à les distinguer de l'information non commerciale du site. Pour hausser ses revenus au passage, le moteur de recherche transfert les plus consultés de ces liens commerciaux vers le haut de la page où, générant un nombre plus élevé encore de clics, ils ajouteront à sa tire-lire.

Les liens commerciaux procèdent par **mots-clés** et **expressions-clés**. Il s'agit des termes les plus immédiatement en rapport avec la requête de l'internaute.

Or, il faut savoir que l'inscription de tels mots-clés dans un moteur de recherche donne lieu à un commerce qui ressemble, à certains égards, aux activités boursières, car leur CPC peut fluctuer d'heure en heure, selon l'affluence des internautes intéressés par le sujet. Le moteur de recherche vend ces mots-clés au plus offrant, qui, en échange, voit, pour une certaine durée, son annonce monter de plus en plus près du sommet de la liste.

Les deux positions standardisées des liens commerciaux

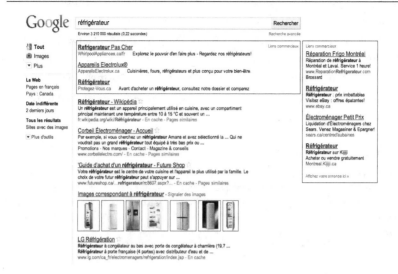

Mot-clé (*Keyword*), expression-clé

Mot ou suite de mots qu'un moteur de recherche décèle dans divers sites à la requête d'un internaute. Dans certains « annuaires », les mots-clés sont vendus aux annonceurs, qui, du fait qu'ils en ont l'exclusivité ou la priorité, peuvent mieux cibler les internautes susceptibles de s'intéresser à leurs produits. Quant aux expressions-clés, elles peuvent couvrir des phrases entières, ce qui restreint les résultats à des sujets mieux circonscrits. Ainsi le mot-clé « amour » donnera accès à des millions de sites, alors que l'expression-clé « L'amour est enfant de bohème » conduira directement à l'opéra Carmen.

Du bon usage des moteurs de recherche

Outre les sites commerciaux, l'annonceur possède une seconde manière de se faire bien voir dans les moteurs de recherche : s'assurer que son propre site apparaît en bonne place dans la liste des sites non publicitaires. En effet, pour se positionner le plus haut possible dans la liste des sites que le moteur de recherche affiche quand on tape un mot-clé ou une expression-clé, il est important de s'assurer que ces termes-là sont déjà en évidence dans le site.

Si un annonceur se soucie d'insérer dans son site un nombre élevé de mots-clés (par exemple, pour un modèle de réfrigérateur, les mots *congélateurs, appareils électroménagers, cuisine, rénovation domiciliaire,* etc.), les internautes seront inévitablement ramenés à son site chaque fois qu'ils s'intéresseront à une question connexe. Or, la fréquence d'appel des internautes et la **pertinence** du mot-clé constituent les principaux éléments retenus par les moteurs de recherche pour positionner les sites en fonction d'une requête d'information.

> **Pertinence**
>
> Lien qu'un site entretient avec le sujet dont traite un moteur de recherche. Ainsi, *cuisine* est assez fortement pertinent à *réfrigérateur* (à 70 %), sûrement plus que *rénovation* (à 50 %), mais moins que *congélateur* (à 80 %). Les moteurs de recherche ont plusieurs façons d'établir cette pertinence, notamment en notant le nombre de fois où le mot-clé apparaît dans le site en question ou encore en observant les routes qu'empruntent le plus souvent les visiteurs pour se rendre à ce site.

Celui qui devinera par quelle voie les moteurs de recherche transitent pour déceler, en quelques secondes, la pertinence de millions de pages gagnera cher, puisqu'il pourra construire ses programmes de manière à ce qu'on les retrouve en haut des listes. « *Si ton programmeur découvre sur quelles bases précises le moteur de recherche déclare un site pleinement pertinent, il ne lui restera alors plus qu'à conformer le sien à ce modèle. Mais on n'y est pas encore.* »

Le directeur de la recherche poursuit : « *Les moteurs de recherche ne cessent de se perfectionner. Le Web 1.0 a donné naissance aux mots-clés ; mais on s'égarait vite dans la multitude des incidences. Le Web 2.0 a mis en relief des suites de mots, ce qui a permis de restreindre la recherche. Le Web 3.0 — ou Web sémantique — va plus loin ; il ne fonde plus la recherche sur des mots (le signifiant), mais sur les idées que véhiculent ces mots (le signifié).* »

L'optimisation des moteurs de recherche

« *Si les moteurs de recherche ont su tirer parti si brillamment des mots-clés et expressions-clés, ils ont aussi appris à les vendre.* » Je soupire : on en est rendu à vendre des mots… tout, vraiment tout, est devenu objet de commerce… « *Les moteurs de recherche préfèrent parler d'***optimisation.** »

Optimisation des moteurs de recherche (*Search engine optimization* — SEO)
Mode de programmation d'un site Internet de façon à maximiser son indexation dans les moteurs de recherche. C'est par ce biais qu'un annonceur s'assure que son site Internet sera automatiquement dégagé de la masse ou mis en valeur quand un internaute (client éventuel) tapera l'un ou l'autre des mots-clés ou expressions-clés achetés pour une période donnée.

« Pour que tu comprennes comment tout le monde est gagnant dans cette opération, rien de mieux qu'un exemple, un peu ancien peut-être, mais toujours d'actualité. » Et le directeur de la recherche de sortir d'une chemise la feuille jaunissante d'un article soigneusement découpée.

Combien seriez-vous prêt à payer pour le mot *« mesothelioma ? »* Pas grand-chose ? Pourtant, ce mot, qui désigne un cancer de l'enveloppe du poumon, vaut son pesant d'or. Des annonceurs ont payé jusqu'à 61 dollars par clic pour qu'un lien vers leur site apparaisse à droite de l'écran sous « liens commerciaux » lorsque Google affiche le résultat d'une recherche. Autrement dit, chaque fois qu'un internaute a tapé ce mot dans Internet et a cliqué sur un lien commercial s'y rattachant, l'annonceur en question a versé 61 dollars à Google. Une manne pour le moteur de recherche le plus fréquenté du Web.

Et ça marche. Voilà pourquoi les annonceurs foncent dessus comme des mouches sur un pot de miel. *« Ce marché est énorme. Ne pas y être, c'est comme ne pas être dans l'annuaire »,* illustre Damien Lefebvre, vice-président, services conseils, de Cesart, une agence de marketing interactif du Vieux-Montréal. *« Le plus intéressant pour l'annonceur, c'est qu'il accroche son client au moment où celui-ci a enclenché son processus d'achat. »*

Alors qu'une page de magazine ou de journal se vend toujours au même tarif, le coût du référencement dans Internet varie d'un mois à l'autre, d'une journée à l'autre et même au cours d'une même journée, puisqu'il s'agit d'une forme d'enchère électronique. *« Prenez le mot "rencontre". Il vaut plus cher le soir et même la nuit, car les gens sont plus susceptibles de le taper à ces moments-là pour accéder à des sites de rencontre. »*

Kathy Noël, dans *Commerce*, octobre 2005, p. 57 (extraits).

La publicité proprement dite

« *Comme tu le vois, on peut faire connaître son entreprise en achetant des mots-clés dans un moteur de recherche. Mais il y a aussi d'autres pistes publicitaires.* »

Pour ce qui est des annonces elles-mêmes, le choix des formats est vaste. J'en connais déjà un certain nombre : bannière, bouton, gratte-ciel, etc. Il est même possible d'acheter les deux positions à la fois (par exemple, une bannière et un gratte-ciel) et d'en faire une utilisation dynamique, comme en fait foi une publicité pour une marque de vodka où la bouteille (en bannière) verse l'alcool dans un verre (en gratte-ciel) en traversant le texte (en surimpression).

Mais quels sites accueillent ces publicités ? Avant tout, les portails. Étant, par définition, le point de passage obligé des internautes, ils constituent le carrefour le plus fiable où laisser une marque. C'est la grand-place du village global... un bon endroit où s'afficher. En revanche, comme pour tout square très fréquenté, les annonceurs s'y bousculent. Suivant l'ampleur de la circulation qui y passe, un portail sera donc en mesure de demander un CPM plus ou moins élevé.

Comme pour n'importe quel média, les annonces occupent, dans les portails, des positions standardisées. Mais comme pour n'importe quel média encore, il est toujours possible, en y mettant le prix, de faire un accroc à l'usage pour mieux attirer le regard.

« *Le portail est parfois spécialisé* » et généralement thématique. « *Ne pas le confondre avec le portail vertical* », regroupement de sites ou de sections traitant d'un même sujet. Quoique différentes, ces deux situations offrent, l'une et l'autre, à un annonceur, l'occasion de placer une publicité qui concorde avec les goûts des internautes qui les fréquentent.

Le prix d'une annonce sur Internet suit les lois du marché, comme pour n'importe quel autre média publicitaire. Tout au moins la production y est-elle moins coûteuse que pour les médias écrits ou audiovisuels. Ces derniers font appel à un processus complexe : imprimerie, pour l'un, heures de tournage et de montage, pour l'autre. Internet permet de passer, sans intermédiaire technique complexe, de la création du message à sa présentation à l'écran.

On peut également procéder à un échange de services entre sites sous forme de troc ou de « service rendu ». Ainsi, un site de réfrigérateurs trouvera sans doute intérêt à s'accrocher au site d'une entreprise de rénovation domiciliaire. Pour obtenir ce service gratuitement, il offrira en contrepartie deux ou trois paragraphes mensuels de contenu informatif sur la réfrigération susceptibles de nourrir ce site et d'y attirer des internautes.

Se faire inviter

Ces approches, devenues classiques, cèdent progressivement la place à une publicité plus ciblée encore. Celle-ci vise spécifiquement les gens qui, à l'occasion d'un premier achat — en ligne ou en personne — ont communiqué leur adresse de courriel. Après y avoir déposé un *cookie,* il devient possible d'observer l'historique des pages les plus souvent visitées et la liste des produits mis en panier lors d'un achat.

Autrement dit, dès qu'une personne répond à quelque invitation insérée dans une annonce (par exemple, se procurer un échantillon), l'annonceur inscrit aussitôt dans une base de données les coordonnées que l'internaute lui fournit ; ce qui lui permettra de le repérer ultérieurement, d'engager d'autres dialogues commerciaux... « *et de lui vendre d'autres produits* ».

Sur la base de semblables informations, l'annonceur dressera le profil d'un client et ne lui parlera plus désormais que des biens qui correspondent le mieux à sa personnalité. Il pourra même lui faire état d'offres spécifiques personnalisées, « *pour lui tout seul* » ; tout comme, dans un magasin, un habile vendeur consentira souvent, à un acheteur hésitant, un rabais non annoncé.

Fidéliser le client

Ce n'est pas tout. Depuis toujours le monde des communications a cherché à fidéliser le client par la voie du **marketing relationnel**. L'un des modèles les plus fréquents de cette méthode est l'envoi d'une lettre personnalisée pour annoncer une promotion ou proposer un bon de réduction « réservé aux meilleurs clients ».

Marketing relationnel (*CRM*)

Marketing personnalisé en réponse aux attentes de consommateurs dont on a établi le profil, par opposition au marketing de masse où les consommateurs sont confondus dans un tout.

Dès l'avènement d'Internet l'on s'est empressé d'adapter cette approche à la technologie informatique pour créer le **marketing relationnel en ligne** *(eCRM — electronic customer relationship marketing)*.

Marketing relationnel en ligne (*eCRM – electronic customer relationship marketing*)

Application du marketing relationnel à la technologie propre à Internet.

« *Tu dois savoir qu'un consommateur fidèle coûte beaucoup moins cher à un annonceur qu'un consommateur à conquérir. Tu connais bien les systèmes de points, du type* Air Miles, *établis pour fidéliser les acheteurs à un marchand. Internet a raffiné ce modèle et fournit désormais de nouvelles opportunités d'"accroche".* » Et à peu de frais. Car envoyer un message à un client par courrier électronique est à peu près gratuit, alors qu'une correspondance traditionnelle exige papeterie, impression, enveloppes et timbres.

Même s'il recourt, pour une bonne part, à un marketing direct réalisé à l'adresse électronique de clients actifs ou potentiels, le marketing relationnel en ligne ne doit pas pour autant être confondu avec le **pourriel** (*spam*), car il répond toujours à une intervention initiale de l'internaute.

Pourriel (*spam*)

Message promotionnel non sollicité envoyé à l'adresse électronique d'internautes très vaguement ciblés. On dit aussi « polluriel ». Encombrant le réseau par la multiplication astronomique de leurs copies, les pourriels sont désormais interdits et plusieurs portails les bloquent systématiquement.

La règle est claire : personne ne doit s'imposer ; il faut attendre d'être invité. Cette invitation s'appelle ***opt-in***. D'ailleurs, un site commercial doit toujours offrir au visiteur la possibilité de mettre fin au dialogue en cochant à un endroit déterminé du site (généralement au bas de la page d'accueil).

Opt-in

Démarche par laquelle un internaute autorise une personne physique ou morale rencontrée sur un site à le relancer à son adresse électronique, téléphonique ou domiciliaire. Cette autorisation peut être explicite (en cochant une case) ou implicite (en ne décochant pas une case précochée).

Je souligne alors qu'à l'instigation de mon moniteur de stage, qui me l'a souvent répété, je viserai toujours une publicité si attirante — parce que personnalisée — que le consommateur la recherchera au lieu de la fuir. « *Je ne saurais être plus d'accord* », répond le directeur de la recherche. « *Non pas capturer le client, mais le captiver, tel est le mot d'ordre de notre agence.* » Et tel est le sens de ce yin et yang de la publicité qui a nom **push/pull**.

Push/pull

Termes mis en opposition pour comparer une publicité qui « pousse » son message vers un consommateur autrement inattentif, à une autre que le consommateur « tire » plutôt vers lui, tant elle répond à ses besoins, désirs ou attentes.

Le succès du marketing relationnel en ligne découlera de l'adaptation du message aux caractéristiques du client et de son envoi à un moment stratégique. « *Imagine des renseignements sur les risques de la grippe, qu'on enverrait au début de l'hiver à des correspondants au profil approprié et qu'on ferait suivre de la recommandation d'un remède particulier, avec possibilité de se le procurer aussitôt, sans intermédiaire. Voilà comment fonctionne le marketing relationnel en ligne.* »

Cette façon de faire ne sera toutefois efficace que si elle s'inscrit dans une continuité selon un processus ordonné :

1. message bref qui renvoie à un site commercial ;
2. dans ce site, incitation à réagir faite de manière à rassembler le plus de renseignements possible sur l'internaute (âge, valeurs, centres d'intérêt, habitudes de consommation) ;
3. constitution d'une base de données ;
4. création d'éléments dits « de conversion » (courriels de remerciements, vœux d'anniversaire, lien avec un centre d'appel) ;

5. établissement d'un historique sur chaque consommateur (ses questions, ses achats passés) ;

6. suivi systématique de la navigation qu'il réalise après le premier clic dans le site de l'entreprise (*datamining*).

Grâce au marketing relationnel, le client devient en quelque sorte membre de la grande famille de l'annonceur. On lui enverra donc des bulletins périodiques ou des alertes promotionnelles sur les produits en vedette, sans compter les invitations à donner son opinion. En retour, il devra pouvoir en tout temps, sans pénalité, se détacher de ce réseau d'affinités.

Le marketing relationnel porte divers noms selon les nuances qu'on y introduit. Si l'on veut mettre en relief le fait qu'on communique par courriel, on parlera de *e-mail marketing*; si l'on veut insister sur le lien personnalisé avec le client, on parlera plutôt de *one-to-one marketing*; si l'on cherche à évaluer le potentiel d'influence d'un consommateur en particulier, on parlera alors de *viral marketing* (exploitation d'un chef de file naturel pour toucher progressivement toute une communauté, à la manière d'un virus qui s'étend). « *Ce que tu dois principalement retenir, c'est que, délaissant l'approche de masse, le marketing relationnel se concentre de plus en plus sur les individus.* »

Tout compte fait, Internet offre un éventail particulièrement vaste de ressources pour faire connaître une entreprise, une marque ou un produit :

1. le site officiel de la firme ;
2. les mots-clés ;
3. les liens commerciaux des moteurs de recherche ;
4. l'échange de services ;
5. les multiples formes du marketing relationnel ;
6. les réseaux sociaux.

Et d'autres, en gestation.

4. UNE CROISSANCE EXPONENTIELLE

« *En sais-tu suffisamment pour aller rencontrer le président de* Québec 805669 ? » Hélas ! Non. Pas encore. Tel que je connais cet homme, il ne manquera sûrement pas de multiplier les questions. « *Qu'à cela ne tienne ! Si tu connais bien l'histoire d'Internet et la place qu'y tient la publicité, tu auras réponse à tout.* » Il entreprend de m'expliquer.

Des origines au virage du Web

Deux percées technologiques ont conduit au Web tel que nous le connaissons. La première est la réduction de la taille et du coût des ordinateurs ; la seconde est la constitution de réseaux de communication entre appareils.

Les ordinateurs d'autrefois étaient d'une ampleur et d'une complexité si considérables que seuls les gouvernements et les grandes entreprises étaient en mesure de se les procurer et de les faire fonctionner... « *à grands renforts de techniciens et de ces magiciens des chiffres qu'on appela "informaticiens"* ». Mais quiconque installait l'un de ces « monstres » dans ses murs prenait vite une longueur d'avance sur ses concurrents.

Bientôt, la cybernétique se révélant de plus en plus essentielle pour toutes sortes de recherches, on commença à attacher à la grosse machine (*mainframe*) des postes de travail éloignés, qu'on reliait par câble, chaque abonné partageant ainsi un peu du précieux temps de calcul du cerveau électronique. Les postes de travail avaient deux avantages qui allaient ouvrir la voie du futur : (1) ils étaient de petite taille et simples à faire fonctionner ; (2) on pouvait les loger de plus en plus loin de l'ordinateur central.

Avec le temps, on les dota d'un minimum de contenu informatique, ce qui leur permit de réaliser eux-mêmes un certain nombre d'opérations. Le résultat de leur travail était ensuite téléchargé dans l'ordinateur central pendant les heures creuses. Puis on coupa tout à fait le cordon ombilical. Ce fut l'avènement du micro-ordinateur, la transformation des bureaux, l'invasion des foyers par l'informatique, la baisse des coûts, l'augmentation de la puissance et de la vitesse. De sorte qu'un portable d'aujourd'hui est plus équipé que les géants d'hier.

Mais la liberté a un prix. Isolé, le micro-ordinateur ne pouvait plus communiquer en direct. Il fallait transcrire les fichiers sur des disquettes qu'on allait ensuite physiquement porter à l'interlocuteur. Pour contourner cette limitation, on instaura donc un faisceau de branchements entre micro-ordinateurs, ce qui exigea la création de protocoles de communication. La seconde avancée technologique se concrétisait : la quête d'une connexion universelle.

Historiquement, on fait généralement remonter à 1969 l'aube du réseau d'aujourd'hui, alors que l'armée américaine, craignant que l'URSS ne s'en prenne à son calculateur central, se dota d'un système de transmission vers des ordinateurs de relève. Ce système portait l'acronyme d'*ARPANET* (*Advanced Research Projects Agency Network*). Chaque pôle pouvait fonctionner de façon autonome ou être relié aux autres.

Ce modèle fut, par la suite, mis à la disposition de deux, puis de plusieurs universités pour faciliter leur interaction en matière de recherche. Le protocole unique qui leur permettait de communiquer n'a pas changé depuis cette époque. Il s'agit de *TCP/IP (Transmission Control Protocol/ Internet Protocol)*. Ce système fonctionne comme une toile d'araignée tissée autour de serveurs de contenu.

La Toile

C'est en 1989 que Tim Berners-Lee proposa aux chercheurs du Centre européen de recherche nucléaire (CERN) un mode de navigation par hypertexte, appelé *Nexus*, qui permettait d'aller automatiquement d'un document à l'autre, qu'ils soient textuels, sonores ou graphiques. Pour ce faire, il mit au point un serveur spécialisé, point de départ d'un type de réseau qui devait rapidement s'étendre à la planète entière, le désormais célèbre *World Wide Web*.

Ce qui avait débuté comme simple outil de recherche perfectionné connut, quelques années plus tard (en 1993), une mutation majeure, alors que le CERN et le NCSA (*National Center for Superconducting Application*) s'associèrent pour lancer un Web grand public : *Mosaic*. La clé de cette interconnectivité illimitée était l'adresse universelle **URL (*Uniform Resource Locator*)**.

> **Adresse *URL (Uniform Resource Locator)***
>
> Code public — et exclusif — d'accès à une page d'un site sur le Web. Ainsi, l'adresse URL du cours à distance « Gestion des médias publicitaires » de l'Université de Montréal est :
> http ://www.progcours.umontreal.ca/cours/index_fiche_cours/PBT2210.html

Mais comment s'assurer que les adresses ne pourraient pas être modifiées, ce qui risquerait de transformer le Web en tour de Babel ? Pour éviter ce danger, Berners-Lee fonda, en 1994, le *World Wide Web Consortium* (W3C), chargé de garantir l'uniformité planétaire non seulement du système d'adressage, mais aussi des technologies et des langages exploités sur le Web. Basé en Californie, ce consortium fut plus d'une fois menacé par les autorités politiques de plusieurs dictatures, qui auraient bien aimé se donner les moyens de contrôler l'information qui circule sur le Net. Jusqu'à maintenant il a réussi à tenir le coup.

Et c'est sans doute, pour une bonne part, à cause de la globalisation de l'économie et de la mondialisation du commerce. En effet, alors qu'on a fait progressivement sauter les barrières tarifaires entre les pays de manière à favoriser les échanges, il serait saugrenu que l'information sur les produits offerts soit stoppée à une frontière.

« *Car chacun trouve son compte dans une circulation non cadastrée.* » Ainsi, la solidité et la cohérence qu'on observe dans la structure du réseau WWW en auront assuré le développement ultra-rapide dans toutes les sphères de la vie, tant privée que publique.

Le numérique en liberté

L'essor du numérique se poursuit. Depuis le début des années 2000, il a commencé à se libérer des contraintes de l'ordinateur traditionnel grâce à la miniaturisation de plus en plus poussée des puces qui le font fonctionner. Nombre d'outils sont apparus, qui ont constitué autant de sources d'une information proactive. Ainsi, les voitures d'aujourd'hui sont-elles bourrées de ces petits appareils — chacun dédié à une fonction précise — qui savent réagir, mieux que le chauffeur, aux situations de la route.

En matière d'échange entre personnes, le téléphone fut le premier appareil à tirer parti de la numérisation. Celle-ci l'a d'abord libéré du fil qui le tenait esclave d'un lieu fixe : par la voie *cellulaire*, ses ondes l'ont raccordé à des relais de transmission. Ainsi est-il devenu *mobile*. Un perfectionnement de ses cellules lui a ensuite permis de devenir « intelligent », c'est-à-dire capable d'interagir.

On ne se surprend plus qu'il transmette, en direct et dans les deux sens, des textes, de la musique, des photos, des vidéos ou des jeux. Au point où la jeune génération l'utilise plus pour sa fonction *texto* que pour les messages *voix*. Certains **mobinautes** demeurent même connectés à Internet sans interruption, toute la journée, ou encore y suivent désormais les matchs sportifs qu'ils recevaient hier *via* l'ordinateur, avant-hier *via* la télévision et, plus loin encore dans le temps, *via* la radio.

> **Mobinaute**
>
> Contraction de *mobile* et de *naute* (navigateur), par référence à *internaute*. Personne qui navigue sur le Web par téléphone mobile intelligent.

Dès lors, ce petit combiné qu'on tient dans le creux de la main est devenu bien plus qu'un téléphone ; c'est un véritable ordinateur miniature. Il ne lui manque que la capacité de stockage pour exécuter presque tout ce qu'un ordinateur classique peut faire. Mais ce n'est sans doute qu'une question de temps.

Du mobile, Internet a également essaimé vers le document écrit (tablette ou livre) et vers l'audiovisuel (téléviseur, projecteur), devenus eux aussi numériques. Grâce au **Wi-Fi** et au **GPS**, l'un et l'autre suivent le même processus de libération que le téléphone cellulaire et commencent à susciter le même attrait publicitaire. À l'inverse, l'ordinateur s'est lancé à son tour dans la téléphonie, avec des systèmes d'échanges autant visuels que sonores — à deux, à trois ou en conférence —, comme *Skype*.

> **Wi-Fi**
>
> Système permettant la transmission de codes informatiques par voie aérienne sur une courte distance. Le slogan publicitaire de ce produit, « *The Standard for Wireless Fidelity* », a longtemps amené à croire erronément que *Wi-Fi* était la contraction de cette expression.

GPS (*Global Positioning System*)

Le géopositionnement par satellites permet à tout appareil équipé d'un récepteur de signaux satellites de relever les coordonnées (longitude et latitude) de l'endroit où il se trouve. Des cartes dressées à partir de l'ensemble des coordonnées terrestres permettent ensuite de fournir de multiples renseignements, comme indiquer des routes allant du récepteur à un objectif choisi. Embarqué dans un ordinateur ou un téléphone intelligent, l'appareil GPS élargit le spectre communicationnel du monde numérique, ce dont un publicitaire avisé saura tirer parti.

La croissance du numérique se poursuit sans cesse : reconnaissance vocale et interface orale, intelligence artificielle et contenu généré par l'internaute, écran tactile et environnement 3D.

Pas étonnant que la publicité s'intéresse à tous ces développements. Tout comme elle l'a fait pour les autres médias, elle observe la façon particulière de communiquer propre aux utilisateurs du numérique pour s'insérer dans leurs habitudes. « *Ainsi, un annonceur s'affichera-t-il, à un moment précis, au bas de l'écran de ton téléphone cellulaire pour t'inviter à presser une touche de l'appareil afin d'obtenir plus d'information sur son produit. Simple, discret, efficace.* »

« *Voilà qui devrait te permettre de démontrer ta compétence au président de Québec 805669. Il sera donc mieux préparé pour t'entendre ensuite lui parler de la place de la publicité numérique dans un plan de communication.* » Je sens ce rude défi m'envahir et me répète intérieurement : « Tu es capable ! »

L'importance d'Internet pour la publicité

Dès ses origines, le Web eut deux fonctions complémentaires : faciliter la communication entre les gens et servir de source d'information tant encyclopédique que d'actualité. « *Les groupes de discussion qui ont marqué ses débuts se sont peu à peu transformés en occasions d'échanges démocratiques de plus en plus élargis — échanges parfois insignifiants, parfois créateurs —, à propos de tout et de rien. D'où cette prolifération de pseudo-journalistes encombrants, qui aura pourtant servi d'assise à l'apparition de véritables petits génies de l'information.* »

Cette fonction a progressivement migré vers la critique en ligne. Aucun hôtel, aucun produit grand public n'y échappe. Grâce à la multiplicité des sources, cette critique s'avère de plus en plus fiable. Grâce à l'instantanéité de la transmission, elle est constamment mise à jour. Il me faudra en tenir compte.

Dans un domaine voisin, aucun annonceur ne peut se montrer indifférent à cette fonction d'information devenue routinière — et très recherchée — que constitue la **comparaison des attributs**. Il doit donc viser une niche particulière pour son produit et s'assurer ensuite qu'il est le meilleur dans la catégorie choisie.

Comparaison des attributs *(shopping)*

Présentation comparée des diverses marques d'un même produit, montrant les avantages et limites de chacune.

« *Tu vois que sur Internet, il n'est vraiment pas possible d'étirer l'élastique en faisant la promotion d'un produit.* » Les consommateurs sont partout, prêts à « mettre en boîte » l'annonceur qui aurait manqué d'éthique.

Les internautes eux-mêmes ne sont pas à l'abri de la critique. Ils ne peuvent mener une cabale injuste contre une entreprise, car il y aura toujours des gens pour redresser l'information. Le Web s'autocorrige sans cesse, et tout menteur est implacablement démasqué.

Par ailleurs, l'ampleur de la documentation disponible sur le Web est devenue si considérable — elle éclipse même celle des plus grandes bibliothèques du globe — qu'il a fallu modifier les méthodes de catalogage (rebaptisé « référencement ») afin que les internautes puissent fureter aisément. Si le mode de recherche effectué par les machines demeure **booléen**, le processus est devenu tellement transparent que les gens n'ont plus à s'en préoccuper. Au point où la bibliothéconomie classique y a désormais recours.

Booléen

Du mathématicien britannique George Boole (1815-1864), créateur d'une algèbre de la logique dont s'est inspirée l'informatique. Ce système ne comporte que deux nombres (0 et 1) et deux fonctions de base, l'une disjonctive, appelée addition et représentée par « ou », l'autre conjonctive, appelée multiplication et représentée par « et » et son contraire « non et ». À travers ce dédale de « ou », de « et » et de « non et », il est possible de reconnaître, d'ajouter ou d'éliminer n'importe quel nombre d'une séquence. Transformée en lettre d'alphabet, en onde sonore ou en couleur de pixel, cette séquence devient accessible à nos sens.

C'est avec un certain retard que la publicité a saisi les enjeux d'Internet. Elle avait longtemps misé sur le journal, la radio ou la télévision, où c'est elle qui tient le haut du pavé... et peut donc proclamer ce qu'elle veut, « *sans être contredite* ». Or, le Web est un lieu où personne n'a l'exclusivité, ni même la primauté, de la parole. Pour s'y insérer, la publicité n'a donc pas d'autre choix que, d'une part, s'intégrer à la conversation sans prétendre la dominer et, d'autre part, fournir une information précise et inattaquable sur ses produits et services.

Même si les prophètes se montraient enthousiastes, ce n'est donc que lentement, prudemment, qu'on a vu croître, au début, les investissements publicitaires dans ce média. Mais le mouvement a maintenant pris son essor. Au-delà même des attentes.

De la publicité au commerce électronique

« *Laisse-moi préciser, toutefois, que la publicité sur Internet — ce à quoi tu cherches à intéresser le président de Québec 805669 — n'est que le premier volet de la contribution commerciale de ce média. Le commerce électronique en constitue un second. Ce mode virtuel de vente à distance dont je t'ai déjà parlé est en mesure de remplacer, dans bien des cas, la lourdeur de l'exploitation traditionnelle : peu de bâtiments (magasin, entrepôt) à entretenir, peu de contraintes du travail (personnel, heures d'ouverture, stockage), pas de clientèle à déplacer.* »

Parti en flèche, le commerce électronique a ensuite connu une pause, comme s'il cherchait sa voie. Le filon auquel il avait peine à se raccrocher, c'était la confiance du consommateur, et ce, à propos de quatre points en particulier :

1. la sécurité du mode de paiement ;
2. la qualité du produit ;
3. la garantie de livraison ;
4. le service après-vente.

« *On disait tant de mauvaises choses à propos d'Internet.* » Devant l'absence de dégâts, les commerçants et les clients, peu à peu rassurés, ont recommencé à affluer.

Pour un nombre croissant d'entreprises, la publicité sert donc aujourd'hui de porte d'entrée vers le commerce électronique. De la sorte, on diminue le nombre d'étapes intermédiaires entre la prise de connaissance du produit, son achat et sa réception. « *Parmi les variantes les plus recherchées du commerce électronique, il ne faut pas manquer de mentionner le recours de plus en plus répandu du grand public au Web pour ses opérations financières courantes.* »

Pour aider à explorer ce territoire commercial, les annonceurs, les représentants d'éditeurs, les agences de publicité et les autres services connexes à l'industrie du marketing interactif ont créé une association à but non lucratif : *IAB (Interactive Advertising Bureau).* On trouve de ces bureaux dans plusieurs pays, dont le Canada. Le succès d'un service en ligne n'étant pas spontanément au rendez-vous pour tout le monde, on comprend que plusieurs entreprises ne s'engagent que prudemment sur cette voie. IAB peut leur servir de guide.

Un outil démocratique

C'est armée de cette masse de renseignements que je me présente enfin au bureau du président de *Québec 805669*, soutenue par mon mentor, qui agit comme directeur de compte de substitution... mais me laisse parler. Celle qu'il doit remplacer, la planificatrice média — que j'avais accompagnée tout au long du dossier *Sommital* et dont je suis aujourd'hui la porte-parole — avait toujours le dernier mot avec les annonceurs. Pourquoi ? Parce qu'elle savait les convertir à sa vision d'un plan média efficace. Au moment de présenter les avantages publicitaires d'Internet, je veux m'exprimer comme si c'est elle qui parlait.

Hélas ! J'ai oublié l'homme qui m'avait traitée de façon si cavalière lors de notre première rencontre. Il n'a pas oublié, lui, le dédain avec lequel j'avais alors méprisé son paternalisme dominateur. À peine ai-je donc entrepris mon beau discours qu'il se met à démolir, un à un, mes arguments.

« *Internet se présente pompeusement comme le mode de communication dominant du XXIe siècle, tout comme la radio, puis la télévision, le furent au XXe, et l'imprimé au XIXe. Les publicitaires ne doivent pas être dupes de ces prétentions, eux dont c'est le métier d'enjoliver un peu les produits qu'ils annoncent. Si l'imprimé dominait au XIXᵉ, c'est simplement parce que l'électricité n'existait pas. Internet n'existerait pas non plus si l'ordinateur n'avait pas été inventé. Qui sait si une technologie nouvelle ne donnera pas lieu, demain, à une façon de transmettre l'information qui poussera Internet vers une voie secondaire ?* »

Je sais pourtant esquiver le coup en répliquant comme l'aurait sans doute fait la planificatrice média, c'est-à-dire avec un mélange de logique et de diplomatie. Je ne contesterai pas que les nouvelles voies de communication font pression sur les anciennes, mais soulignerai en même temps qu'elles favorisent leur évolution. Les journaux se sont enrichis de la couleur ; l'image s'est enrichie de la numérisation.

Je reconnais également qu'Internet n'est pas aussi magique, ésotérique, incantatoire qu'il semblait l'être pour les premiers internautes, et même pour moi quand j'ai commencé à le fréquenter. J'étais alors éblouie par la rapidité de circulation de l'information sur le Web. Quel atout majeur lui procure l'instantanéité ! Même si, pour le reste, c'est un média comme les autres, avec ses forces et ses faiblesses.

Sa remarquable force, c'est la démocratisation de l'information : n'importe qui peut s'y faire voir ou entendre. Mais cette force a son revers, qui en fait sa principale faiblesse : le manque de fiabilité d'une information privée de réglementation en matière de « contrôle de la véracité ». La conclusion est évidente : un message publicitaire sur le Web sera d'autant plus porteur qu'il s'inscrira sur la principale ligne de force de ce média, la capacité de rétroaction des internautes, et qu'il saura contrer sa principale faiblesse, en garantissant la fiabilité du contenu.

Une publicité qui n'importune pas

Je conclus mon exposé en rappelant au président de *Québec 805669* qu'on m'a mandatée pour présenter le plus honnêtement possible ce média, sans chercher à l'imposer. En tout état de cause, on ne saurait rejeter Internet du revers de la main quand il est question de la publicité de *À votre bonne santé.* Il faut tout au moins analyser son potentiel.

Et pour une raison bien particulière. C'est un des médias qui rejoint le mieux le client à domicile sans jamais l'importuner. Comme pour les *Pages Jaunes*, c'est le consommateur qui décide, au moment de son choix, d'aller quérir l'information et de le faire à sa manière ; c'est lui qui compare les produits, sans interférence, sans influence indue, en passant simplement d'un site à l'autre.

Mon interlocuteur ne me laisse pas poursuivre : « *Une publicité qui n'importune pas ? Vraiment ? Ça vous saute au visage dès que vous ouvrez un portail.* » Je pare vite ce nouvel assaut : « *Eh bien !... Disons plutôt... oui dans certains cas, non dans d'autres.* » L'internaute qui surfe plus ou moins au hasard butera assurément sur des messages publicitaires non sollicités qui lui paraîtront aussi encombrants qu'à la radio ou à la télévision. En revanche, s'il est à la recherche d'un article en particulier, Internet lui ouvre toutes grandes les portes de l'investigation. Librement, sans pression, sans incitations.

Cette absence de pression va plus loin encore. Internet étant un média de dialogue, il arrivera souvent à l'annonceur de demander poliment au consommateur s'il accepterait de recevoir ses messages à son adresse (électronique ou postale). C'est ce qu'on appelle le **marketing de permission**.

Marketing de permission
Façon délicate de demander au consommateur s'il accepte de se laisser exposer à un message publicitaire.

« *Remarquez que, s'il refuse, il aura quand même révélé son adresse électronique à l'annonceur, qui ne manquera pas de la conserver dans sa banque de données pour revenir à la charge ultérieurement.* » D'accord ! On n'en sort pas. Ne demandons quand même pas à la publicité de perdre de vue sa finalité.

Duel d'arguments

Plus nous échangeons, plus je découvre que le président de *Québec 805669* ne cherche pas tant à me contredire qu'à me mettre à l'épreuve. Comme s'il voulait s'assurer que j'ai suffisamment de compétence pour être en mesure de lui proposer, le moment venu, un plan média qui se tiendra. Car il sait bien que, même si je ne suis que l'assistante de la directrice du compte, c'est sûrement moi qui aurai à faire la plus grande partie du travail tant qu'elle ne sera pas de retour à son poste.

Ainsi poursuivons-nous un duel d'arguments auquel je finis par prendre plaisir. « *Ce que vous me dites sur la publicité de permission tend à démontrer qu'Internet n'est pas un média de masse.* » Ma réponse : « *Bien au contraire. Voyez les statistiques sur le temps que le public consacre chaque semaine aux divers médias. Internet y apparaît en rapide croissance.* »

Il m'attaque alors sur un autre front : « *Un site Web bien fait devrait suffire : pas besoin de publicité supplémentaire. Les gens sauront bien nous trouver grâce à la performance des moteurs de recherche.* » Ma réponse : « *Nos clients devront être persévérants, car les sites Web se comptent par dizaines de millions.* »

J'enchaîne alors avec une étude réalisée lors du lancement d'un nouveau modèle de voiture. Les publicités présentées sur Internet ont généré un taux de rappel plus élevé que celles diffusées par la télévision et les magazines. Ce taux de rappel s'est ensuite répercuté, hors ligne, sur les ventes. A-t-on besoin d'une meilleure démonstration ?

Sur ce, je conclus par cette formule qui rassurera mon vis-à-vis : « *Finalement, il n'y aura toujours qu'une façon sûre de mesurer l'efficacité d'une campagne... par le taux de retour sur l'investissement. À cet égard, le Web rapporte généralement beaucoup plus qu'il ne coûte.* »

Le besoin humain de communiquer

Je crois l'avoir secoué, puisqu'il me lance, comme à bout d'arguments : « *Internet a-t-il vraiment un avenir ?* » Pour le court terme — le temps de notre campagne publicitaire —, cette question n'a pas vraiment d'intérêt. Mais pour quiconque veut voir loin, elle conduit vers une problématique plus large, celle de la relation entre le besoin humain de communiquer et les outils à sa disposition pour le faire.

L'homme est un être « communicationnel » : c'est même là l'un de ses attributs dominants. Ce désir est d'ailleurs si vif qu'il ne cesse d'améliorer ses moyens de dialoguer : de plus en plus vite, de plus en plus loin, de plus en plus fort. Et sur quoi s'appuie ce besoin ? Sur la capacité d'anticiper, ce en quoi il se distingue le plus des animaux, ce grâce à quoi il a survécu, lui si fragile, dans une nature hostile.

Prévoir de quoi demain pourrait être fait, de manière à tirer parti de ses avantages tout en échappant à ses dangers, tel a toujours été pour l'humanité le fondement de sa progression. Or — et je soutiens mon affirmation d'un large geste —, on n'arrive à prévoir qu'en communiquant avec ceux qui sont devant, derrière ou à côté, qu'en échangeant des signaux. Pour s'informer, se mettre en garde ou se rassurer mutuellement.

Or, c'est parce qu'Internet est un instrument privilégié pour « échanger des signaux » qu'il est là pour rester. Qu'il opère techniquement de telle ou telle manière — *Arpanet, Nexus, Mosaic* — tient de sa genèse technique. Sur ce plan, il est sans doute appelé à évoluer. Mais comme occasion d'améliorer la communication entre humains, il a trop apporté en peu d'années — instantanéité, liens planétaires, rapports démocratiques — pour qu'il n'ait pas durablement sa place à côté des moyens plus anciens, comme les journaux, la radio ou la télévision.

Pour la première fois, le président de *Québec 805669* me sourit. J'ai gagné mon pari : il ne me regarde plus de haut. De sa lointaine retraite, de son triste *burnout*, ma planificatrice me sourit sans doute aussi. Je sors épuisée de l'affrontement. Pour me libérer du stress j'irai modifier le « statut » de mon site Facebook : « *Aujourd'hui, j'ai convaincu une personne particulièrement difficile à influencer. Je suis devenue redoutable.* »

10ᵉ SEMAINE DE STAGE

Les magazines

Autre lundi matin. Mon responsable de stage parcourt la petite bibliothèque de son bureau, à la recherche d'un livre qu'il n'arrivera pas à trouver. Il n'a même pas enlevé son manteau. Appuyée au chambranle de la porte, j'attends qu'il m'invite à m'asseoir. « *J'aurai encore moins de temps à vous consacrer au cours des prochaines semaines. On m'a demandé de présider le prochain colloque annuel des publicitaires, ce qui va m'occuper à plein temps. Je vous confie au directeur des achats section imprimés.* »

Voilà comment débute ma dixième semaine : sur les chapeaux de roues. Juste avant de tourner les talons, mon mentor ajoute, d'un débit rapide : « *À propos, nous avons reçu un bon mot de monsieur Irrighen.* » — Tiens, je l'avais oublié, celui-là ! — « *Le président de* Québec 805669 *lui aurait rapporté qu'il était pleinement satisfait de notre contribution.* » — Comment « notre » contribution ? C'est bien plutôt « ma » contribution ! Voilà ce que c'est que d'être une simple stagiaire.

« *À propos encore, monsieur Irrighen propose ce slogan pour la campagne :* " *Mangez bien. Vivez mieux.* " *Qu'en pensez-vous ?* » Avant même que j'aie exprimé quelque avis, il a déjà dévalé l'escalier. Vraiment, ce colloque doit être quelque chose de bien important pour lui.

1. LA FORÊT TOUFFUE DES MAGAZINES

Le directeur des achats section imprimés, que j'ai déjà rencontré au moment où j'étudiais les journaux, n'a peut-être pas le titre de planificateur média, mais c'est tout comme, tant est longue son expérience de l'agence. Sa voix est toujours aussi sonore et ses échanges aussi familiers : « *Bienvenue, ma fille ! Cette semaine, tu vas étudier les magazines. J'espère que tu ne comptes pas trop sur ma présence à tes côtés.* »

Ça alors ! Lui non plus n'a pas beaucoup de temps pour moi, car un autre dossier majeur l'attend : « *Tu as beaucoup de talent* », précise-t-il pour mieux se faire oublier. « *D'ailleurs, ce que tu vas nous soumettre au terme de ton analyse, ce ne sera pas le plan média définitif de la campagne de À votre bonne santé, mais simplement une proposition. Il faut que tu saches que tout cela sera revu. Crois-tu que nous abandonnerions un contrat d'un million et demi de dollars à une stagiaire ?* »

J'accuse le coup, mais ne peux m'empêcher d'apprécier : si on me laisse beaucoup de corde, c'est donc que je fais de mieux en mieux l'affaire. Au début de mon stage, chacun se montrait éminemment attentif à mes requêtes d'information. Désormais, il faut croire que je fais partie du paysage, car on me traite bien plus comme une employée expérimentée que comme une débutante.

La boutique de magazines

Par où commencer ? Je me souviens que j'avais beaucoup appris sur les journaux, simplement en visitant un kiosque. Je reprends donc l'idée en allant parcourir les allées d'un marchand de journaux et de magazines. Quel foisonnement ! Actualités, jeunesse, *people,* divertissement, science, histoire, Internet, santé, rénovation ; sans oublier, bien sûr, le sexe. Pour débroussailler une telle forêt dans une perspective publicitaire, je ferai spontanément un double clivage, d'une part, selon l'ampleur du tirage, d'autre part, selon les lignes naturelles de coupe sociodémographique. Je dégagerai ainsi quatre catégories.

1) Les magazines à tirage élevé : les quelque cinquante publications québécoises qui publient à plus de 30 000 exemplaires (100 000 et plus pour une vingtaine d'entre elles) :
    a) à public indifférencié : j'y placerai notamment *L'Actualité, Sélection du Reader's Digest, 7 Jours.* Ces magazines ratissent le plus large possible ; d'où leur tirage élevé.
    b) à public spécifique (on emploie souvent l'expression « magazines thématiques ») : je les classerai soit par groupes d'âge, soit par centres d'intérêt (de la cuisine au bricolage) ; *Le Bel Âge, Coup de pouce, Décoration chez-soi...* il y en a tant et tant.

2) Les magazines à tirage plus restreint : si leur contenu n'intéresse que des sous-groupes, ces cercles comptent suffisamment de personnes — qui s'avèrent des lecteurs fidèles — pour que les publications qui les inspirent maintiennent une bonne rentabilité au fil des ans :

a) axés sur un centre d'intérêt spécialisé : il s'agit de titres répondant à des préoccupations particulières : sport (*Ski Presse, Géo Plein air, L'escale nautique*), automobile (*Automag*), arts (*Vie des arts*), passe-temps (*Philatélie Québec, Photo Solution*). Vu l'attention que leur portent leurs lecteurs, ces magazines, malgré leur faible tirage, représentent un atout pour un publicitaire.

b) axés sur un intérêt professionnel : ces magazines s'adressent principalement aux personnes de secteurs commerciaux ou industriels spécifiques, ainsi qu'aux membres d'associations professionnelles (*Infopresse, Le Monde juridique*). On recense, au Québec, plus de 160 publications de cette catégorie, réparties en près de 50 familles d'intérêt.

Ces magazines ont tendance à migrer sur le Web pour réduire leur coût de production.

Formats des magazines

Comme pour les journaux, je ne peux résister à la tentation de distinguer les magazines d'après leur format, qu'on répartit en : (1) régulier, (2) « junior » ; et (3) tabloïd. Cette distinction ne porte pas sur le contenu, comme dans la première catégorisation, mais sur une présentation extérieure qui n'est pas sans affecter les conditions de lecture et, conséquemment, le type de publicité qui conviendrait le mieux à chacun d'eux.

Le format régulier, souvent appelé standard, est le plus répandu. La dimension qui prévaut généralement fait plus ou moins 21 × 28 cm (7 × 10 po) — c'est le cas, notamment de *L'Actualité* et de *Châtelaine* —, quoique certaines publications se distinguent par leur format géant (aux États-Unis : *W* et *FQ*). Pour parcourir ces magazines, le lecteur a tendance à prendre de la distance par rapport à son quotidien. Je le vois se conditionner en se calant dans un fauteuil. Pas étonnant, alors, qu'on accorde tant d'importance à la première publicité sur laquelle tombera son regard dès qu'il aura tourné la page couverture.

Le format dit « junior », également nommé « digest » ou format de poche, fait autour de 14 × 19 cm (5 × 7 po). Les revues *Madame* et *TV Hebdo* en sont des exemples. Certains de ces magazines réduisent encore leurs dimensions de quelques centimètres pour mieux se distinguer, quelques-uns s'approchant même du format miniature.

Sur les tablettes de la boutique, ils apparaissent si petits à côté des autres publications, qu'on a peine à croire les statistiques qui indiquent, pour plusieurs d'entre eux, des tirages particulièrement élevés. C'est que leur format est idéal pour une lecture rapide, dans le métro ou pendant la pause du midi. On les glissera dans son sac à main ou sa serviette. Au premier moment libre, on reprendra la lecture d'un article qu'on avait dû inopinément interrompre. Je pressens déjà que la publicité devra refléter l'urgence du moment, cette promptitude à passer de la décision à l'action qui caractérise l'état d'esprit du lecteur au moment où il ouvre — et referme — son « digest ».

L'expression « digest », reprise de l'anglais, trouve son origine dans le magazine *Reader's Digest* auquel les fondateurs, DeWitt et Lila Wallace — en 1922 —, donnèrent pour vocation de rendre « digestibles » des ouvrages jugés un peu trop exigeants pour le grand public. Leur approche : en présenter un condensé qui éliminait des paragraphes jugés superflus ou « indigestes ». Comme on l'imagine, cette façon d'édulcorer la littérature ou la science, en les vulgarisant à l'excès, a suscité la polémique. Mais la formule était promise à un succès durable (48 éditions en 19 langues), peut-être simplement à cause du format réduit que le magazine inventa du même coup, de façon à mieux conquérir les lecteurs qu'il ciblait.

Mes yeux s'arrêtent maintenant sur une troisième catégorie de magazines au format tabloïd (28 × 35 cm [11 × 14 po]), un format dont j'ai pris connaissance au moment d'étudier les journaux. Qu'ils soient imprimés sur papier journal ou glacé, ils ne se distinguent guère, par leur présentation, des hebdos locaux et de certains quotidiens. Si on les traite comme des périodiques, c'est du fait de leur contenu thématique.

Par leur présentation physique, ces publications semblent déjà aviser leurs lecteurs qu'elles ne traiteront pas les dossiers en profondeur, mais refléteront plutôt l'actualité immédiate, les événements les plus récents, les tendances à surveiller. Elles sont pensées pour les gens pressés, qui ont des décisions à prendre rapidement. La publicité qu'on y insérera devra donc être sensible à ces conditions particulières de lecture.

La multiplicité des formats de magazines crée des casse-tête aux publicitaires, qui doivent adapter la présentation de leur annonce chaque fois que celle-ci passe d'une dimension à l'autre. Or, sous l'influence des publications étrangères, la tentation est forte de lancer de nouveaux formats, à mi-chemin des modèles classiques, ou de se laisser tenter par la taille géante, ce qui imposerait encore d'autres ajustements.

Même pour les magazines d'une même catégorie de formats, de subtiles différences (un centimètre ou deux ici et là) affecteront souvent les annonces publicitaires, qui perdront beaucoup de leur effet si leur marge est charcutée ou inutilement bordée de blanc. Les graphistes ont donc dû s'astreindre à des présentations visuelles où les limites extérieures de l'annonce peuvent être plus ou moins modifiées sans que l'impact du message lui-même n'en soit affecté.

Fréquence de parution

Je n'ai pas fini mon parcours à travers les allées du marchand de journaux et de magazines. J'analyse maintenant la fréquence de parution, un aspect dont les annonceurs doivent tenir compte, en particulier lors de l'introduction d'une nouvelle marque ou pour la promotion de produits saisonniers. J'observe trois fréquences principales de parution : mensuelle, hebdomadaire et trimestrielle.

La fréquence mensuelle est la plus utilisée par les éditeurs. Elle permet aux annonceurs de s'afficher, pour un coût convenable, tout au long de l'année. Plusieurs magazines dits mensuels ne sont toutefois publiés que dix ou onze fois dans l'année, car ils jumellent les numéros de juillet et août ou de décembre et janvier. Baisse des lecteurs à ces périodes ? Un peu. Baisse des revenus publicitaires ? Surtout.

La fréquence hebdomadaire est retenue par les magazines dont le contenu est lié à l'actualité immédiate (par exemple *La Semaine* ou *7 Jours*). Certains de ces magazines sont vendus principalement en kiosque. Tous exigent un tirage élevé pour maintenir, sans fléchir, une telle fréquence.

Le cycle trimestriel est souvent préféré par les magazines à contenu thématique (par exemple *Touring*) ou par les publications saisonnières. Soit, l'intérêt du lectorat n'est pas suffisamment élevé pour justifier une fréquence de parution plus soutenue. Soit, au contraire, les lecteurs sont assidus, mais, du fait de leur faible nombre, ils n'ont pas le poids suffisant pour forcer la cadence de publication.

La fréquence bimensuelle est plutôt rare. Au Québec, seul le magazine *L'Actualité* l'a adoptée (20 numéros par année). Je constate aussi que certains titres ont une fréquence dite irrégulière, paraissant 6, 8 ou 9 fois par année. Ici aussi, il s'agit de périodiques spécialisés ou saisonniers, comme *Le Magazine Enfants Québec* ou *Fleurs, plantes et jardins*.

2. LES MODES DE DIFFUSION

Ces renseignements bien notés, me voici de retour au bureau pour faire mon rapport au directeur des achats section imprimés. C'est déjà l'heure de manger, et celui-ci m'invite au même café de la rue Saint-Paul où je l'avais accompagné une première fois. Non seulement au même café, mais à la même table ; il y a vraisemblablement son rond de serviette.

Revues et magazines

Il aborde le sujet des revues. « "Revues" ? Ne dit-on pas "magazines" ? — *Peut-être avez-vous raison. Mais le dictionnaire ne distingue la première du second que par certains signes extérieurs plus près de la description — bien imprécise, d'ailleurs — que de la définition.* »

Revue/Magazine

Revue : Publication périodique spécialisée dans un domaine particulier.

Magazine : Publication périodique, le plus souvent illustrée, qui traite des sujets les plus divers.

Le Petit Larousse

Je rétorque que les deux mots évoluent dans des sens différents, la « revue » se présentant de plus en plus, de nos jours, comme une publication à caractère scientifique, tandis que le magazine, qu'il soit populaire ou spécialisé, s'affiche plutôt comme un outil de vulgarisation. Quant au mot « périodique », qui sert de base aux deux définitions, il est, lui aussi, flou à souhait. Le quotidien n'est-il pas un périodique au même titre qu'un mensuel ?

Le directeur me donne raison et en profite pour souligner que les limites entre les médias ne sont pas très précises, tant sont nombreuses les façons de les grouper. Si l'on classe les médias à partir de leur support physique, on aura des médias « papier », des médias « électroniques », des médias « celluloïd ». Si on les classe plutôt selon leur mode de réception, on les répartira alors comme médias « vus » (cinéma, télévision), « entendus » (radio), « lus » (publications), ou les trois à la fois (Internet).

En pratique, dans le monde des communications et, plus immédiatement, de la publicité, on classe les médias selon le rapport social qu'ils établissent avec le consommateur. Ainsi, même s'il est possible de voir des images télévisées à l'ordinateur et au téléphone, le média télévision n'a pas perdu pour autant le rapport particulier établi avec les gens qui en regardent les émissions. « *Mais le jour approche peut-être où la structure même des émissions télévisées sera intégrée à Internet. Alors surgira sans doute un nouveau nom pour désigner le média inédit qui émergera.* »

Pour s'en tenir au seul mot « magazine », le champ d'exploration est vaste : magazine à grand tirage, de luxe, populaire, à thème, professionnel, comme je l'ai bien vu lors de ma visite de ce matin chez le marchand de journaux. Quant au terme « périodique », il désigne généralement tout ce qui n'est pas un journal quotidien ou hebdomadaire... « *même si ce n'est pas sémantiquement exact* ».

Dans l'esprit des annonceurs, le terme « magazine » évoque donc une publication illustrée, produite essentiellement sur papier glacé. Pour les publicitaires, la définition est encore plus restrictive. Ils ne s'intéressent, en effet, qu'aux publications qui apparaissent dans les répertoires, qui publient une carte de tarifs élaborée et qui comptent sur une équipe de vente.

Le directeur conclut, avant d'attaquer son suprême de poulet : « *Aucun périodique d'une même catégorie n'est exactement semblable à un autre quant à son contenu, son format, sa périodicité, son mode de diffusion, son tirage et ses tarifs. Mais presque tous serviront d'excellent support publicitaire à leur heure.* »

Qui lit les magazines ?

Il sort maintenant un stylo de sa poche et se met à aligner des statistiques sur le napperon. Le Canada compte environ 1600 magazines et périodiques de toutes sortes, dont 550 sont destinés à l'ensemble des consommateurs, les autres étant des publications sectorielles ou s'adressant à des milieux professionnels précis. On compte entre 300 et 400 titres propres au Québec.

La lecture des magazines varie selon l'âge, le revenu, le niveau d'études, etc. Aucun média, pas plus le magazine que les autres, ne peut atteindre la totalité de la population. « *Pour ce qui est des médias écrits, les gens qui les fréquentent de façon régulière sont particulièrement sélectifs dans les sujets qui les intéressent.* »

- Dans l'ensemble du territoire canadien, on dénombre chaque jour 9 millions de lecteurs de magazines, soit le tiers de la population adulte. Ce chiffre grimpe au deux tiers chaque semaine et à 80 % au bout d'un mois.

- Pour ce qui est des Québécois francophones, les données signalent un million et demi de personnes (25 % du public) consacrant quotidiennement du temps à la lecture d'un magazine. Ajouté aux lecteurs moins assidus, le total dépasse 60 % au cours d'une semaine et 80 % au cours d'un mois.

- La portée hebdomadaire des magazines varie en fonction des marchés. La plus élevée va au marché d'Ottawa-Gatineau, avec 68 % de la population qui lit un magazine chaque semaine et 85 % qui le fait au moins une fois par mois.

- Au Québec, les habitudes de lecture varient de façon signicative, selon les traits démographiques, les femmes lisant plus les magazines que les hommes. En fait, 84 % des femmes lisent un magazine au cours d'un mois, contre 75 % des hommes. Elles consacrent, en outre, 50 % plus de temps que les hommes à cette lecture.

– Le Québécois lit sept ou huit numéros de magazines, chaque mois. Cette moyenne est plus élevée chez les employés de bureau (onze) ou les cadres supérieurs (près de dix). Côté âge, les 18-24 ans lisent en moyenne dix numéros, alors que le segment le plus âgé (65 ans et plus) n'en lira que cinq.

Cinq modes de diffusion

Poursuivant sur le sujet des multiples types de magazines, le directeur me parle maintenant du mode de diffusion. La segmentation principale sous ce rapport, il la fera entre magazines (1) payants et (2) gratuits.

On obtient les premiers soit par abonnement, soit par achat au numéro en kiosque. Globalement, 73 % du tirage des dix titres les plus lus au Québec sont diffusés par abonnement (90 % pour *L'Actualité* et *Sélection du Reader's Digest*). « *Il existe, bien sûr des exceptions.* » Ainsi, plus de 95 % des exemplaires de *7 Jours* sont vendus en kiosque.

La diffusion gratuite est l'autre forme de diffusion. On en trouve six variantes :

1) Distribution en vrac : comme l'expression le dit, il s'agit de périodiques offerts dans des présentoirs situés à des endroits stratégiques (restaurants, bars, magasins, cinémas, etc.). C'est le cas pour *Voir*, *Jobboom*, *Magazine Le Clap*, *Tribute* et nombre d'autres, nationaux ou locaux.

2) Encartage dans un journal : ces publications sont insérées dans les journaux dont les lecteurs ont le profil visé par les éditeurs. Exemples : *Plaisirs de vivre*, *Styles de vie*. Les guides télé hebdomadaires relèvent aussi de cette catégorie.

3) Sur adhésion : il s'agit de magazines envoyés par des organismes à leurs membres (clubs d'automobilistes, associations professionnelles — *Touring*, *Les Diplômés*) ou par des services publics à leurs abonnés (électricité, chaîne de télé payante — *HydroContact*, *Primeurs*).

4) Dans les transports publics : les périodiques de cette sous-section sont offerts gratuitement dans les avions et les trains. C'est le cas de *En Route* et de *VIA Destinations*.

5) À diffusion contrôlée : un magazine de ce type est distribué gratuitement à toutes les adresses de certains quartiers correspondant à certaines variables sociodémographiques et économiques. C'est le cas de *Western Living*.

6) À diffusion totale : la publication est envoyée à toutes les adresses, sans restriction. Les divers paliers de gouvernement diffusent nombre de leurs magazines et bulletins d'information selon cette approche, soit pour l'ensemble du territoire, soit pour une région donnée.

Les magazines en ligne

« *Et les* **e-zines**, *où les situez-vous ? — Tu veux sans doute parler des **magazines en ligne**, également appelés cybermagazines, magazines Web, netmagazines, webzines, webmags ou netmags.* » Il rit très fort, comme à son habitude, fier qu'il est de m'avoir prise en défaut d'anglicisme, lui que j'avais tenté, tout à l'heure, de corriger à propos des mots « revue » et « magazine ».

> **Magazine en ligne (*e-zine*)**
> Publication présentée via le réseau Internet.

« *Eh bien, les magazines en ligne, c'est un monde complexe où le média magazine colore le média Internet.* » Il précise toutefois que l'expression « magazine en ligne » recouvre plusieurs réalités.

1) Les magazines traditionnels qu'on aura simplement numérisés, le plus souvent en format *PDF (Portable Document Format)*.

2) Les magazines — traditionnels, encore — dont on a modifié la présentation pour leur permettre de profiter des avantages de l'univers virtuel, notamment en insérant des renvois vers d'autres sites.

3) Les magazines créés spécifiquement pour le Web (dont *Wired* constitue l'ancêtre), certains d'entre eux étant ensuite reconvertis en format papier.

« *Tu observeras qu'on retrouve ces trois modèles dans les autres médias écrits, comme les journaux et même les livres.* » À ce propos, ajoute-t-il, il n'est pas mauvais de distinguer le « magazine en ligne » du « magazine électronique ». « En ligne » renvoie à « transmission en direct », alors qu'« électronique » fait état d'une « transmission numérique », à partir d'un support lisible par un ordinateur (disquette, disque compact ou DVD). Les livres électroniques, à ne pas confondre avec les tablettes numériques, ont la forme d'un livre traditionnel, les pages du texte s'affichant simplement sur un écran plutôt que sur du papier.

Pour ce qui est de la publicité dans un magazine en ligne, elle profite de tous les avantages et se heurte à toutes les limites des autres publicités par Internet, « *comme tu en as fait l'analyse, la semaine dernière* ».

3. LE MAGAZINE COMME PORTEUR DE PUBLICITÉ

De retour au bureau, je reçus un appel d'un inconnu. « *J'ai appris que vous étiez stagiaire en placement média. Moi aussi je fais un stage en quelque sorte. Peut-être pourrions-nous partager nos expériences.* » J'acceptai son invitation à prendre un verre, en fin d'après-midi, au bar d'un hôtel branché. J'y rencontrai un jeune homme assurément avenant et, pour tout dire, quelque peu séduisant. Je ne me doutais pas que ce rendez-vous affecterait la suite de mon stage.

Du *Mercure galant* à *Paris Match*

Ce garçon n'était pas comme la plupart de ceux que je connais : il ne parlait pas de lui ; il s'intéressait à moi. Je me fis donc volubile pour lui raconter les étapes de mon séjour en agence, exposant en long et en large ma participation au dossier de la boutique *Sommital* et maintenant à celui des restaurants *À votre bonne santé*. Je mis évidemment l'accent sur le sujet de la semaine en cours : l'analyse des magazines.

« *Ça ne peut mieux tomber, fait-il, c'est précisément dans ce secteur-là que je me suis spécialisé.* » Spécialisé ? Il n'est guère plus âgé que moi. Quand a-t-il acquis cette expérience ? En tout cas — preuve qu'il connaît bien son sujet —, il me parle spontanément des débuts de ce type de média... « *qui remontent aussi loin qu'à la Renaissance* ».

« *Le magazine tel que nous le connaissons aujourd'hui tire ses racines de l'époque où l'Occident a découvert l'imprimerie.* » Les premiers périodiques publiaient des études d'érudits et de théologiens destinées à l'élite intellectuelle du temps. Précurseur d'un changement de cap pour ce type de publication, le Français Jean Donneau de Visé lança, en 1672, une revue au contenu plus léger, le *Mercure galant* (plus tard rebaptisé *Mercure de France*). Elle contenait des nouvelles brèves, des anecdotes et un peu de poésie. La formule fut reprise sous diverses formes au cours du XVIIIᵉ siècle.

La première image imprimée d'un événement d'actualité parut dans le *Times* de Londres, en 1806, bien avant l'invention de la photographie : « *elle montrait le carrosse mortuaire du célèbre amiral Nelson, lors de ses funérailles.* » De rapides progrès techniques favorisèrent, dès lors, la démocratisation de l'édition. Dès 1830 paraissaient, en Europe et aux États-Unis, des publications accessibles à un large public.

Au XXᵉ siècle, l'évolution des magazines a été précipitée par la concurrence que leur ont menée les autres médias. L'avènement de la radio les a contraints à se distinguer en publiant plus d'information, de même que des reportages photographiques : « *L'Illustration, leader français du début du XXᵉ siècle, fut en quelque sorte l'ancêtre de* Paris-Match. »

Quant à la télévision, elle a provoqué un repositionnement radical des magazines. Devant une diffusion instantanée et des images animées, il leur fallut se trouver un nouveau créneau. C'est ainsi qu'au média « indifférencié » que constituait la télévision, ils opposèrent la « sélectivité » de l'auditoire en multipliant les spécialités : les arts, la santé, les sports, l'écologie, les techniques et tant d'autres.

Pour ce qui est de la publicité dans les magazines, elle avait déjà pris son envol à la fin du XIXᵉ siècle, au moment où l'industrialisation s'était mise à favoriser la consommation de masse, faisant apparaître une classe « moyenne », c'est-à-dire à mi-chemin entre indigence et surabondance. Même avec la concurrence des autres modes de communication, ce média demeure, aujourd'hui, un important véhicule publicitaire, car il offre un environnement de qualité et un profil de lecteurs qu'on peut aisément circonscrire.

La planification magazine

Ce garçon a un je-ne-sais-quoi qui me charme. Il me paraît sûr de lui, mais, en même temps, aucunement infatué. Je lui décris donc, de long en large, les divers aspects du dossier *À votre bonne santé* et lui fais part de mes conclusions préliminaires sur la meilleure façon d'assurer la publicité de cette nouvelle chaîne de restaurants. Quand je lui indique que j'en suis présentement à réfléchir sur les particularités de la « planification magazine », il me répond qu'il s'agit d'une activité relativement simple. Dieu seul sait pourquoi : je suis portée à le croire d'emblée, sans exiger de preuves plus poussées.

« *Voyez-vous : la lecture d'un magazine est une activité éminemment personnelle ; chaque lecteur a de nettes préférences.* » Les consommateurs les plus recherchés, « *ceux qui ont des sous* », sont très exposés aux magazines. L'annonceur n'aura pas de peine à trouver ceux que lit son groupe cible. Il découvrira peut-être alors que certains magazines, qui lui semblent bizarres, excentriques ou extravagants, sont pourtant hautement appréciés par le lectorat visé. Pour plus de sécurité, il ne manquera toutefois pas d'annoncer aussi dans des publications plus sages, de manière à créer une synergie entre les tenants de l'avant-garde et ceux de la tradition.

Il faut savoir qu'à la différence d'autres médias, souvent axés sur le divertissement, c'est d'abord pour enrichir sa réflexion qu'on parcourt la plupart des magazines. Car la création y est hautement valorisée ; c'est même souvent là que s'expriment les idées les plus novatrices. On y trouve donc un public éveillé.

Pour une planificatrice média — « *ce à quoi vous aspirez* » —, il n'y a rien de plus enrichissant que d'observer les préférences des annonceurs pour telle ou telle publication, selon l'originalité des produits qu'ils proposent. « *Vous m'avez dit avoir visité un marchand de journaux et de magazines. Comme publicitaire-en-devenir, vous y aurez sûrement puisé de l'inspiration pour la sélection des magazines les mieux adaptés à votre clientèle cible.* »

En effet, je n'ai pas manqué de faire cette analyse, que j'ai menée en trois temps : (1) Le média « magazine » est-il un bon véhicule pour attirer les gens vers nos établissements ? (2) Si oui, quelle catégorie de magazines convient le mieux ? (3) Dans cette catégorie, y en a-t-il un qui, pour un ensemble de raisons, s'avère mieux indiqué ? À chacune de ces questions, que je reprends maintenant à son intention, le garçon répond par des observations qui me paraissent fort pertinentes.

Deux heures se sont écoulées sans que, malgré la rude journée de travail que j'ai connue, je ne décroche un seul instant des propos de mon interlocuteur. C'est alors qu'il m'invite à passer à table, car il en a encore long à raconter. Je ne puis m'empêcher de lui faire observer qu'il me paraît bien compétent pour un stagiaire. « *Je n'ai pas dit que j'étais stagiaire, mais que je faisais un stage en quelque sorte.* » Il n'en dira pas plus.

Les magazines en renouvellement

J'observe attentivement le jeune homme, les vagues que font ses lèvres quand il parle, les longs doigts qui rythment ses mots avec grâce, les yeux qui leur donnent vie. « *Stop, ma fille ! Tu t'égares. Tu es ici pour un rendez-vous d'affaires, non pour une aventure.* » Le garçon poursuit sans sourciller — il a aussi de beaux sourcils : « *Au Québec comme partout ailleurs, la tendance est au regroupement.* » Trente-cinq maisons d'édition publient chacune deux magazines ou plus. Une poignée d'entre elles — Médias Transcontinental, Publications TVA, les Éditions Rogers et Gesca — dominent le marché.

Or l'industrie locale du magazine est largement exposée à la concurrence internationale, surtout américaine et française. Quatre-vingt-cinq titres américains ont une distribution de plus de 20 000 exemplaires par numéro en territoire canadien. À elle seule, la revue *National Geographic* diffuse 350 000 exemplaires au Canada. L'économie locale de la publicité pourrait être facilement menacée par une telle invasion. Cependant, grâce à la loi, il en coûte cher à nos annonceurs pour faire paraître leurs messages dans les magazines étrangers distribués ici, à moins que ces derniers (comme *Elle* ou *People*) ne publient une édition locale.

Outre le regroupement, le rajeunissement des magazines passe par de profondes mutations internes. Comme les lecteurs de magazines ont un profil démographique qui révèle un important pouvoir de consommation, les éditeurs s'évertuent à améliorer leur offre : présentation graphique constamment rafraîchie, contenu rédactionnel repensé, multiples déclinaisons pour leurs titres les plus prestigieux, sous la forme, par exemple, d'un guide annuel spécial, d'une version télé ou d'un site Web.

C'est ainsi que, de *lifting* en *makover* et de *branding* en *shopping*, le magazine d'aujourd'hui prend de front le marché prometteur des amateurs de *hiving* à l'escarcelle bien garnie... « Hiving !?... — *Oui, oui... les gens qui préfèrent l'animation de la grande ville — " la ruche " (hive) — au* cocooning *au foyer. Des gens comme nous deux, sans doute.* »

« *Après avoir multiplié à leur intention les magazines les plus excentriques, on s'est désormais tourné vers des titres exclusivement consacrés au domaine où ils excellent, le magasinage :* Loulou, Shopping Clin d'œil. » Je ne peux m'empêcher de faire observer à mon vis-à-vis que nous vivons dans un bien curieux monde où ce n'est plus l'annonceur qui paie pour nous conquérir, mais nous qui payons pour avoir le droit de lire 200 pages de sa publicité !

L'investissement publicitaire

Ma phrase l'a lancé sur le sujet de notre époque d'abondance que reflète si bien le magazine, avec son papier glacé, ses pages qui s'ouvrent comme des volets et ses encres métalliques. Luxe, mieux-vivre, sport, mode, cosmétiques, des secteurs où règne le plaisir de dépenser.

Les investissements publicitaires dans les principaux magazines du Canada dépassent les 560 millions de dollars. Or, quatre fabricants de produits liés à la beauté — *Procter & Gamble, L'Oréal, Unilever* et *Johnson & Johnson* — figurent au sommet du palmarès ; à eux seuls, ils représentent près de 20 % de ce montant.

Dès le tournant du xxe siècle, certains éditeurs entreprenants avaient flairé la bonne affaire avec l'avènement de la société de consommation. L'exemple le plus célèbre est celui de Cyrus Curtis. En 1897, il achète un périodique moribond intitulé *Saturday Evening Post*. Pour en améliorer le

Présence des entreprises dans la publicité des magazines : quelques grandes marques	
Procter & Gamble	Rogers Communications
L'Oréal	General Motors
Unilever	Canadian Tire
Johnson & Johnson	Honda
Nestlé	etc.

contenu, il injecte la somme de 1,3 million de dollars que lui avait rapportée la vente d'un autre magazine, *Ladies' Home Journal*. Le *Post* renouera avec le succès en visant le créneau du monde des affaires et des férus de l'actualité.

Pour prendre un virage aussi coûteux sans hausser le prix de vente de la revue, Curtis doit trouver des sources originales de revenu. C'est ainsi qu'il en viendra à tapisser d'annonces les pages de son magazine. Si bien qu'en 1922, le *Post* tire à deux millions d'exemplaires chaque semaine, et, du même coup, affiche des revenus publicitaires annuels de plus de 28 millions de dollars, ce qui lui permet de s'améliorer constamment. « *Les héritiers de Curtis n'ont malheureusement pas retenu sa leçon. Ils se laissèrent doubler par d'autres magazines encore plus dynamiques, de sorte que, malgré son nom qui l'annonce toujours comme hebdomadaire, le* Post *d'aujourd'hui ne paraît plus que tous les deux mois.* »

Il y a eu, bien sûr, de la résistance à l'avènement de la publicité dans les magazines, certains titres ne voulant pas compromettre leur indépendance. *Reader's Digest* n'a reconnu qu'en 1955 qu'il avait besoin de la publicité pour boucler son budget. « *Nous avons peine, aujourd'hui, à imaginer pareille éthique ; ce qui révèle le chemin parcouru, depuis, par une population qui ne redoute plus la publicité, tant la consommation prend désormais de place dans la société.* »

L'exploit de Curtis aura marqué les débuts d'un nouveau modèle économique pour les magazines, celui où les revenus de la publicité en sont venus à surpasser ceux de la vente des exemplaires. Délaissant le dilettantisme d'une élite fortunée prête à payer cher pour l'exclusivité de son abonnement, les périodiques ont progressivement mis l'accent sur une classe moyenne de plus en plus cultivée… et consommatrice. À l'heure actuelle, les pages publicitaires sont devenues incontournables pour le financement des magazines. En retour, ceux-ci apportent aux annonceurs une clientèle aspirant à se tailler une place dans l'élite de demain.

Au Québec, le magazine tel qu'on le conçoit de nos jours (concurrence des titres, tirage de masse sur papier glacé) a pris son envol dans les années 1960 et 1970. La publicité s'y avère une source de revenus essentielle, car tout média écrit est sensible aux frais d'impression (tels que l'achat du papier) et aux dépenses liées à la distribution (promotion des abonnements, ventes en kiosque), qui constituent une part élevée des coûts.

Au total, toutefois, les grands magazines — si bien faits qu'il soient — n'accaparent plus qu'environ 6 % de l'investissement publicitaire des entreprises, très loin derrière la télévision et les quotidiens (la publicité nationale y comptant pour la très grande majorité des revenus). Pourrait-on faire mieux ? Et comment ?

Pour une performance accrue de la publicité dans les magazines

Le repas s'achève. Mon vis-à-vis semble vouloir se livrer un peu plus. Il me dit travailler pour une agence qui, prétend-il, s'occupe mieux de ses stagiaires que la mienne. *« Vous a-t-on seulement indiqué comment on dialogue avec une maison d'édition ? »* Commence alors un autre exposé, cette fois-ci sur les rapports qu'entretiennent le représentant des ventes d'un groupe de magazines et les directeurs de compte de son agence. Cette présentation est si bien structurée que j'en viens à m'interroger, à mon tour, sur les compétences de l'agence qui m'a accueillie comme stagiaire.

« Voici les conseils que nous donnons à nos directeurs de compte. »

1) Sachez distinguer efficacité qualitative et efficacité quantitative, autrement dit, prenez toujours en considération les affinités de lecture du groupe cible.

2) Au moment d'analyser le coût d'une annonce, considérez aussi l'aptitude qu'a un magazine de couvrir l'ensemble du marché que vous visez.

3) Prenez le temps de comparer, pour un même coût, la valeur ajoutée de divers positionnements : page couverture intérieure par opposition à double page ou encore page complète de la seconde section par rapport à deux tiers de page de la première.

4) Considérez les rabais qu'un groupe peut consentir si vous acceptez d'annoncer dans plusieurs de ses magazines.

« Voici maintenant ce que nous disons aux représentants des ventes des magazines. »

1) Pour éviter la dispersion et créer des liens fiables, voyez à ce qu'un petit nombre seulement de représentants soient affectés à une même agence.

2) Assurez-vous qu'ils connaissent leurs dossiers en profondeur.

3) Informez-vous des exigences incontournables qu'ont certains annonceurs à l'endroit des agences et aux répercussions qu'elles auront sur vos propres engagements.

4) Envoyez des bulletins d'information sur les réussites de votre groupe et sur les titres les plus performants.

5) Ajustez constamment votre tarification à la logique du marché.

6) Soyez attentifs à la qualité de reproduction des publicités.

Là-dessus, il enchaîne : *« Vous a-t-on seulement montré les résultats d'études réalisées sur les multiples façons de rendre une annonce visuellement plus percutante ? »*, ajoutant, avec ce qui m'apparaît comme du mépris : *« Mais dans quelle agence êtes-vous donc tombée ? »*

Il se penche vers moi : *« Si je peux vous refiler un secret, la nôtre a adopté une expression qui résume bien notre philosophie : "Suivre la cible." La cible, c'est-à-dire le consommateur visé, se déplace constamment. Il ne faut jamais la laisser disparaître de notre vue. »*

4. LE MAGAZINE ET SES LECTEURS

Mon interlocuteur a tenu à régler l'addition. J'ai tenu à rentrer chez moi en taxi. Nous avons quand même promis de nous revoir. J'ai eu un peu de peine à m'endormir.

L'activité du lendemain, quoique utile, contrastait trop avec la précédente pour qu'elle me parût agréable. C'est que le représentant des ventes d'un groupe de magazines, avec qui j'avais pris rendez-vous — comme je l'avais fait précédemment dans le cas des journaux, de la radio et de la télévision — supportait mal la comparaison avec le jeune homme de la veille. Ses phrases, qu'il commençait invariablement par « *Regardez !* », alors qu'il n'y avait rien à voir, étaient bourrées de tous les tics du langage administratif : « *Faut s'asseoir* », « *En tant que tel* », « *Versus* ».

Le tirage et le lectorat

« *Regardez ! Il ne faut pas confondre le tirage des magazines et leur lectorat.* » J'ai beau lui faire observer que je connais bien cette distinction, il continue comme un robot : « *Le tirage est le nombre d'exemplaires effectivement vendus ou distribués... versus... le lectorat (ou portée), qui définit le nombre de personnes du groupe cible effectivement exposées au magazine.* »

Comme pour les journaux, le tirage des magazines est vérifié à la sortie des presses et au service des abonnements par une agence indépendante. Quant au lectorat, on l'établit par sondages rotatifs. Ces sondages s'étirent généralement sur une période d'un ou deux ans. Chaque sondage étant mené au moyen d'entrevues réalisées auprès d'un échantillon de personnes différentes, le résultat permet, par extrapolation, de conclure à un nombre moyen de lecteurs. « *Le Québec... en tant que tel... ne compte aucun magazine dont le tirage dépasse le demi-million. Pourtant, le lectorat des plus grands approche le million et demi... trois fois plus.* »

Pour mesurer le lectorat d'un numéro précis, le sondeur posera sa question de la manière suivante : « *Quand avez-vous lu ou feuilleté pour la dernière fois un numéro du magazine XYZ ?* » Si le répondant indique une période qui correspond à l'intervalle de parution du magazine (« *au cours du dernier mois* », pour un mensuel, « *au cours de la dernière semaine* », pour un hebdomadaire), il sera considéré comme ayant été exposé aux publicités publiées dans ce numéro. C'est la méthode dite de **lecture récente (*recent reading technique*)**.

Lecture récente (*recent reading technique*)

Méthode de sondage où la date de lecture la plus récente d'un magazine qu'indique un interviewé est comparée à la plus récente parution de ce magazine. Cette méthode permet de bien cerner les lecteurs susceptibles d'avoir vu la publicité qu'un annonceur aura insérée dans ce numéro, dans le cadre de sa campagne.

Le nombre de lecteurs par exemplaire — « *Vous connaissez le sigle LPE ?* — *Oui, je connais.* » — varie, d'un titre à l'autre, allant de un à quinze (la médiane se situe à six). Aux États-Unis, certaines publications comptent plus de 25 lecteurs par exemplaire (celles qui traitent des préparatifs d'un mariage, par exemple, ou encore de la musculation ou de la moto).

« *Mais ça ne dit pas tout. Il faut... s'asseoir... entre acheteurs et représentants. Car certains d'entre eux accordent une importance démesurée à l'opposition "lectorat... versus... tirage", délaissant malheureusement d'autres notions tout aussi importantes pour le choix du meilleur véhicule publicitaire.* » Que cette journée me paraît longue !

Le comportement des lecteurs

« *Le tirage et le lectorat constituent, sans doute, les deux éléments majeurs à considérer pour qui pense annoncer dans un magazine. Il faut toutefois compléter cette information d'ordre quantitatif par une autre, à teneur qualitative : de quelle façon les lecteurs consomment-ils leur publication ?* » Selon les magazines, le temps consacré à la lecture variera d'une vingtaine de minutes (c'est le cas pour les horaires télé) à plus d'une heure vingt (*Sélection du Reader's Digest*). Comme on peut dresser un parallèle entre un temps de lecture élevé et une plus grande exposition aux annonces, il est important de mesurer cette dimension.

Par ailleurs, le nombre d'occasions de lecture d'un même numéro peut aller jusqu'à sept ; c'est le cas, notamment, des horaires télé, consultés quotidiennement. « *La " chance " que le consommateur y voie votre annonce sera multipliée d'autant.* » Je corrige : « *À la condition de placer sept petites publicités, une pour chaque jour de la semaine.* »

Le représentant des ventes prend acte de ma précision par un léger mouvement des paupières, mais se garde bien de reconnaître que j'ai déjà acquis une certaine compétence en placement média. Il poursuit : « *Les niveaux les plus faibles d'occasions de lecture vont aux publications des transports publics (train, avion).* » Mais, avant que j'aie eu l'occasion de le corriger, ici encore, il ajoute : « *Toutefois, le lecteur étant captif, sa qualité élevée d'attention justifie que les annonceurs y placent de la publicité.* »

Lors des entrevues, les sondeurs s'enquièrent aussi de l'assiduité des lecteurs à l'endroit de la revue analysée, livraison après livraison. D'un magazine à l'autre, cette donnée varie entre 6 et 50 %. « *Regardez... Prenez le cas particulier de l'horaire télé* Voilà. *Du fait qu'il est inséré gratuitement dans les quotidiens de* Gesca, *le lecteur n'a pas à faire de démarche pour se le procurer. Conséquence : le lectorat de ce magazine est inférieur à son tirage : 552 000... versus... 559 000. En revanche, près de la moitié de ses lecteurs y est assidue chaque semaine ; ce qui assure aux messages publicitaires une fréquence moyenne de lecture considérable. C'est dire avec quelle minutie il faut lire les résultats de sondage.* »

Les études mesurent également l'appréciation du contenu rédactionnel par les lecteurs. Présentée sous forme de cote où le public a noté, de 1 à 10, le contenu des magazines (10 étant la note d'excellence), cette donnée permet aux éditeurs de démontrer aux annonceurs l'attrait de leur publication. Car un contenu apprécié témoigne de la crédibilité et du prestige du magazine, ce qui est de première importance en publicité. À cet égard, le résultat des analyses révèle que les scores les plus élevés vont, à tout coup, aux titres dont le contenu est hautement spécialisé.

« *Vous aimeriez sans doute savoir où j'ai pris ces renseignements ?* » Plusieurs organismes et entreprises recueillent et publient des données relatives aux tarifs, au tirage et aux habitudes de lecture des magazines. Mon interlocuteur m'indique alors quatre sources de référence que je connais déjà : *ABC, CCAB, PMB* et *CARD*. Il en ajoute deux autres : **Starch** et **SRDS**, nouvelles pour moi.

Starch Research Services Limited

Starch se spécialise dans les mesures d'efficacité de l'emplacement des publicités : pleine page ou demi-page, page de droite ou page de gauche. Il établit également, de façon statistique, le nombre de personnes exposées aux divers types d'annonces. Certains magazines font faire des études *Starch* pour des numéros précis à l'intention d'annonceurs qui exigent ces renseignements avant de signer un contrat de publicité.

***SRDS* (Standard Rates Data Services)**

Équivalent de *CARD* pour les États-Unis, *SRDS* publie des recueils sur différents types de publications (magazines pour consommateurs, revues médicales, revues pour autres industries et professions, etc.). Ces recueils portent sur plusieurs milliers de publications dont ils fournissent les renseignements de base (tirage, diffusion géographique, tarifs, etc.).

Les formats d'annonces

« *La flexibilité des configurations possibles dans les formats d'annonces constitue l'une des grandes forces des magazines... versus... les autres médias. Toute forme de créativité peut s'exprimer.* » Toutefois, l'une des règles de base pour l'efficacité d'une publicité dans un magazine consiste à situer l'annonce dans un environnement rédactionnel... « *Sauf, est-il nécessaire de le préciser, pour la double page.* » Est-ce vraiment nécessaire, en effet ?

Même s'il y a toujours place pour l'invention, quelques types de format sont dominants.

Pleine page : ce format est le plus populaire du fait qu'il est souvent situé à côté d'un article. L'utilisation de la page à franc bord, ou **à marge perdue** (angl. : ***bleed***), où l'annonce est imprimée jusqu'au bord de la page, en augmente considérablement l'impact. On peut créer un effet spectaculaire en utilisant deux ou trois pleines pages consécutives en position de droite.

Double page : couvrant complètement deux pages, cet arrangement ne passera jamais inaperçu. On y a recours surtout pour annoncer de façon marquante un nouveau produit ou concept. Format voisin, le « deux fois trois quarts de page » laisse place à quelques paragraphes de contenu rédactionnel, ce qui augmente l'exposition du message publicitaire tout en réduisant le coût.

Demi-page horizontale : ce format attire inévitablement le regard, puisqu'il suit le fil de lecture du contenu rédactionnel. Il se prête bien aux produits de luxe.

Tiers de page : on utilisera cette taille (à la verticale) pour faire le rappel de produits connus. Il peut s'agir d'une colonne isolée ou de deux encadrant le texte.

Îlot : pratique pour un bref rappel. Dans le format libre, dit flexiforme (on pourrait parler d'îlot grand format), le contenu rédactionnel est repoussé par l'annonce en deçà de ses marges habituelles.

Le magazine se prête bien, par ailleurs, à des présentations publicitaires originales.

Encart : feuillet publicitaire en carton ou en papier rigide inséré ou agrafé (les encarts agrafés sont plus coûteux, mais offrent un meilleur rendement) à l'intérieur du magazine. Cette forme de publicité commande une tarification particulière. Les normes d'encartage varient avec les magazines. Un encart comportant une carte-réponse sera généralement codé, de manière à ce que l'annonceur puisse savoir dans quel magazine son message se sera avéré le plus efficace.

Encart à volets : très remarqué des lecteurs, ce procédé publicitaire où des pages du magazine se déplient jusqu'à se dédoubler permet de multiplier l'impact du message et des illustrations. On y a souvent recours pour les pages couvertures.

Publireportage : publicité présentée sous forme rédactionnelle (page partielle ou complète, parfois même plusieurs pages consécutives ou cahier encarté au centre du magazine).

Ensachage : l'insertion du magazine dans un sac transparent et scellé permet d'ajouter des échantillons, des dépliants ou de menus cadeaux.

J'ai oublié les tics de mon interlocuteur pour ne retenir que les précieux renseignements qu'il m'a fournis sur les magazines. Reste à décider si ce véhicule conviendrait bien à la campagne de *À votre bonne santé*.

5. TIRER LE MEILLEUR PARTI POSSIBLE DES MAGAZINES

J'ai parlé à ma cousine du jeune homme que j'avais rencontré au début de la semaine et de l'émoi que j'avais ressenti. Sa réplique ne manquait pas de sarcasme : « *Ça, c'est bien toi... Toujours en train de t'embarquer dans des affaires.* » Reste que j'avais hâte qu'il me rappelle. Ce qui ne tarda pas : deux jours plus tard, nous nous retrouvions autour d'une table. Il me fit longuement parler du projet de plan média que je prépare pour *Québec 805669*. « *Avez-vous trouvé un slogan pour votre campagne ?* » Je lui dis que nous envisagions celui-ci : « *Mangez bien. Vivez mieux. — Quoi ? Vous n'êtes pas sérieuse ! Vous ne vous rendez donc pas compte que les humoristes vont s'en emparer pour le déformer : "Mangez rien. Vivez vieux."* Non, mais vraiment, êtes-vous sûre de travailler pour une agence expérimentée ? »

Tout le mal qu'on dit des magazines

Considérant mon regard inquiet, il ne s'engagea pas plus loin sur cette voie, mais revint plutôt aux magazines. « *Comme notre époque n'en a que pour le numérique, les magazines n'ont pas la cote. On leur reproche donc beaucoup de choses.* » Par exemple, leur caractère éphémère. Assurément, le lancement d'un magazine exige moins d'investissement que celui d'un journal ou d'un réseau d'affichage. Nombre de petits entrepreneurs espèrent donc réaliser le rêve de leur vie en lançant « leur » magazine. Il est inévitable que plusieurs échouent. On constate donc un roulement permanent de titres qui naissent et meurent.

C'est pourquoi plusieurs planificateurs médias et annonceurs préconisent d'attendre qu'une nouvelle publication ait vécu au moins un an avant d'y insérer une annonce, ce qui ne facilite pas les choses au nouvel éditeur. Si, toutefois, le magazine naissant appartient à un conglomérat solide, « *vous pouvez être assurée qu'on a fait de sérieuses études de marché avant de faire rouler les presses* ».

Les promoteurs des médias concurrents prétendent aussi que les lecteurs primaires (ceux qui achètent la publication) sont plus intéressants pour un annonceur que les lecteurs secondaires (leurs parents, amis et autres utilisateurs), dont la proportion est particulièrement élevée dans la consommation des magazines. « *Mais je ne vois pas sur quoi ils se basent pour avancer pareille affirmation. Il y a plusieurs années que les firmes ne sondage ont laissé tomber l'analyse comparée des deux catégories.* » Aujourd'hui, on ne distingue plus que deux éléments, le tirage et le lectorat, toute autre subtilité s'étant révélée ambiguë à interpréter.

« *Ces premiers arguments démolis, on se rabattra alors sur le fait que le média magazine, c'est surtout pour les femmes. Pour elles, peut-être, mais pas si exclusivement qu'on le prétend.* » Il est vrai qu'au Québec, on ne compte pas de magazines dits masculins, alors qu'il en existe dix-huit qui s'adressent aux femmes. Mais cette information ne dit pas tout : d'une part, bien des publications visent un public non défini par le sexe ; d'autre part, beaucoup d'hommes parcourent aussi les magazines où le lectorat est prioritairement féminin.

Rapport hommes-femmes dans le lectorat de quelques magazines		
	Hommes	*Femmes*
Coup de pouce	28 %	72 %
Châtelaine	29 %	71 %
7 jours	40 %	60 %
Sélection du Reader's Digest	42 %	58 %
L'Actualité	51 %	49 %
Touring	52 %	48 %

Il semble que les hommes et les femmes entretiennent des relations différentes avec leurs magazines. Les premiers associeraient cette lecture à leurs occupations et à la nécessité de se tenir informés. Quant aux femmes, elles liraient plutôt pour se détendre. Chaque publicité peut donc se dénicher une tribune d'où elle saura se mettre en évidence, tant pour les hommes que pour les femmes.

Tout le bien qu'on devrait en dire

Le jeune homme poursuit. Sa connaissance des magazines m'impressionne, et je ne manque pas de le lui faire observer. « *Comme je vous l'ai déjà dit, ma spécialité, en placement média, c'est le magazine. Mais je connais également des médias concurrents dont on vous aura sans doute déjà parlé. À propos, si on vous a abandonnée à vous-même pour l'exploration de ces médias-là autant que pour celui-ci, vous n'aurez pas fait un stage très enrichissant.* »

Revenant aux magazines, il énumère maintenant toutes les raisons d'y annoncer. D'abord, un vaste choix de titres : on trouve un magazine pour presque chaque centre d'intérêt, ce qui minimise les pertes de lectorat pour l'annonceur. Ensuite, une clientèle de choix : les magazines permettent d'atteindre des consommateurs hautement scolarisés, jouissant de revenus supérieurs et facilement portés vers la consommation, qu'on aurait plus de mal à atteindre autrement à bon compte.

Le lecteur primaire d'un magazine a choisi de débourser une somme plus importante que pour les autres médias afin de se procurer son magazine. Il risque donc d'y accorder une attention plus soutenue, surtout qu'il décide lui-même du moment le plus favorable pour le parcourir. « *Pensez aussi à ce que représente le nombre élevé de lecteurs secondaires, non seulement dans la famille ou parmi les amis, mais aussi dans les salles d'attente où le public est d'autant plus influençable qu'il est dans un état d'ennui ou d'angoisse.* »

Ce garçon est-il particulièrement convaincant ou est-ce moi qui sens s'écrouler les dernières préventions que je pouvais avoir à son endroit ? Il parle maintenant de l'avantage que représente, pour les magazines, le fait de ne paraître qu'à des intervalles quelque peu éloignés. Ils acquièrent ainsi une durée de vie autrement plus longue que celle des journaux ou des messages télévisés. Par ailleurs, les gens accumulent souvent les numéros de leur publication favorite pour les relire ou pour s'en servir comme source de référence. Ce qui ajoute encore à la longévité des messages publicitaires, « *d'autant qu'il y a place pour une information détaillée qu'on aimera conserver* ».

Sur un autre plan, le magazine se présente comme un média de prestige, du fait de la grande qualité de son graphisme et de ses illustrations. C'est pourquoi on l'utilisera fréquemment pour bâtir ou pour rehausser l'image d'une marque. Le cas de la vodka *Absolut* est exemplaire à cet égard. Sa stratégie publicitaire, conçue pour donner une personnalité à un produit de consommation *a priori* peu distinctif, a choisi le magazine comme véhicule principal. « *Combinée — il va sans dire — à d'autres instruments de marketing hautement ciblés* », cette publicité aura contribué à hausser les ventes de 14 900 % — « *oui, oui, quatorze mille neuf cents pour cent* » — en une quinzaine d'années (de 1981 à 1995).

« *Si vous recherchez une grande flexibilité quant à la dimension ou à la forme de l'annonce, souvenez-vous de la maison* Chanel, *qui, pour mettre en évidence un concept d'Andy Warhol intitulé " Célébration du N° 5 ", a trans-*

formé la couverture de quelques magazines en " portes françaises " s'ouvrant sur le produit. » Je m'empresse de lui donner raison en rappelant, à mon tour, les multiples effets spéciaux que seuls les magazines permettent, comme une annonce parfumée ou l'application d'une parcelle d'un produit sur l'annonce elle-même.

Mon interlocuteur cherche-t-il à me convaincre du rendement publicitaire des magazines ou, plutôt, de sa compétence en la matière ? Il ajoute d'autres commentaires. Les magazines prennent physiquement peu de place, de sorte qu'ils se prêtent bien au transport d'un lieu à l'autre et à la consommation personnelle. En outre, la compatibilité entre le thème rédactionnel et le produit qu'on veut annoncer est aussi, pour la plupart d'entre eux, un atout non négligeable. Ce à quoi s'ajoutent des tarifs publicitaires généralement peu complexes et un service bien organisé de vente de la publicité.

Il est temps de l'interrompre : « *Si les magazines sont si efficaces, pourquoi, alors, ne retiennent-ils qu'une si petite part de la tarte publicitaire ?* »

Les magazines en perte de vitesse ?

Mon vis-à-vis ne se laisse pas ébranler : « *Les magazines ont beaucoup de qualités, mais j'accepte de reconnaître qu'ils ne sont pas sans faiblesses. Au siècle de la vitesse, leur pire ennemi est la lenteur.* » Pour bon nombre de magazines, la date de tombée de la publicité est établie à huit semaines. Un tel décalage ne permet pas aux annonceurs de réagir rapidement aux changements brusques qui surviennent souvent dans le marché. Même si la concurrence des autres médias pousse les magazines vers une réduction de ce délai, à la limite de ce que l'impression rend possible, pour certains types de produits émergents — comme les nouveaux modèles d'appareils électroniques —, ce n'est pas encore assez.

Les autres infériorités du magazine proviennent : (1) d'un niveau de fréquence peu élevé ; (2) d'une portée limitée et plus lente à accumuler ; (3) de l'encombrement publicitaire dont souffrent les plus importants ; (4) de l'absence de segmentation régionale ; et (5) du coût élevé de production. « *Oui, le magazine est un média à ne pas négliger. Je suis là pour le dire, puisque je représente ce secteur publicitaire dans notre agence. Mais je suis bien disposé à considérer les deux côtés de la médaille et à accepter le fait que ce véhicule a pris de l'âge. »*

Le garçon a terminé son exposé. Un moment de silence s'infiltre entre nous. Rapprochant son visage du mien, il me glisse à voix basse : « *Pourquoi ne pas venir travailler chez nous ? Côté compétence, je crois que votre agence ne fait pas le poids. Et puis, nous nous verrions plus souvent.* »

Mais qu'adviendra-t-il du dossier *À votre bonne santé* auquel j'ai consacré tant d'énergie ?

« *Lisez le contrat. Vous y verrez que, tant que votre agence n'a pas soumis un plan média, l'annonceur est toujours libre de changer de fournisseur de service sur rétribution convenable des travaux de recherche déjà exécutés. Telle que je vous connais, vous n'aurez pas de peine à convaincre le président de* Québec 805669 *de vous suivre chez nous.* »

Je ne sais trop pourquoi, j'éprouve, au sortir de cette rencontre, une « appréhension de culpabilité ». C'est un état d'âme que je n'aime pas du tout. Sans doute ne suis-je pas liée à la présente agence ; je ne suis qu'une stagiaire sans garantie d'emploi. En outre, la perspective de travailler quotidiennement si près de ce garçon n'est pas sans me sourire. Pourtant, je me sens un devoir de fidélité, au moins jusqu'à la fin de mon stage, à l'endroit de l'entreprise qui a assuré ma formation jusqu'à maintenant.

J'ai besoin de faire part à quelqu'un de mes deux conversations avec le jeune homme. Mais ni mon responsable de stage ni ma planificatrice média ne sont disponibles. Il me reste le directeur des achats section imprimés, qui assure l'intérim de ma supervision. Je ne suis pas très intime avec lui, mais c'est le plus vieil employé de l'agence. Il a sûrement connu des situations plus intrigantes. Évidemment, je ne lui dirai que le minimum et, surtout, ne mentionnerai pas l'offre qui m'a été faite de changer d'agence.

Sa réaction me laisse dévastée : « *Ma fille, on voit bien que tu n'as pas d'expérience. L'intérêt que ce garçon t'a manifesté, on n'appelle pas ça du flirt, mais une tentative de débauchage. Quelqu'un d'autre l'a envoyé en mission commandée.* »

11ᵉ SEMAINE DE STAGE

La publicité sur les lieux d'affluence

« La directrice générale vous attend. » C'est par ces mots que je suis accueillie à l'agence après une fin de semaine d'angoisse. Je ne me pardonne pas d'avoir été si bête : me faire prendre comme une gamine au piège le plus classique de tentative de débauchage. Je ne m'attends à aucune commisération pour m'être laissé ainsi berner. *« Vous vous rendez compte ? Votre naïveté risque de nous faire perdre un contrat d'un million et demi de dollars. Vous passez désormais sous mon autorité immédiate. »*

1. L'ESPACE PUBLIC

La directrice générale me donne aussitôt congé, avec mandat de lui faire rapport de mon travail, chaque soir. Je sors et longe le bureau clos de mon responsable de stage accaparé par son colloque, puis celui, également fermé, de la planificatrice dont je suis toujours sans nouvelles. Je me sens bien seule pour affronter le dernier groupe de médias dont je dois faire l'analyse, soit les diverses formes de publicité sur les lieux d'affluence.

De la sphère privée...

Par où commencer ? Qu'est-ce qui distingue ces véhicules publicitaires des précédents ? Après une bonne heure à me morfondre, le désespoir poussant l'intelligence dans ses derniers retranchements, peut-être ai-je trouvé une piste. Suivons-la pour voir où elle nous mènera. Tous les médias que j'ai étudiés jusqu'à maintenant, hormis les tout premiers — ceux à proximité du point de vente —, atteignent le consommateur dans la sphère de sa vie privée. Ceux que je considérerai cette semaine exercent leur influence dans le cadre d'un milieu dit « public », qui n'appartient à personne et appartient à tous...

Qu'il s'agisse du journal ou du magazine, de la radio ou de la télévision, des *Pages Jaunes*, de *Publi-Sac* ou d'Internet, c'est toujours dans le calme de mon foyer que j'ai accès à ces médias. En conséquence, la publicité qu'on y présente est conçue de manière à capter l'attention d'une personne qui a tout le temps voulu pour la regarder, l'écouter, la comparer, l'accepter ou la rejeter, mais qui peut aussi refuser simplement de la recevoir. Car si les annonces interviennent au beau milieu d'une émission captivante, je peux les contourner par du *zapping*, *zipping* ou *muting*. Envahiront-elles un article de magazine ? J'ai le pouvoir de tourner la page. Il faut donc qu'elles se fassent suffisamment chatoyantes pour que je les laisse entrer dans ma tête. Même le marketing direct ne peut forcer ma porte, puisque, comme le dit le Code civil : « *Le domicile est inviolable.* »

... au domaine public

Dans la sphère publique, je n'ai plus cette intimité. Je suis une personne parmi des milliers d'autres qui se partagent un territoire à propriété commune. J'y bute sans cesse sur des gens qui ont les mêmes droits que moi et qui, de ce fait, peuvent me bousculer dans une porte tournante, me cacher la vue au cinéma ou occuper ce banc de parc où j'aurais bien aimé m'asseoir. Même dans ma voiture, sorte de domicile ambulant, je dois sans cesse me mesurer aux autres automobilistes, aux piétons et à tous les autres éléments de la sphère publique, qui m'apparaissent comme autant d'obstacles à ma liberté.

Dans un pareil contexte, la publicité doit se présenter sous d'autres couleurs. Il ne lui est pas facile de viser un public particulier, car la rue est démocratique... tout le monde y passe. Il ne lui est pas possible de s'attarder à une description circonstanciée, car la rue est pressée... on y passe souvent très vite. Et puisque tout le monde y passe, pourquoi la publicité n'y circulerait-elle pas, elle aussi, en s'affichant sur les autobus, les camions et les véhicules transformés en panneaux publicitaires ? Et puisque la sphère publique, ce n'est pas seulement la rue, pourquoi n'imposerait-elle pas ses messages à tout endroit où les gens se côtoient dans l'anonymat : gare, aéroport, cinéma, salle de spectacle, carrefour multifonctionnel, centre de congrès et, même, hôpital ou université ? Voilà de quoi occuper ma semaine.

L'homme-sandwich et le crieur

Je cherche un ancêtre commun aux diverses formes contemporaines de publicité qui tapissent les lieux d'affluence. Ce que je trouve de mieux, ce qui résume le plus fondamentalement, à mon avis, la sollicitation dans un endroit public, c'est l'homme-sandwich. Ce concept, longtemps associé aux métiers de misère, a bien évolué depuis l'époque où, pour un salaire ridicule, un individu s'abaissait à faire les cent pas, des heures durant, entre deux panneaux qui affichaient les bas prix d'un restaurant populaire.

Je suis tombée, il y a quelque temps, sur trois de ces itinérants publicitaires groupés en joyeux lurons. Chacun d'eux portait un harnais auquel était attaché un ordinateur suspendu au-dessus de la tête, dont l'écran affichait les nouveaux produits d'un magasin d'équipement électronique. Voilà comment on renouvelle un concept vieillot.

L'homme-sandwich résume bien la publicité sur les lieux d'affluence. D'abord, le territoire qu'il parcourt lui appartient autant qu'à quiconque ; il s'agit bien d'un lieu « public ». Ensuite, il dissimule tout ce qui risquerait de lui donner une personnalité particulière ; anonyme, il se fond dans la foule sans visage. Enfin, il transmet un message minimaliste, ne laissant sur son passage qu'une trace parmi tant d'autres, toute menue, mais néanmoins durable, parce que subliminale. Il appartient au rêve, à l'enfance, au jeu. Il se glisse dans les rigueurs de l'agitation urbaine comme un moment de fête. C'est pourquoi on le voit souvent tenant des ballons ou déguisé en clown. C'est un comédien, un musicien, un mime : comment résister au message publicitaire qu'il propose, surtout s'il se fait accompagner de lutins qui distribuent des échantillons ?

L'homme-sandwich a son pendant sonore : le crieur. Dans les films d'époque, on l'entend, une pile de journaux sous le bras, lancer de sa voix la plus forte : « *Extra ! Extra !* » ou, grimpé sur un banc, inciter les passants à profiter des rabais d'une boutique minable : « *Les prix les plus bas en ville !* » C'était l'époque où une bonne part du commerce se déroulait sur le trottoir : du cireur de chaussures au vendeur de cravates, du marchand de hot-dogs à l'écrivain public ; une époque où il fallait hurler pour se faire entendre. De sorte que, pour couvrir les bruits de la rue, le crieur a dû se doter, tour à tour, d'un porte-voix, puis d'un amplificateur, puis d'un double haut-parleur au timbre de faïence qu'il installa sur sa voiture pour annoncer la tombola du samedi soir en roulant à basse vitesse.

La publicité d'aujourd'hui, celle qui s'éclaire au néon ou s'insinue dans mes oreilles pendant que je fais mes emplettes, celle qui exhale de douces odeurs à la porte d'une pâtisserie ou parcourt le ciel, tirée par un avion, je dois toujours me souvenir qu'elle est fille de l'homme-sandwich, qu'elle redit autrement les mots du crieur. Son objectif demeure le même : remplir l'espace public d'images et de sons que les passants trouveront assez agréables pour être incités à donner suite au message qu'elle diffuse.

La publicité sur les lieux d'affluence doit toujours se souvenir de ses origines. Être tendre comme un homme-sandwich, être concis comme un crieur, telles sont les deux clés du pouvoir séducteur des messages de la rue. Voilà ce que je rapporterai à la directrice générale, à la fin de cette première journée.

Ce qu'on entend par « affluence »

Mais la journée n'est toujours pas terminée. Je dois encore réfléchir à la notion même d'affluence. Car, pour un publicitaire, il est aussi essentiel de distinguer les diverses raisons qu'ont les gens de circuler sur la voie publique que de savoir pourquoi ils regardent la télévision ou lisent le journal. Ces conditions affecteront l'efficacité du message, comme pour n'importe quel autre média.

La rue, lieu d'affluence s'il en est, sera parfois subie, parfois choisie. Puisque, pour aller d'un point à un autre, il faut nécessairement parcourir des rues, la plupart des gens opteront pour la voie la plus courte ou la moins empruntée, celle qui leur permettra d'arriver le plus tôt possible à destination. En revanche, le besoin si humain de communiquer ou le simple instinct grégaire en incitera d'autres à se promener à travers les rues, simplement pour y croiser leurs semblables. L'animation, la vie, quoi ! Tromper la solitude.

Pour le publicitaire, ces deux dispositions antithétiques sont importantes à considérer. Non seulement pour ce qui est de la rue, au sens strict, mais aussi pour tous les lieux publics qui servent de points de passage. Afficher à un endroit où les gens circulent le plus vite possible peut paraître bien inutile, alors que le faire là où les gens s'attardent multiplie les occasions d'exposition au message. Pourtant, dans l'un et l'autre cas, ce qui compte d'abord, c'est le nombre (de passants). Et encore plus que le nombre, la répétition (des passages). La répétition... et la durée de l'exposition.

Pour le travailleur qui emprunte chaque matin et chaque soir les mêmes rues sans âme, une affiche peut finir par imprimer sa marque du seul fait qu'il la revoit, jour après jour. Afficher dans un lieu proche de la laideur absolue — comme l'échangeur Turcot au crépuscule, me dis-je —, mais où l'automobiliste, immobilisé dans un bouchon, a tout le temps voulu pour s'attarder à la seule chose attrayante qui s'offre à son regard, le panneau lumineux, voilà une façon de consolider un impact publicitaire positif.

Publicité et urbanisme

À l'autre extrême, l'affichage dans un lieu de rassemblement populaire ne garantit pas automatiquement un succès publicitaire. Le message, ainsi que l'endroit précis où on l'affiche, ne doivent pas projeter une image contraire à l'état d'esprit qu'ont les gens qui se rendent à ce point achalandé. Ils sont là pour se détendre : le message doit donc être euphorisant. Ils sont là pour partager du « beau » : le panneau d'affichage doit donc se marier à l'architecture des lieux. Je pense ici, en particulier, à cet ensemble constitué par la Place des Arts et le Complexe Desjardins, groupe architectural harmonieux s'il en est, à la personnalité bien affirmée, et qui, pour cette raison, attire une foule de badauds dès que le soleil paraît. Le choix des enseignes des commerces dans les rues est critique : elles doivent ajouter au charme des lieux, non le heurter.

Les urbanistes font décréter des règlements sur l'affichage afin de maintenir le climat propre à chaque quartier, ce qui lui donne sa personnalité : on n'affiche pas dans le Vieux-Québec comme sur le *Strip* de Las Vegas. Je n'arrive pourtant pas à comprendre pourquoi on a besoin de règlements, tant il me paraît évident que la publicité doit se fondre dans le milieu, non l'éclabousser. Respecter le type d'affluence propre à chaque catégorie de lieux publics, telle sera donc ma conclusion de cette première journée de la semaine.

Quand je lui ferai mon rapport, ce soir, je suis sûre que la directrice générale appréciera que, même si je me prépare à une carrière de publicitaire, je sois capable de garder une certaine distance face à ce métier. Je pense que, si je suis quelque peu critique à l'endroit d'annonces trop criardes ou de mauvais goût, je contribuerai plus à la promotion de la publicité que si j'essayais d'infliger des messages à des gens qui ne sont pas disposés à les accueillir. « *La publicité ne doit pas s'imposer, mais se faire inviter* », m'a-t-on si souvent redit.

Je trouve pourtant la directrice générale dans des dispositions bien différentes. « *À qui d'autre avez-vous parlé du projet* À votre bonne santé ? » À personne, à l'extérieur de l'agence, sauf... peut-être... à ma cousine. « *Eh bien, vous demanderez à votre cousine de bien vouloir recevoir ce monsieur-là.* » Elle désigne un petit homme chauve. « *Nous lui avons demandé de faire une enquête interne. Je n'aurai l'esprit libre que lorsque nous saurons qui avait suffisamment perçu votre naïveté* — elle mord dans le mot « naïveté » — *pour deviner qu'un séduisant dragueur pourrait vous soutirer sans peine les vers du nez.* » Je vais me faire discrète, très discrète dans les prochains jours.

2. L'AFFICHAGE VISUEL ET SONORE

À notre agence, la location de panneaux d'affichage est confiée à une personne qui a pour titre « directrice de la créativité ». J'adore pareille nomenclature. Les autres directeurs des achats ont leur titre accolé à un média précis : radio, télévision, Internet, imprimés. Ici, on a plutôt fait appel à un concept, celui du changement vers la nouveauté. La directrice de la créativité est elle-même très fière de cette formulation entreprenante. « *Sans doute faut-il savoir être créatif dans tous les médias, mais l'idée d'un poste qui a comme mission première de promouvoir la créativité tous azimuts, voilà qui exprime bien le dynamisme de notre agence.* » Il a été tout aussi audacieux de placer l'affichage public dans cette division-là. En quoi cette forme de publicité vieille comme le monde mérite-t-elle d'être abordée prioritairement sous l'angle de la créativité ? « *C'est justement parce que ce média est très ancien qu'il a besoin, plus que tout autre, de se renouveler.* »

La loi, le peuple et l'encombrement

La directrice de la créativité a des idées plein la tête. Et une voix colorée. Comme elle a l'habitude de laisser la porte de son bureau ouverte, tous les employés qui n'ont hérité que de demi-cloisons sont soumis, bon gré, mal gré, au débit de ses propos inventifs. Sans l'avoir réellement voulu, ils baignent donc, toute la journée, dans la créativité. C'est peut-être un truc de la direction pour garder alerte l'esprit de la maison.

La directrice me fait asseoir et commence aussitôt : « *Nommez-moi quelques modèles d'affichage public.* » Prise de court, j'essaie de me rappeler ceux que j'aperçois en venant travailler et réponds, hésitante : « *Les panneaux-affiches. — C'est tout ?* » Alors, des bureaux voisins, fusent des réponses qu'on se relance d'un pupitre à l'autre par-dessus les séparateurs, comme un ballon de basket : « *Les panneaux surdimensionnés. — Les panneaux lumineux. — Les affiches sur les abribus... — ... sur les camions... — ... sur les supports à vélo... — ... dans les centres commerciaux... — ... dans les autobus... — ... dans les ascenseurs... — ... dans les toilettes. — Les collants sur les fenêtres... — ... sur les escaliers roulants.. — ... sur les œufs !* » C'est l'éclat de rire général. Quand le tumulte s'est arrêté, la directrice n'a qu'à conclure : « *Vous voyez que ce n'est pas la créativité qui manque chez nous.* »

Je réagis avec mon sens critique habituel : « *Êtes-vous certaine qu'il n'y aurait pas un peu trop d'affichage public ?* » Elle a déjà entendu plus d'une fois ce genre de propos. Pour elle, il n'existe pas de règle esthétique objective en cette matière. Personne, sauf les autorités compétentes — et seulement pour des motifs sérieux —, n'a d'autorité sur l'espace public : ce qui n'est pas interdit est permis. Le peuple est le juge final du bon et du mauvais goût, de ce qui convient et de ce qui ne convient pas. C'est lui qui trouverait incongru qu'on affiche dans certains lieux publics (Palais de Justice, musée) ou privés (église, hall de condominium), mais qui ne se formalise plus qu'on le fasse dans les pavillons universitaires. Et c'est encore le consommateur qui, par des pétitions, force à régler le flux de la publicité, signalant qu'il y a trop d'annonces à certains endroits ou qu'elles sont agressantes pour l'œil ou l'oreille.

Toutefois, pour un meilleur régulateur de la publicité que la loi ou le peuple, l'industrie se fie avant tout à l'encombrement. Trop nombreuses, les annonces finissent par s'annuler. Le regard n'arrive plus à distinguer les panneaux les uns des autres. L'ouïe confond les messages qui l'assaillent dans un brouhaha vite inaudible. Quand une publicité n'a pas l'efficacité annoncée, on la retire ; personne n'est disposé à payer pour rien. « *Voyez ces multiples panneaux inutilisés le long des autoroutes. Aucun annonceur n'y trouve son intérêt. Ils restent donc sans message, certains depuis des années.* » Je glisse : « *Peut-être leur propriétaire devrait-il les démanteler, tant ils déparent le paysage. — Bonne idée, sauf qu'il risquerait de perdre un droit acquis et de se voir, plus tard, interdire d'en ériger d'autres.* »

L'industrie de l'affichage

Au Québec, il y a une quinzaine d'années, 17 entreprises recouraient à des affiches pour proposer un total de 47 produits. Aujourd'hui, ces nombres sont respectivement passés à près de 50 entreprises et à plus de 100 produits.

Ce quasi-doublement en 15 ans provient sans doute de ce que, à la différence des autres médias, dont plusieurs traversent une période de turbulence, l'affichage s'assure un auditoire relativement stable, qui, d'année en année, augmente avec la croissance de la population urbaine et de la circulation automobile. On n'a donc pas à convaincre les annonceurs de la validité de ce média, mais seulement à leur proposer la formule la plus originale, inventive, « *susceptible d'attirer le regard ou l'oreille de consommateurs quelque peu blasés par la multiplicité des annonces* ».

Tout comme on distingue, à la télévision, les chaînes généralistes et les chaînes spécialisées, le monde de l'affichage compte des joueurs différents, selon que l'affiche est placée dans une rue, à l'intérieur d'un bâtiment ou dans un véhicule public. Au Québec, *Métromédia Plus* représente la majorité des produits de publicité de transit. L'affichage intérieur est contrôlé par deux firmes, *Zoom* et *NewAd*. Quant à l'affichage extérieur, il gravite autour de trois entreprises : *CBS Affichage*, *Astral* et *Pattison*.

L'ancêtre, *CBS Affichage*, fut fondé en 1904, sous le nom d'*E. L. Ruddy Co.*, mais changea souvent de propriétaire et de nom (*Outdoor Advertising*

Sales, Claude Néon, Mediacom, Viacom) au fil de son existence. Sur le plan visuel, l'évolution de ses messages témoigne de l'accélération du rythme de vie au cours de ce siècle. Ainsi, le panneau annonçant *Murine*, en 1908, est beaucoup plus chargé d'information (quinze mots) que celui de *DKNY Jeans*, en 2004 (les seuls deux mots dont est formé le nom de la marque).

Le choix des emplacements

Même si la rue appartient à tout le monde, les entreprises d'affichage n'ont pas manqué de tracer, sur la base des indices, le profil des consommateurs les plus exposés à ce type de publicité. Les annonceurs sont ainsi en mesure de savoir si leur public cible est du nombre.

Qui est le plus exposé à l'affichage extérieur ?	
	Indice
Personnes gagnant plus de 100 000 $	138
Personnes de 25 à 34 ans	120
Personnes ayant une formation collégiale	121

Les emplacements sont loués par marché. Dans une grande ville, il arrivera qu'on subdivise le marché par zones. Tout comme, à la télévision, on annonce souvent à la fois dans des émissions phares et dans d'autres plus obscures (qui servent de caisse de résonance au message), de même une campagne d'affichage pourra avoir recours à plusieurs supports, tant intérieurs qu'extérieurs, certains plus fréquentés — et donc plus coûteux — que d'autres.

Les affiches extérieures seront choisies principalement en fonction du haut débit de circulation automobile, donc de PEB. Pour les affiches intérieures, on raffinera les critères en tenant également compte du contexte et de l'environnement des personnes qui y sont exposées. Ainsi aura-t-on vu, dans un centre commercial, un panneau annonçant *Bell Mobilité* placé juste en face d'un kiosque de *Telus*.

« *Mais il est temps que nous analysions, un par un, les divers types de panneaux parmi lesquels* À votre bonne santé *aura à choisir s'il recourt à ce média.* » De façon habituelle, on les répartit en huit catégories.

Les principales formes d'affichage

1. **Les panneaux-affiches horizontaux** (20' × 10') : environ 1 500 structures à Montréal.
   Durée minimale d'une annonce : quatre semaines. PEB calculés sur une base quotidienne.
   Emplacement : au cœur des centres d'affaires et le long des artères principales.

2. **Les panneaux-affiches verticaux** (12' × 16') : 500 structures dans les marchés du Québec. On y a recours là où la densité de la circulation est particulièrement élevée.
   Son format, proportionnel à une page de magazine, permet aux entreprises de transformer en affiche l'annonce qu'ils y ont publiée, ce qui favorise le rappel.

3. **Les superpanneaux** (14' × 48') : offerts dans les marchés de Montréal et de Québec.
   Impact visuel important ; d'où niveau de rappel deux fois plus élevé que pour les autres formats.
   Il est même possible d'y ajouter des extensions tridimensionnelles ou des animations mécaniques.
   On les munit parfois d'une horloge ou d'un thermomètre pour susciter une plus grande attention.
   Du fait de leur nombre restreint, leur portée est toutefois limitée.

4. **Les panneaux lumineux** (rétro éclairés) : de dimensions variées ; une centaine d'affiches disponibles, surtout à Montréal, Québec et Trois-Rivières.
   Haute visibilité la nuit. Impression de profondeur. Reproduction couleur de haute qualité.

5. **L'affichage au niveau de la rue** : 3 400 dans le marché de Montréal.
   Quelques modèles proposés : lumibus/abribus, médiacolonne de 12 pieds, mégacolonne de 18 pieds, support à vélo, bac à déchets.
   L'annonceur peut choisir ses emplacements.

6. **La publicité de transit** : comprend les affiches sur les murs, escaliers et escaliers roulants des gares et stations, ainsi que dans et sur les véhicules (métro et autobus).
   Rapport coût/efficacité avantageux.

7. **L'affichage en panneaux intérieurs** : salles de toilettes, milieu sportif, réseau campus.
   Lancé en 1991 par Zoom Média et repris par NewAd, ce concept vise le créneau des 18-34 ans.

8. **Les modules d'affichage des centres commerciaux :** panneaux verticaux avec affiches au recto et au verso, éclairés de l'intérieur.
Leur proximité des points de vente les destine prioritairement aux acheteurs impulsifs.

« *Il reste à savoir lequel de ces huit types d'affichage servira le mieux votre client.* » Je ne peux m'empêcher d'ajouter : « *Un seul de ces huit saura-t-il répondre à ses attentes ?* » Car je suis bien consciente que le principal problème auquel est confronté l'affichage, quel qu'en soit le type, c'est la capacité de rétention de la mémoire au moment où notre attention est déjà tellement sollicitée.

Trois types de mémoire

La directrice de la créativité a réponse à tout. « On *distingue trois types de mémoire.* » Celle qu'on définit comme « à long terme » est constituée par la consolidation d'un souvenir, grâce à la formation de liaisons permanentes entre les cellules nerveuses qui ont enregistré le message. Une seconde, appelée « à court terme », parce qu'elle ne dure que quelques minutes, constitue une sorte de bloc-notes où les souvenirs sont provisoirement conservés en attendant soit d'être écartés, parce qu'inutilement encombrants, soit d'être retenus pour le long terme.

La troisième mémoire, celle qui réagit à l'affiche, est dite « sensorielle ». Éphémère — un dixième de seconde pour la vue, quelques secondes pour le son —, elle ne renvoie à la mémoire à court terme (puis, si justifié, à celle à long terme) que les perceptions significatives, rejetant systématiquement les autres. Il suffit de conduire un véhicule pour se rendre compte du nombre de signaux que le cerveau enregistre, instant après instant, et dont il doit se débarrasser aussitôt, car d'autres se bousculent pour y entrer.

Une perception sera dite significative, donc digne de transmettre le message à un niveau supérieur de mémoire, quand, pour quelque raison, l'attention sera retenue le temps qu'il faut pour que ce stimulus provoque, dans le cerveau, un signal électrique le moindrement énergique. L'affiche n'a donc qu'un minime instant pour éveiller l'attention et s'inscrire dans la mémoire. Elle le fera par l'esthétique d'un design, par la puissance d'un mot, par l'évocation d'une photo, par l'émotion d'une scène.

« *Sur un énorme panneau d'autoroute, vous apercevez, en un clin d'œil, les simples lettres Coca-Cola tracées en rouge selon leur design traditionnel. Vous avez aussitôt une réaction, pour l'instant indéfinie, à travers laquelle vous demandez — inconsciemment — à la mémoire sensorielle de transmettre ce mot à la mémoire à court terme pour analyse. Celle-ci vous informe alors que ce mot est déjà inscrit depuis longtemps dans la mémoire à long terme et que vous l'associez à la soif. Ce nouveau stimulus viendra simplement renforcer les anciens signaux... et vous aurez encore une plus grande soif.* »

Telle est la subtile action de l'affichage sur le cerveau. Dans le cas de *Coca-Cola*, l'entreprise serait bien avisée de placer une telle annonce sur un panneau qui précède de peu une sortie de l'autoroute... où l'on sera assuré de trouver une distributrice. Autrement, cette soif, dont on voit bien qu'elle est assez superficielle, pourrait s'estomper rapidement, surtout si une autre affiche vient provoquer un stimulus différent.

L'efficacité de l'affichage

Si l'affichage ne cesse d'envahir les rues et autres lieux publics, c'est donc qu'on le juge en mesure de déclencher un stimulus chez le consommateur, même pressé, en retenant son attention, un bref instant. Est-ce bien le cas ? Comment savoir ?

L'impact diffère considérablement d'un individu à l'autre. Il est toutefois possible de mesurer, jusqu'à un certain point, les caractéristiques et habitudes de consommation des personnes exposées à une affiche. Plusieurs organismes s'en chargent, notamment PMB. Mais un seul s'en est fait une spécialité : **COMB**.

COMB (Canadian Outdoor Measurement Bureau)

Créé en 1965, COMB mesure la circulation, piétonne ou automobile, dans l'environnement des panneaux d'affichage, de manière à en tirer un coefficient d'exposition aux messages.

*« Avant que vous ne me posiez la question, je vous réponds qu'au moment de faire le compte des voitures qui défilent devant une affiche, COMB insère toujours un **facteur de charge**. »*

Facteur de charge

Mesure du nombre moyen de passagers par véhicule qui circule sur une artère. Ce calcul résulte de l'analyse de plusieurs variables.

Grâce aux données de COMB, il est possible d'attribuer des PEB à l'affichage, comme à n'importe quel autre média, ainsi que d'évaluer la portée et la fréquence. D'ailleurs, au fil des ans, les annonceurs pressent les afficheurs

Évaluation du rapport portée/fréquence des panneaux publicitaires	
	Portée
Panneaux horizontaux et verticaux	Atteinte très rapidement pour tous les groupes cibles ; de 1 à 4 semaines.
Superpanneaux	Bonne pour tous les groupes cibles après 12 semaines et plus. Portée atteinte plus lentement qu'avec les panneaux-affiches étant donné leur nombre restreint.
Lumibus et affichage au niveau de la rue	Atteinte très rapidement pour tous les groupes cibles se déplaçant vers le centre-ville, après 1 à 4 semaines.
Panneaux Zoom et NewAd	Bonne après 12 semaines.
Publicités de transit	Atteinte dans un laps de temps très court de 4 semaines.
	Fréquence
Panneaux horizontaux et verticaux	Très élevée pour tous les groupes cibles après 4 à 8 semaines.
Superpanneaux	Acceptable après 12 semaines et plus.
Lumibus et affichage au niveau de la rue	Atteinte rapidement dans un laps de temps très court pour tous les groupes cibles se déplaçant vers le centre-ville, après 1 à 4 semaines.
Panneaux Zoom et NewAd	Atteinte rapidement auprès des groupes cibles visés, soit après 4 à 8 semaines.
Publicités de transit	Acceptable après 4 semaines.

de mieux mesurer les résultats quantitatifs et qualitatifs de l'affichage. Annoncer sur un panneau n'est donc pas plus risqué que de le faire dans un journal ou à la télévision. Il suffit de respecter les caractéristiques du média.

L'affichage est un média urbain, axé sur des consommateurs aux goûts audacieux. Grâce à sa fréquence élevée et à la variété de ses formats, il est en mesure d'avoir un impact à un coût relativement faible. En revanche, le coût de production des panneaux et le délai de mise en œuvre pourront être considérables pour un temps d'exposition limité. L'affichage conviendra donc bien pour un message incisif qui veut laisser une trace durable dans l'esprit du consommateur, mais beaucoup moins à qui veut présenter une information élaborée. C'est pourquoi il vient souvent renforcer d'autres véhicules publicitaires.

Résultats de portée/fréquence : un exemple Campagne de 50 PEB par jour (région de Montréal)				
Type de panneaux	Nombre de panneaux	Après 4 semaines	Après 8 semaines	Après 12 semaines
Panneaux-affiches	70	81 %/17,3	87 %/32,2	90 %/46,7
Lumibus	90	78 %/17,9	85 %/32,9	88 %/47,7
Superpanneaux	5	66 %/21,2	72 %/38,9	77 %/54,5
Transit (panneaux de côté d'autobus)	250	85 %/16,5	90 %/31,1	95 %/44,2

3. PLACE À L'AUDACE

S'il est un domaine où le planificateur média doit imposer ses exigences aux créateurs de messages, c'est bien celui de l'affichage. En toutes circonstances, le design sera simple et les couleurs tranchées et, le cas échéant, le tout sera accompagné d'une illustration facile à décoder. Pour ce qui est du texte, il sera bref, percutant, grâce à des caractères nets, faciles à lire. La compréhension d'une affiche doit être immédiate.

L'inattendu en affichage

C'est pourquoi l'affichage ne cesse de se renouveler pour faire échec au fait que les passants pourraient s'y habituer. Il le fait, en premier lieu, par des façons originales d'exposer les messages. Flashmédia dispose des panneaux verticaux dans les vitrines et aux portes des commerces. Publicité Sauvage installe des affiches sur des sites provisoires, comme des palissades. Impact Média dispose des affiches latéralement, dos à dos, sur un camion, proposant plus de 100 circuits selon les besoins publicitaires du client. CBS Affichage et Astral réalisent, à la main, de gigantesques murales dont la dimension variera selon l'emplacement.

Ces idées inventives prennent le relais d'autres, plus anciennes, dont elles sont en quelque sorte les héritières. Ainsi, trouve-t-on encore, aux trois quarts effacées, les publicités murales peintes sur de vieux immeubles. Les marques *Sweet Caporal*, place de la FAO, à Québec, et *La Sauvegarde*, sur l'édifice du même, construit en 1913, rue Notre-Dame, à Montréal, constituent de précieux témoins de la publicité d'avant-garde du temps passé.

« *Les anciens se souviennent aussi de ces panneaux qui affichaient, en gros plan, une bouche d'où sortaient des ronds de fumée, façon saisissante de soutenir par l'image une marque de cigarettes en vogue. L'effet d'attraction était garanti.* » Que dire alors de ces panneaux à lames triangulaires — on en trouve encore — qui pouvaient afficher successivement trois publicités différentes. Que dire aussi des afficheurs lumineux aux caractères défilant, qui ont rendu Times Square célèbre (et l'angle Peel et Sainte-Catherine aussi, à une certaine époque), idée intelligemment reprise récemment par *MusiquePlus* à la devanture de ses studios ?

La publicité au cœur de la vie sociale

Si bien lancée, je poursuis mon énumération. L'affichage s'insinue partout, que ce soit sur les carrousels à bagages des aéroports ou sur les enveloppes de courrier. Au fronton des commerces, il prend la forme d'une enseigne dont le design sera ensuite décliné de mille manières, tant dans les médias que sur les produits. Sur le coffre des camions, on installe des panneaux provisoires qui s'ajoutent au nom de l'entreprise pour mentionner les « Spéciaux du mois ».

Je ne cesse de découvrir la multiplicité des formes d'affichage : oriflammes accrochées aux lampadaires, le temps d'un festival, messages des commerces du quartier inscrits sur les napperons de restaurant ou dans le Semainier paroissial. La directrice ajoute : « *Le drapeau du Canada imprimé sur les sacs à dos et les sous-vêtements.* » Je lui donne le change : même les tagueurs font, à leur manière, de la publicité pour leurs produits par le biais de messages codés peints sur les boîtes aux lettres.

Allons encore plus loin : la publicité la plus réussie est celle qui s'intègre à la vie de la cité, comme cet énorme néon de *Five Rose*s, isolé dans la nuit du port, ce qui le rend visible à des kilomètres. Il signale de façon tellement significative la fin des autoroutes et l'entrée au centre-ville que les artistes ne manquent pas de le représenter quand ils peignent Montréal.

Encore plus originales, ces bannières de trente étages qu'on a accrochées sur chacune des quatre faces de l'édifice Marie-Guyart, à Québec, pour souhaiter la bienvenue (en autant de langues) aux visiteurs du Sommet des Amériques, en avril 2001. Ou encore, la gigantesque pinte de lait de la défunte laiterie *Guaranteed Pure Milk*, fixée au sommet d'un immeuble de la rue Lucien-L'Allier et récemment restaurée après des années d'abandon.

La publicité par la vue et par l'ouïe

Constatant l'étendue de mon intérêt, la directrice de la créativité ne peut s'empêcher de me demander où j'ai appris tout ça. Je réponds qu'il suffit d'ouvrir les yeux et les oreilles quand on se promène à travers la ville. « *Bravo ! Voilà ce que tout publicitaire devrait faire* », lance-t-elle de sa voix carillonnante. Des bureaux avoisinants montent alors des applaudissements.

Mais juste au moment où je commence à croire que l'affichage résume à lui seul toutes les autres formes de publicité, qu'il est le média de masse par excellence, elle me ramène à la réalité : « *Vous n'êtes pas ici, cette semaine, pour étudier seulement l'affichage, mais aussi les multiples médias qu'on trouve sur les lieux d'affluence. Et il y en a d'autres.* » Car la publicité pénètre dans le cerveau par les cinq sens. La vue : « *Pensez aux kiosques d'*Orange Julep *dont la forme et la couleur représentent, précisément, une orange.* » Chez *Ikea*, une machine ouvre et ferme constamment un tiroir, pendant des mois, pour en démontrer la résistance ; l'œil n'a pas besoin de confir-mation supplémentaire.

Quant à l'utilisation du sens de la vue pour la lecture, elle est évidemment omniprésente dans notre société. Pas un bureau médical qui n'ait son matériel de promotion pharmaceutique, souvent accompagné d'échantillons. Pas de file d'attente qui ne fournisse l'occasion de tendre la main vers un présentoir bien garni. La directrice arrête mon énumération : « *Ça va ! La part d'écriture, donc de lecture, dans la publicité est si centrale qu'il n'est pas nécessaire d'insister. Nous pouvons passer à un autre sens.* »

L'ouïe : un sens passif, soumis à la voix, à la musique et au bruit. La directrice commente : « *Dès que vous mettez le pied dans un centre de foire, vous n'avez qu'à vous guider sur les jingles pour trouver chacun des annonceurs. Et quand vous en sortez pour aller manger, écoutez ces rabatteurs des restaurants à touristes.* » Je prends le relais : dans les pharmacies *Jean Coutu*, une radio personnalisée diffuse de la musique, des nouvelles et des messages publicitaires... uniquement de *Jean Coutu*. Oui, le son publicitaire nous envahit tout autant qu'il le faisait pour nos ancêtres, il y a cent ou mille ans. « *Et n'oubliez pas tous ces magasins qui vous accueillent avec leur* **Muzak.** »

Muzak

C'est à cette firme visionnaire, fondée en 1934, que nous devons d'entendre de la musique instrumentale pour créer un climat de sécurité et de bien-être dans les magasins. En procédant à des arrangements musicaux aseptisés de mélodies connues (remplacement des cuivres par des cordes), l'entreprise se fit sans doute des ennemis chez les puristes, mais conquit aisément le public par ses mélodies rassurantes. Toutefois, comme ses frais d'enregistrement étaient élevés, elle perdit peu à peu le marché au profit de concurrents qui recouraient à des enregistrements existants en plus de choisir des musiques plus proches des sensibilités locales. Son nom demeure, toutefois, accolé à la notion de « musique d'ascenseur ».

La publicité par le goût et le toucher

Nous poursuivons l'énumération des sens que la publicité sait envahir. Le goût, maintenant, qu'on éveillera par la présentation de bouchées dans les supermarchés. « *Cette invitation est triplement utile à l'annonceur : (1) ou bien vous vous procurez aussitôt l'aliment et contribuez ainsi à la hausse des ventes ; (2) ou bien vous indiquez à la préposée à quelles conditions il pourrait répondre à vos goûts et favorisez ainsi l'amélioration du produit ; (3) de toute façon, vous aidez l'annonceur à mieux cerner le public qu'attirera ce type de nourriture.* »

J'aborde ensuite le sens du toucher. Quel client, entrant dans un commerce, résisterait à la tentation de palper des flacons, de tourner les pages des livres, de glisser son visage dans une fourrure, de sauter sur un matelas pour en évaluer les ressorts ou de faire pivoter un fauteuil de bureau ? Toute entreprise mise donc sur ses articles de démonstration. C'est justement parce qu'elle laisse les clients dégrader ces articles, en les mettant à l'épreuve, qu'elle peut vendre les autres, bien protégés dans leur emballage.

Quant au libre-service généralisé, il n'a guère plus d'un demi-siècle. Au début, nombre de boutiquiers et autres détaillants redoutaient qu'en laissant les clients libres de circuler, certains déplacent, brisent ou volent la marchandise. Ce qui arriva, bien sûr. Mais le coût de ces dégâts fut largement compensé par la hausse des ventes (sans parler de la diminution des dépenses de main-d'œuvre). Car les gens tiennent à manipuler librement un produit avant de décider s'ils l'achèteront ou non.

Le cas particulier de l'odorat

Et l'odorat ? « *Ah ! oui, j'oubliais l'odorat. Pourtant, c'est bien le plus coquin des sens en matière de publicité.* » L'odeur d'essence d'agrume dans un supermarché ferait vendre jusqu'à 40 % de plus, non seulement de cette catégorie de produits, mais aussi de l'ensemble des produits du magasin. Car ce parfum est associé à l'été, au soleil, aux vacances, à la joie de vivre, amenant les clients à « sentir » la vie plus belle qu'à l'habitude.

L'agence *Esprit Communication-Marketing*, une firme spécialisée dans la vente d'objets promotionnels et de cadeaux corporatifs (comme des boîtes de bonbons en forme de cellulaire), a aussi développé un secteur conseil en « aromarketing ». Après avoir confirmé l'efficacité de ces odeurs qu'un diffuseur, installé dans le système de ventilation, porte aux narines des clients, l'agence incite les entreprises à faire breveter un arôme original, qui les identifiera de façon unique. Car la mémoire olfactive est la plus tenace de toutes. Même après plusieurs années, elle a toujours une aptitude aussi vive à raviver les souvenirs. « *Imaginez ce que cela signifie pour un marchand dont vous auriez été, un jour, la cliente satisfaite et dont la boutique exhale encore, des années plus tard, la même odeur rassurante.* » Si j'avais su cela, il y a quelques semaines, j'en aurais sûrement tiré parti pour la publicité de *Sommital*.

Le pouvoir des odeurs

- Un casino de Las Vegas a augmenté ses recettes de près de 40 % lorsqu'il diffusait certains parfums toniques, des rangées et des rangées de vieilles dames augmentant frénétiquement la cadence des *slot-machines*.
- Bic tente de fidéliser les acheteurs de stylos à bille en leur proposant des encres parfumées pour transformer « l'écriture en un moment ludique et sensuel ».
- Une agence de collection de dettes parfume ses lettres de créance d'androstérone (une odeur masculine très forte), ce qui lui permet d'augmenter de 23 % ses récoltes auprès des mauvais payeurs.
- Le supermarché français Leclerc parfume ses rayons de poissonnerie d'essences marines (iode de Bretagne). On diffuse également de la lavande au rayon des assouplisseurs et un parfum relaxant aux caisses.
- L'agence de voyage Havas diffuse dans ses points de vente une odeur de Coca-Cola lors de ses promotions vers les États-Unis.

Les lieux propices à l'expérimentation

La semaine n'est pas finie. La directrice de la créativité ne me laissera pas aller si facilement. « *Existe-t-il encore d'autres lieux d'affluence qui se prêtent bien à la créativité publicitaire ?* » Je cite aussitôt — dans le désordre — divers types d'événements collectifs, comme les congrès, les assemblées politiques, les feux d'artifice, les courses automobiles et autres concours sportifs, les festivals de toute nature.

Voilà autant de lieux propices à l'expérimentation. Du fait des foules importantes — certaines, colossales — qui s'y rassemblent, tant dans les estrades qu'en tant que téléspectateurs devant leur petit écran, la portée des messages s'élève rapidement, les sommets étant atteints par les Jeux olympiques et le Mondial du football. Quant au cas du Super Bowl, avec ses spots à deux millions et demi de dollars les trente secondes, il est suffisamment célèbre pour qu'il ne soit pas nécessaire d'insister.

« *Attention ! Ce n'est pas de messages télévisés dont nous parlons aujourd'hui, mais d'une publicité agissant sur des gens physiquement rassemblés.* » Dans ce cas, je signalerai les messages qui exigent une présence des spectateurs, comme ceux qu'on projette sur écran géant, ceux qu'on enflamme en feux de bengale, ceux qu'on inscrit sur des ballons, des épinglettes ou des chapeaux... La directrice enchaîne : « *Ceux qui se chantent en rengaines ou s'accompagnent d'une pluie de confettis, ceux qu'on déroule en banderoles ou qui descendent du ciel en parachute.* » Voilà autant de façon de créer de la redondance, un aller-retour constant entre l'activité célébrée et la marque mise en vedette par une pareille publicité.

Plus nombreuses sont les personnes présentes à un événement festif — tant de paires d'yeux littéralement rivées sur une même activité —, plus cet abandon grégaire au même mouvement collectif profite à l'annonceur dont le message saura se marier à l'événement. Toujours cette règle intangible du succès publicitaire : agir sur le subconscient, susciter des réflexes.

Tout cela a un coût. L'ampleur de la foule exige un investissement publicitaire équivalent. C'est pourquoi seuls les grands annonceurs ont les moyens de s'attaquer à ce créneau. Le mieux, pour eux, sera d'ailleurs de commanditer la totalité de l'événement, de manière à dominer les lieux du nom de leur marque, en s'assurant par contrat que les concurrents seront tenus à l'écart. « *Plus encore : qui commandite le stade lui-même en lui donnant son nom s'identifie automatiquement à tous les événements qui s'y dérouleront.* »

La publicité dans les cinémas

Dans un genre très différent, la salle de cinéma favorise également une publicité originale. En fait, il y a longtemps que le grand écran annonce des produits. Avant que la télé n'existe, quand les projections comportaient deux films en séquence (on le fait encore dans les ciné-parcs), le spectacle était entrecoupé d'un bref entracte. Durant cet intermède, des diapositives affichaient à l'écran diverses friandises disponibles au comptoir du foyer. « *À certains endroits, on venait même directement à votre siège vendre les glaces et chocolats.* » Aujourd'hui, les annonces d'aliments et de boissons légères se font plus discrètes. C'est plutôt lorsque la salle s'obscurcit que jaillit une publicité autrement plus tapageuse. Et spectaculaire.

En effet, on y présente de préférence des publicités où les effets visuels et sonores sont déterminants comme source d'évocation. Celles qui invitent à s'enrôler dans l'armée sont particulièrement efficaces : tanks qui rugissent dans un nuage de poussière, destroyers qui fendent les flots de l'océan, avions de combat qui semblent passer, en rase-mottes, au-dessus des spectateurs.

La salle obscure se prête également bien à la présentation, en version grand format, de messages que le public est susceptible de voir le lendemain au petit écran. Ce n'est pas sans raison que les annonceurs agissent ainsi. Tout comme pour les événements d'envergure, ils visent à imprégner leurs messages dans la mémoire à long terme en enrichissant le système cérébral d'une nouvelle association de souvenirs. « *Désormais, quand vous regarderez, à la télé, cette annonce d'une voiture fulgurante qui grimpe les montagnes dans un vacarme à faire peur, vous oublierez que votre écran est tout petit et vos haut-parleurs bien chétifs. Vous reconstituerez inconsciemment l'image plein mur et le son pleine salle qui vous ont rendu cette annonce si irrésistible quand vous l'avez vue au cinéma.* »

Je confirmerai cette observation de la directrice en précisant que, si, en plus, j'ai beaucoup apprécié le film, l'annonce que je reverrai ultérieurement à la télévision me renverra aussitôt au souvenir d'un moment agréable, ce qui amplifiera d'autant l'impact positif du message. Là-dessus, elle me remercie de lui avoir fait passer des heures stimulantes et me lance : « *Bonne chance pour votre ultime rendez-vous de la semaine avec la directrice générale !* »

Savoir, savoir-faire, savoir-être

Il faut dire que, ces deux derniers jours, celle-ci s'était montrée beaucoup moins acrimonieuse. Elle m'écoutait un peu distraitement, répondait : « *Ça va !* » et me donnait aussitôt congé. Mais, ce soir, elle me retient de nouveau, me fait asseoir face à elle. Je me tiens très droite, me préparant au pire.

« *Votre stage approche de son terme. Avec l'analyse des médias associés aux lieux d'affluence, vous venez de terminer le survol des médias publicitaires. Il vous restera, la semaine prochaine, à proposer un plan média pour la campagne de* À *votre bonne santé. Après quoi il vous faudra nous quitter. J'espère que vous aurez apprécié votre séjour parmi nous.* »

Sans se soucier de savoir si j'aimerais travailler, un jour, pour sa firme, elle se met alors à exposer le modèle de rapports que l'agence tient à entretenir avec ses stagiaires. Le stagiaire, explique-t-elle, n'est pas un employé temporaire obtenu à peu de frais, à qui l'on confiera des tâches anodines. C'est plutôt une personne en train de parfaire sa formation, à qui il faut lancer des défis. « *C'est ce que nous avons fait avec vous.* »

Elle s'explique, en précisant que le but de toute éducation est de faire progresser le « savoir », le « savoir-faire » et le « savoir-être ». Pour le savoir et le savoir-faire, il m'est facile de voir à quel point ces semaines ont amélioré ma compétence. Elle confirme mon impression. « *Mais ce que vous ne saviez peut-être pas, c'est à quel point votre savoir-être avait aussi besoin d'être amélioré.* »

La voilà qui décrit les déficiences qu'elle avait devinées chez moi, dès la premier jour de mon stage, lors de la brève rencontre que j'avais eue avec elle. Craintive, sans estime de soi, je ne manifestais pas tellement ce talent de fonceuse dont a besoin le monde compétitif de la publicité. Mais elle m'a vue changer peu à peu, en particulier au contact de la planificatrice média, tout le temps que je l'ai suivie, pas à pas, jusqu'au moment de sa maladie. Je devenais chaque jour, confirme-t-elle, un peu plus assurée, capable de défendre mes idées...

« *... Mais encore naïve, terriblement naïve. Au point où vous avez failli nous faire perdre un important contrat.* » Je revois en pensée ce jeune homme avenant auquel je suis venue si près de m'attacher, en mélangeant travail et vie privée. Naïve, oui, je l'étais, d'avoir ainsi livré, sans m'en rendre compte, les secrets de mon entreprise. « *Heureusement, nos investigations nous ont vite permis de trouver d'où venait la fuite, quelle personne avait mis ce garçon sur votre piste. Je ne peux en dire plus pour l'instant, mais quand je vous en informerai, la semaine prochaine, votre candeur risque d'en prendre un coup.* » Si ce stage aura enrichi mon savoir et mon savoir-faire, pour ce qui est de mon savoir-être, la rude leçon de cette semaine lui aura sûrement fait franchir un grand saut vers la maturité.

12e SEMAINE DE STAGE

La créativité média

Je me présente avant l'heure au bureau de la directrice générale. J'ai hâte de savoir ce que signifiaient ses paroles sibyllines de la semaine dernière : « *Nos investigations nous ont vite permis de trouver d'où venait la fuite.* » J'y aperçois notre président lui-même, ainsi que l'assistante de monsieur Irrighen, que je n'avais pas revue depuis notre unique rencontre. L'avocate a troqué son tailleur pour un pantalon de velours très chic.

Je ne suis pas au bout de mes surprises. En effet, dans le rapport de l'enquêteur interne, tous les indices pointaient dans la même direction. Une seule personne avait pu vendre la mèche. C'était le président de *Québec 805669* lui-même. La preuve fut vite établie : c'est lui qui avait pris contact avec la firme concurrente dans l'espoir d'obtenir un substantiel rabais d'agence. « *Sachez, d'ailleurs, que ni lui ni cette agence-là, n'avaient l'intention de vous embaucher pour la suite du projet, comme le jeune homme vous l'avait pourtant laissé entendre. Tout au plus vous aurait-on permis de terminer votre stage en vous affectant à un dossier mineur.* »

1. OÙ NOUS EN SOMMES

Je n'aurai pas le temps de laisser les émotions m'envahir, car on m'informe que le président en question a été aussitôt remercié et que monsieur Irrighen a nommé provisoirement son adjointe, l'avocate, à la tête de *Québec 805669*. À moi de l'informer de l'état d'avancement du projet. Nous devons nous mettre au travail, sur l'heure, pour la préparation du plan média. Cette femme n'a pas le sourire spontané. Je sourirai donc pour deux au moment de lui exposer les divers aspects du dossier *À votre bonne santé*. Il y a d'ailleurs de quoi avoir le sourire : la réalisation du projet se déroule conformément à l'échéancier prévu.

Le défi publicitaire

En l'absence de la directrice de compte, toujours en congé de maladie, j'aurai donc la tâche de présenter, seule, les médias auxquels nous pouvons recourir pour la campagne. Je les classerai dans l'ordre où j'ai appris à les connaître au cours de mon stage : (1) les médias de proximité ; (2) les journaux ; (3) la radio ; (4) la télévision ; (5) Internet ; (6) les magazines ; (7) la publicité sur les lieux d'affluence. Toutefois, avant de faire une sélection, je devrai expliquer un certain nombre d'éléments fondamentaux.

Car la publicité, quel que soit le média choisi, n'offre pas de garantie absolue de résultat. Tout comme pour la vente d'une maison, il ne suffit pas qu'on affiche une photo et un prix pour trouver preneur. À cet égard, le monde de la publicité ne se raconte pas d'histoires : s'il accorde une place si considérable à l'évaluation de ses campagnes, c'est bien parce que leur succès n'est pas automatiquement assuré. Seule une analyse serrée des résultats (par corrélations) permettra de déceler et de corriger les erreurs de parcours.

La publicité est-elle efficace ?

À peine un message publicitaire sur dix* atteint son objectif fondamental, qui est d'inciter les consommateurs à considérer un produit, un service ou une idée.

Pour comprendre cette affirmation, il faut examiner les quatre étapes que votre message doit franchir pour atteindre son but :

1. Il doit être vu (50 % des messages échouent à cette première étape).
2. Il doit être apprécié (30 % ne le sont pas, en moyenne).
3. Il doit être attribué (ce qui n'est réussi qu'une fois sur deux).
4. Il doit être compris (ce qui n'est pas le cas pour 50 % des messages).

* D'après des études menées au Québec par les firmes spécialisées en évaluation de l'efficacité des messages publicitaires, particulièrement Descarie & complices.
Saint-Hilaire, Luc, *Comment faire des images qui vendent*, Montréal, Les Éditions Transcontinental, 2005, page 17.

Selon l'analyse de Luc Saint-Hilaire (ci-dessus), cette inefficacité dépend, le plus souvent, de déficiences dans le message lui-même. S'il n'est pas « vu », c'est parce qu'il est confus. S'il n'est pas « apprécié », c'est parce qu'il heurte nos valeurs. S'il n'est pas « attribué », c'est parce que l'intrigue amusante l'emporte sur le nom de la marque. S'il n'est pas « compris », c'est parce que l'idée ne signifie rien pour le récepteur. Mais il arrivera aussi qu'une mauvaise planification média soit la cause de cet échec. L'auteur parle alors de « stratégie de diffusion inappropriée », soulignant un placement au mauvais endroit, dans un mauvais format ou à une mauvaise fréquence.

Il ne faut pas que ce soit le cas pour *À votre bonne santé*. Avant de proposer un plan média, je m'assurerai donc qu'il s'inscrit dans le plan marketing, qu'il cible bien une thématique précise et le public qui y sera sensible, que le message, sa présentation (sonore ou visuelle) et le lieu de diffusion sont bien coordonnés, pour tout dire, qu'il a tout pour s'imprimer dans le cerveau du consommateur visé.

Le marketing de *À votre bonne santé*

En premier lieu, je reprends à mon compte, pour montrer à l'avocate que j'ai bien compris, les ingrédients du plan d'affaires de *À votre bonne santé*, comme elle les a elle-même présentés lors de la réunion préliminaire, ainsi que du plan marketing qui en a découlé. Tels ont été les éléments majeurs qui m'ont guidée dans mon étude.

1. La mission : une chaîne de restaurants dont le menu est axé sur la saine alimentation.
2. La triple part de marché recherchée : a) 5 % chez les consommateurs de l'ancienne chaîne *Reserve* ; b) 5 % chez les habitués des chaînes concurrentes ; c) 5 % chez les non-utilisateurs actuels des restaurants-minute.
3. Contexte : la concurrence considérable des autres chaînes.
4. Opportunité : l'exclusivité dans un créneau alimentaire en hausse.
5. Budget disponible : après d'âpres discussions, 1 450 000 $ avec les coûts de création, soit quelque 1 200 000 $ pour les médias.

Je précise à mon interlocutrice une observation non négligeable que je me suis faite en étudiant le dossier : la mise en valeur d'un service diffère légèrement de celle d'un produit. Le produit est un objet ; les personnes affectées à sa production, sa distribution et sa manutention n'ont pas de lien immédiat avec le consommateur, cette fonction étant laissée au personnel de vente. Dans le cas d'un service — comme celui de la restauration —, le service est intimement associé au produit. Le plat qu'on sert (le produit) ne sera apprécié que s'il a été apprêté avec soin à la cuisine (premier aspect du service) et présenté avec compétence aux convives (deuxième aspect). Produit et service sont donc inséparables. Il existe même des services sans produit tangible, comme la fonction conseil ou l'enseignement.

Le double environnement

Je passe ensuite au double environnement à considérer avant d'aller plus loin dans notre projet. Il y a l'interne, que l'avocate commande presque totalement, ayant la confiance absolue de monsieur Irrighen. Pour ce qui est de l'externe, je l'analyse sous deux aspects.

Je considère d'abord les grandes tendances démographiques du marché de *À votre bonne santé* : le Québec tout entier.

1. Une population qui vieillit : d'ici 2026, les 10-54 ans passeront de 65 à 53 %, alors que le nombre des 55 ans et plus, actuellement à 23 %, sera haussé à 45 %.
2. À l'heure présente, 10 % de la population québécoise provient de l'immigration, mais 88 % des immigrés vivent dans la région de Montréal.
3. Le nombre de personnes vivant seules est passé de 12 % (1971) à 30 % (2001).
4. Le nombre de couples sans enfant augmente à un rythme rapide, passant, en 5 ans (1996-2001), de 40,4 à 44,6 %.

J'aborde ensuite la concurrence à laquelle *À votre bonne santé* devra faire face. La restauration rapide est omniprésente. Les grandes firmes ont, à la fois, des racines internationales robustes et des assises locales bien ancrées. Il ne sera pas facile de les déloger. J'attire, d'ailleurs, l'attention sur le fait que, pour fidéliser leur clientèle, plusieurs de ces concurrents se sont associés à d'autres fournisseurs de services par voie de ***co-branding***.

Par le *co-branding*, les établissements élargissent leur clientèle en s'installant dans des endroits où l'on ne les attendait pas. Le présent plan marketing ne prévoit pas une telle approche pour *À votre bonne santé*, mais il serait bon d'y penser pour le prochain. Pour celui de cette année, nous

---

Co-branding

Alliance dans un même point de vente de deux services commerciaux, de manière à partager les coûts et les risques, tout en tirant profit de la synergie des marques.

C'est le cas, par exemple, pour McDo chez Wal-Mart, pour Baskin Robbins chez Dunkin Donuts ou pour Subway chez Couche-Tard.

À noter que l'Office québécois de la langue française traduit ce terme par cogriffage.

---

serons bien assez occupés à créer un bruit publicitaire autour d'une marque que les gens ne connaissent pas encore. C'est pourquoi je propose de procéder par étapes, en menant en parallèle un calendrier en pulsations, pour la publicité nationale, et en continu, pour la publicité locale :

1) donner un grand coup, au début, pour faire connaître la marque à tout vent (printemps) ;
2) se concentrer en publicité locale, à mesure que s'ouvriront les succursales (toute l'année) ;
3) inscrire le nom dans la mémoire des consommateurs par un rappel intermittent (été, automne) ;
4) susciter un engouement renouvelé par l'association de nos restaurants aux sports de neige (hiver).

Le *mix* marketing

L'avocate m'écoute attentivement sans m'interrompre. J'enchaîne alors avec les « 5 P » du *mix* marketing. Je ne lui dis surtout pas que je cite, presque mot à mot, l'exposé qu'avait fait le président déchu de *Québec 805669* lors d'une séance de travail.

1) *Product,* le produit : le nôtre est original. C'est là-dessus qu'il faut insister.
2) *Price,* le prix : il risque d'être plus élevé que celui des compétiteurs. Il faut donc démontrer que le consommateur en a beaucoup plus pour son argent, puisque nous lui offrons la santé en prime.
3) *Place,* la distribution : comme les menus devront tenir compte des variations saisonnières, le marketing en fera un atout.

4) *Promotion*, la communication : outre la publicité dont notre agence a la charge (pour le marché québécois de langue française), d'autres instruments de mise en valeur ont été prévus : échange de rabais entre les restaurants et les épiceries qui vendent les produits *À votre bonne santé* ; commandite d'événements liés à l'hygiène de vie et à la sauvegarde de l'environnement.

5) *People*, les personnes : en contact immédiat avec le public, elles sont la face visible de l'entreprise. Il faut donc accorder le plus grand soin à la sélection des employés, en recherchant non seulement les plus compétents, mais également les plus aptes à une bonne communication avec la clientèle.

Le centre de la cible

Le marché visé par le plan marketing est si vaste — l'ensemble des Québécois — que la publicité doit cibler, de façon particulière, le segment de consommateurs qui, d'une part, réagira le plus rapidement à l'offre, et, d'autre part, suscitera un effet d'entraînement chez les autres. Pour ce qui est des personnes les plus disposées à choisir un restaurant du type *À votre bonne santé*, la catégorie des femmes de 25 à 54 ans vient en tête. Ce sera donc notre cible privilégiée. Pour les atteindre, nous annoncerons dans les médias qu'elles fréquentent prioritairement.

Or, il est peu probable que les personnes de la tranche plus âgée de ce groupe-là, celles qui ont plus de 35 ans, soient en mesure de créer l'effet d'entraînement souhaité, tant auprès des ados, qui cherchent à se distinguer de la génération précédente, qu'auprès des aînés, dont le cercle d'appartenance est ailleurs. En revanche, les plus jeunes de ce groupe (25-34 ans) profitent d'une crédibilité qui s'étend bien au-delà de leur tranche d'âge : les femmes plus jeunes qu'elles (18-24 ans) aimeraient bien avoir leur dynamisme ; les plus âgées qu'elles (35-54 ans) voudraient bien avoir encore leur charme. Il faut donc — c'est ce que j'explique à l'avocate — considérer les femmes au seuil de la trentaine (statistiquement, de 25 à 34 ans) comme le centre de la cible. Elles sont, à la fois, d'assez bas âge pour assurer un certain leadership sur la jeunesse, mais suffisamment vieilles pour que les gens d'âge mûr souhaitent s'identifier à elles. Il me faudra

Regard sur les habitudes médias des femmes a) de 25 à 34 ans ; b) de 25 à 54 ans	Femmes de 25-54 ans	Femmes de 25-34 ans
	Indice	Indice
Fréquentation minimale :		
– 7 transports en commun / sem.	90	131
– panneaux affichage (75 km + / sem)	112	120
– lecture de 4 magazines / mois	104	110
– deux spectacles de cinéma / mois	94	105
– radio (6 heures + / sem.)	111	101
– visite de 2 centres commerciaux / sem.	105	95
– lecture d'un quotidien / sem.	100	90
– télévision (18 heures + / sem.)	89	85
– lecture de 2 éditions d'hebdo / mois	102	85

Ce tableau partiel montre que, pour cibler plus immédiatement les jeunes femmes, par opposition aux femmes plus âgées, il est particulièrement indiqué de recourir à la publicité (1) dans les transports en commun, (2) sur les panneaux d'affichage, (3) dans les magazines.

toutefois préciser que leurs habitudes médias diffèrent légèrement de celles du groupe étendu des 25-54 ans. Par exemple, les portées et indices respectifs nous indiquent que les femmes de cette tranche d'âge (25-34 ans) consultent davantage Internet ou sont plus touchées par l'affichage que les femmes de 25-54 ans dans leur ensemble, mais sont moins attirées par les hebdomadaires, qu'il s'agisse de portée ou d'indice.

« *Et pourquoi des femmes ?* », pourrait-on demander. Tout simplement, parce qu'entreprendre par les hommes la démarche de l'alimentation saine, c'est courir à la faillite. Comme s'il était nécessaire d'en convaincre la nouvelle présidente, je lui rappelle que les comptoirs de nourriture légère qui existent déjà, c'est dans les centres commerciaux qu'on les trouve, pas dans l'environnement des quincailleries.

Habitudes et attitudes

Selon l'axe de communication, on ciblera donc en priorité les femmes de 25 à 54 ans et, plus étroitement encore dans ce groupe, celles qui ont moins de

35 ans. Je le redis à l'avocate pour être bien comprise : ce segment s'inscrit dans le cercle des femmes dynamiques, les « femmes en vogue ».

Pourcentage de « femmes en vogue » dans la tranche d'âge 25-54 ans				
	Femmes de 25-54 ans		Femmes de 25-34 ans	
	%	Indice	%	Indice
« Femmes en vogue »	16,5 %	155	17,5 %	164
« Femmes en vogue » : Regroupement Carisma, de Carat Canada, a attribué cette expression aux femmes qui exercent un leadership en matière de consommation. Ce sont majoritairement des personnes âgées de 18 à 49 ans, vivant en couple, qu'elles soient mariées ou pas. Pour le quart d'entre elles, il s'agit d'étudiantes, alors que celles qui occupent des emplois travaillent généralement dans un bureau. Leurs habitudes médias comportent une forte dose de télévision spécialisée, avec intérêt particulier pour les sujets liés à la musique, au foyer, à la décoration, aux films et aux enfants. Elles lisent abondamment les magazines et utilisent Internet plus que la moyenne. Pour ce qui est de la radio, elles préfèrent les stations populaires et le rock. Leur lecture des quotidiens s'attarde aux sections divertissement, mode, annonces classées et bandes dessinées.				

Pourtant, si dynamiques et « en vogue » qu'elles soient, les femmes les plus immédiatement visées par notre publicité n'ont pas nécessairement les habitudes alimentaires les plus saines. Nos annonces publicitaires — et la façon de les placer dans les médias — devront donc chercher discrètement à modifier leurs comportements.

Quelques habitudes alimentaires des femmes de la tranche d'âge 25-54 ans				
	Femmes de 25-54 ans		Femmes de 25-34 ans	
	%	Indice	%	Indice
Préfèrent des aliments et des boissons faibles en gras et en calories	62,8 %	109	57,4 %	100
Ont fréquenté des restaurants au moins une fois au cours des trente derniers jours	90,5 %	106	90,4 %	106
Ont fréquenté des restaurants au moins une fois au cours des trente derniers jours ET préfèrent des aliments et des boissons faibles en gras et en calories	59,4 %	116	53,9 %	105

Quel que soit le média choisi, le message devra être susceptible de provoquer chez ces «femmes en vogue» une quadruple réaction qui, progressivement, fera évoluer leurs attitudes :

1) sensitive : l'annonce qu'elles verront ou entendront leur donnera déjà faim ;
2) cognitive : elle les informera du potentiel de la chaîne *À votre bonne santé* ;
3) affective : elle leur fera considérer cette chaîne à la fois comme pratique (pas de repas à préparer) et estimable (un choix d'aliments supérieur à ce qu'elles ont l'habitude de consommer) ;
4) conative : elle les disposera à l'essayer i-m-m-é-d-i-a-t-e-m-e-n-t, car l'appétit de nourriture est un besoin à extrême court terme.

J'ai terminé mon tour d'horizon. Je ne suis pas sans savoir, pourtant, qu'il me manque un lien entre les fondements d'un plan média (le plan d'affaires et le plan marketing) que je viens d'exposer, d'une part, et le plan de campagne lui-même (avec son choix précis de médias et de PEB), de l'autre. Ce chaînon manquant, c'est le contenu du message. Or, ce contenu ne dépend pas du seul planificateur média. Il ne dépend même pas d'abord de lui. Il est plutôt le fruit d'un dialogue avec le créateur publicitaire, premier concerné. On ne saurait imaginer l'un sans tenir compte de l'autre. D'où ce lien essentiel entre le concepteur (du message) et le planificateur (des médias).

2. DU SLOGAN AU PLACEMENT MÉDIA

C'est juste au moment où je m'apprête à lui expliquer les rapports entre création et placement média que l'avocate s'exprime pour la première fois : « *Quel slogan avez-vous choisi pour la campagne ?* ». Je redoutais cette question. Je sais bien que monsieur Irrighen a proposé : « *Mangez bien. Vivez mieux* », une formule que le jeune homme de l'agence concurrente a taillée en pièces (c'est bien la seule contribution positive qu'il ait apportée à notre dossier). Il me faut lui répondre, avec une extrême délicatesse — pour éviter de la froisser —, qu'il revient à l'agence de création de suggérer un slogan, puis d'en discuter les avantages avec l'agence média. Ce n'est qu'après qu'on le propose à l'annonceur, qui a toujours le loisir de le refuser.

L'interaction du créatif et du planificateur média

Pour me tirer d'affaire avant qu'elle ne me lance l'un de ses regards mitrailleurs qui signifient invariablement : « *Monsieur Irrighen a toujours raison* », j'ajoute qu'il nous faut d'abord achever l'analyse des rapports entre le créatif et le planificateur média avant de décider du slogan et du jingle. Le créatif ne porte pas ce nom pour rien. Il réalise l'ensemble des activités créatrices requises pour rapprocher deux systèmes qui ont peu à voir entre eux : d'un côté, la cible poursuivie par l'annonceur, mesurable en nombre de nouveaux clients et en gains financiers, de l'autre, des moyens de communication multiformes, susceptibles de porter n'importe quel type de message, provenant de n'importe quel annonceur et s'adressant à n'importe qui.

Directe ou indirecte, figurative ou évocatrice, par texte, graphisme, rengaine ou photo, la représentation publicitaire ne se veut pas une œuvre d'art, mais une façon de communiquer pour stimuler l'achat (d'un produit, d'un service) et la modification des attitudes. Communiquer : le maître-mot. De façon compréhensible, compte tenu du média choisi. Car le média influe sur la façon de dire, d'illustrer ou de cadrer. Le créatif doit en tenir compte.

Pour atteindre la cible du marketing, le créatif adoptera naturellement le niveau de langage (texte, image ou son) du public visé, avec un slogan et un jingle qui s'inscriront facilement dans la mémoire. Par ailleurs, pour s'assurer que cette création originale est compatible avec le plus grand nombre de médias possible, le planificateur incitera le concepteur à imaginer un ensemble de sons, de couleurs et de caractères susceptibles de s'adapter à divers registres.

Sans doute ne peut-on choisir un média adéquat sans connaître l'allure générale du message. Mais, à l'inverse, la mise en forme doit tenir compte des médias considérés : inutile de se mettre en peine de peaufiner des images complexes si c'est en vue d'un affichage sur panneau en bordure d'une auto-route. Les deux aspects — message et médias — sont bel et bien imbriqués.

L'axe de communication

Le point précis de contact entre ces deux partenaires — aux mandats complémentaires — que constituent le concepteur publicitaire et le planificateur média, est l'**axe de communication**. Il s'agit de l'application à une campagne publicitaire de ce que le plan marketing nomme positionnement stratégique.

> **Axe de communication**
>
> Idée centrale à laquelle se rapportent, comme autant d'objets tournant autour d'un axe, toutes les autres réflexions, observations et conclusions d'un discours. Cette idée maîtresse peut être sous-jacente aux propos du message ou explicitée sous forme de slogan fréquemment répété.

Une compréhension commune de l'axe de communication à privilégier permettra à l'agence de création et à l'agence média de s'entendre sur la formulation du message lui-même (et non seulement sur sa mise en forme), de manière à faire passer le courant entre l'annonceur et le consommateur. Alors que le concepteur puisera dans l'axe de communication l'inspiration pour un message percutant, le planificateur en tirera des idées de placement efficace.

Ainsi, un slogan du genre « ... *là où la qualité n'est pas un obstacle au bas prix* » qui, des années durant, renforcera les messages d'un marchand de meubles témoignait d'un axe de communication centré sur l'idée d'un produit de « moyenne gamme », à mi-chemin entre l'objet amoureusement réalisé par un ébéniste (entendre : pour les fortunés) et le « fait en série » au plus bas coût (pour les moins prospères). Une façon efficace d'atteindre la classe moyenne guidait alors le concepteur dans l'élaboration du message, tandis que le planificateur visait les médias où cette même classe moyenne s'informe et se distrait le plus souvent.

Or, à mesure que les concurrents se faisaient de plus en plus nombreux dans son créneau, l'entreprise dut, pour mieux se distinguer, se donner un nouvel axe de communication, celui du service à la clientèle, avec le slogan « ... *on s'occupe de vous* ». Ce passage d'un slogan à l'autre indiquait que l'annonceur souhaitait se présenter désormais au consommateur sous un éclairage nouveau.

Tant le créatif que le planificateur média surent s'ajuster. L'ancien slogan (« ... *là où la qualité...* ») était si long (onze mots) qu'il devait absolument être lu par un porte-parole ; c'est autour de lui qu'il fallait, dès lors, faire graviter le message. En revanche, le nouveau slogan (quatre mots) pouvait être présenté en voix off, laissant plus d'espace à la création. Cette modification dans l'aspect du message entraîna à son tour des changements de médias, certains (comme la radio et les journaux) étant mieux adaptés aux textes longs, alors que d'autres (comme Internet ou l'affichage) accueillent exclusivement des slogans brefs.

Le cycle d'un axe de communication

La nouvelle présidente de *Québec 805669* se montre de plus en plus intéressée. Elle m'invite à lui fournir un autre exemple du rapprochement qu'une compréhension commune de l'axe de communication provoque entre le concepteur et le planificateur. Je fouille dans ma courte expérience de stagiaire. Et je trouve.

Quand le groupe financier SSQ prit conscience qu'il avait peine à concurrencer ses compétiteurs, parce que les consommateurs ne connaissaient même pas l'existence de l'entreprise, il conclut à l'importance de lancer une campagne publicitaire ayant pour seul objectif d'imprimer, de façon indélébile, le nom de la marque dans l'esprit du public. Crier sur tous les toits que la SSQ existait, tel serait son axe de communication. Pour répondre à cette attente, le concepteur proposa un certain nombre de saynètes comportant le jeu de mots « *SSQue tu...* ». Amusantes pour les uns, détestables pour les autres, de telles historiettes répétées *ad nauseam* ne pouvaient manquer d'inscrire le sigle SSQ dans les cerveaux. Ainsi, l'axe de communication serait-il bien servi. Une fois cette approche déterminée, il ne restait qu'à la décliner de mille façons, jusqu'à ce que la notoriété de l'entreprise ait atteint le niveau espéré par son plan marketing.

La campagne utilisa pendant un certain temps les médias traditionnels (télévision, journaux). Puis, quand le message eut commencé à s'inscrire suffisamment dans la mémoire des consommateurs, on en tira, pour mieux l'y ancrer, des médiatisations inattendues, comme cette carte de la Saint-Valentin insérée dans un journal, qui portait le titre : « *SSQue tu m'aimes ?* »

On ne pouvait mieux enfoncer le clou en associant une firme de services financiers à l'idée d'amour. Qui, en effet, hésiterait à garantir la sécurité financière de l'être aimé ? « *Voilà bien*, reconnaît la présidente, *un exemple d'interaction entre le créatif et le plan média où les deux volets du processus publicitaire se sont mutuellement enrichis.* »

J'acquiesce et poursuis. C'est parce que le slogan de la campagne était « ouvert », se terminant même par un point d'interrogation, qu'il se prêtait si bien à une multitude d'utilisations. Ce qui rendit possible la rencontre de deux concepts aussi novateurs l'un que l'autre : le slogan « *SSQue tu... ?* » et son utilisation médiatique « *Encart dans un journal, le jour de la Saint-Valentin* ». Ce véritable feu d'artifice publicitaire annonçait le passage à un nouvel axe de communication, moins audacieux, peut-être, mais nécessaire, celui de la présentation des divers services offerts par l'entreprise. Le slogan « *SSQue tu... ?* » s'estompa alors progressivement.

Quel axe de communication pour *À votre bonne santé* ?

« *Et alors*, demande l'avocate, *quel axe de communication avez-vous choisi pour* À votre bonne santé *?* » Si je n'avais pu lui répondre tout à l'heure à propos du slogan, j'étais en meilleure posture face à cette nouvelle question. Je lui dis simplement : « *Trouvons conjointement le meilleur.* » Notre conclusion commune ne fut pas longue à venir.

Il y avait, bien sûr, de nombreuses façons de positionner nos restaurants :

1) par la qualité du service et de la nourriture qui sera proposé aux clients ;
2) par le recours poussé aux produits québécois tout au long de l'année ;
3) par le retour de la restauration dans un lieu déserté lors de la faillite de la chaîne *Reserve ;*
4) par un rapport qualité/prix plus qu'abordable ;
5) par la capacité pour les gens de s'attarder à table sans se faire bousculer ;
6) par les bons d'achat offerts pour les épiceries offrant les mêmes produits, etc.

Mais, de toute évidence, c'est d'abord par sa volonté de promouvoir l'alimentation saine que la chaîne *À votre bonne santé* se distingue de ses concurrentes. C'est sa contribution à la prévention des maladies du cœur, du cancer et de l'obésité, qu'elle doit mettre de l'avant : « *En suivant cette voie, nous gagnerons sûrement l'assentiment de la santé publique, ce qui sera le meilleur soutien que notre pub pourrait recevoir.* »

Après le tabagisme à une autre époque, les marchands de rêves sur papier glacé ou sur tube cathodique devraient-ils désormais se sentir coupables d'inciter les consommateurs à la débauche de calories vides et autres produits « obésogènes » ? Le tout avec la complicité des chaînes de télévision, des magazines et des quotidiens qui relayent des messages publicitaires pas toujours bons pour la santé publique. Peut-être bien que oui, peut-être bien que non, répondent, à la normande, publicitaires, universitaires ou éditeurs de magazines interpellés [...]

La logique qui rythme la croissance des sociétés de consommation est implacable. Et à défaut de pouvoir changer l'histoire, une poignée de publicitaires décident tout de même de conjuguer la création au temps de la responsabilisation sociale... en évitant certains produits en général et la malbouffe en particulier [...] Ces publicités cohabitent désormais avec un nombre sans cesse grandissant d'articles sur la nutrition, l'activité physique et les bonnes habitudes alimentaires.

Fabien Deglise, *Le Devoir*, 3 février 2006.

Va donc pour l'alimentation saine ! « *Mais n'insistez pas trop ! On se plaint désormais que la peur de grossir est devenue telle qu'elle risque d'entraîner son contraire, la maigreur extrême des anorexiques.* » Je ne peux m'empêcher de rétorquer dans un sourire que, pour avoir l'air élancé, il suffit désormais de se faire photographier à l'aide d'un de ces appareils numériques à fonction amincissante intégrée !

Un slogan pour résumer l'axe de communication

Le moment est maintenant venu pour l'exposé du slogan qu'a concocté le créatif. Son auteur, que j'avais invité à venir le défendre, se présente puis commence doucement : « *Vous venez de parler de la santé. Il ne faut quand même pas oublier la satisfaction de bien manger et le plaisir d'une agréable sortie : on est au restaurant, pas dans un monastère !* » Notre slogan doit donc souligner de façon égale (1) le bon goût, (2) la santé et (3) le divertissement. Puisque, en plus, la chaîne est nouvelle, il faut que cette triple invitation s'exprime dans une formule brève, percutante, distinctive.

C'est alors qu'il lâche le projet de slogan : « *J'ai bien mangé/Sans me bourrer/Olé !* » L'adjointe de monsieur Irrighen sursaute. Il lui faut s'expliquer prestement ; sinon elle ne le laissera pas poursuivre. « *En version audio, le premier vers sera dit par un homme, le deuxième par une femme, le troisième par un enfant, de manière à accumuler les raisons qu'auront les gens de fréquenter nos restaurants : bon goût (l'homme), santé (la femme), divertissement (l'enfant). Ces voix deviendront, en version vidéo, des personnages de bandes dessinées qui, en version papier ou affichage, s'exprimeront par phylactères... les bulles prenant, en version Internet, la forme de* pop-ups *en microsite.* »

Responsable du sérieux de *Québec 805669*, l'avocate tique un peu sur le mot « bourrer ». Je lui expose que, quoique considéré familier ou populaire par les dictionnaires, ce verbe reflète bien le niveau de langage des gens qui fréquenteront les restaurants *À votre bonne santé*, donnant ainsi à entendre que nos établissements ne visent pas une clientèle élitiste. Je n'ai pas à pousser plus loin mon argumentation : elle se déclare convaincue. Je ne lui dirai pas à quel point je suis fière de mon triomphe.

3. LES VOIES CLASSIQUES DE SÉLECTION DES MÉDIAS

Dés le lendemain, nous nous rencontrons de nouveau, l'avocate et moi, pour faire un pas de plus vers la rédaction du plan de campagne de *À votre bonne santé*. Comment s'y prendre pour choisir les médias qui porteront le mieux le message de « bon goût, santé, divertissement » que nous avons défini ensemble ? Je la mets au courant — car ces choses-là lui sont peu familières — qu'il existe traditionnellement quatre méthodes dominantes, complémentaires les unes des autres, pour faire un tel choix. Elle veut tout savoir. Je me ferai donc précepteur en placement média, moi qui ne suis pourtant encore qu'une stagiaire.

La sélection par « objectifs de communication »

Cette première approche sert à établir les grandes lignes du plan. Pour ce faire, elle se concentre sur le but immédiatement poursuivi par le message. Et tout d'abord : publicité de marque ou publicité de produit ? Dans le premier cas, l'annonceur associe le nom d'une famille de produits (comme *Sony, Volkswagen* ou *Maytag*) à certaines qualités dans l'espoir que le consommateur fasse, lui aussi, la même association. Dans le second, il s'attarde plutôt à décrire des produits de la marque, le but étant d'inciter le consommateur à se les procurer le plus tôt possible.

En pratique, ces deux modèles se complètent : c'est rarement l'un ou l'autre, mais plus souvent un peu de l'un et de l'autre. Telle est bien la situation pour *À votre bonne santé*. D'une part, c'est la marque — inconnue du public, parce que nouvelle — qu'il faut mettre résolument de l'avant. D'autre part, nous ne pouvons attendre que le consommateur se remémore spontanément le nom de la marque (ce qui peut prendre beaucoup de temps), alors qu'il faut l'inciter à se rendre dès aujourd'hui dans un de nos restaurants.

Nos objectifs de communication mèneront donc, tout naturellement, à des façons spécifiques d'aborder les médias. On ne choisira pas les mêmes heures (à la télévision) ou les mêmes pages (dans un journal) ou les mêmes emplacements (pour ce qui est des panneaux de rue) selon qu'on a besoin — ou non — d'un degré élevé et immédiat de réceptivité du consommateur. Se rappeler le nom d'une marque au fil des semaines demande moins d'attention du public que se rappeler un « *rabais éclair sur des produits sélectionnés* ». D'autres aspects sont aussi à considérer : une durée de vie élevée — ou pas — du message, le prestige — ou non — du média, sans oublier le degré de saturation du consommateur, l'aptitude d'un média à rendre tous les aspects de la palette publicitaire ou encore la préférence pour une publicité continue ou par intermittence, concentrée ou diversifiée. Les paramètres sont donc multiples.

Il faut pourtant établir une priorité. C'est pourquoi, en pratique, le monde de la publicité considérera généralement quatre défis que le produit (ou service) est susceptible de poser au consommateur et axera la campagne sur l'objectif qui domine :

1) éveiller l'intérêt (si le produit est nouveau) ;

2) inciter les gens à l'utiliser plus souvent (s'il est déjà connu) ;

3) enlever des parts de marché aux compétiteurs (s'il leur est supérieur de quelque façon) ;

4) contrer l'image négative d'une partie du public (le cas échéant).

Ces objectifs indiquent la trame générale que se donnera la campagne. Mais on ne peut les dissocier d'une seconde série — les objectifs de choc publicitaire —, qui raffinent les premiers :

1) soit atteindre rapidement les consommateurs par saturation ;

2) soit les atteindre plutôt de façon soutenue par des rappels dispersés ;

3) soit encore les atteindre à un moment et dans un lieu précis par un ciblage hautement sélectif.

J'explique alors à l'avocate qu'à la lumière des objectifs de communication qu'on aura privilégiés, la sélection des médias pourra prendre plusieurs directions. (1) Si nous avons comme objectif de faire connaître *À votre bonne santé* au plus vaste public possible dans un même blitz, nous annoncerons de préférence dans les médias qui assurent les plus vastes audience et lectorat. (2) Si nous voulons plutôt influencer la « ménagère » au moment où elle n'en peut plus de préparer les repas (il s'agit généralement du week-end), nous choisirons naturellement le média qui constitue le meilleur atout à ce moment-là, même si ce n'est pas le premier de sa catégorie à l'échelle de la semaine.

Autre façon de lier les médias aux objectifs de communication : où veut-on atteindre le consommateur éventuel ? Dans sa voiture ? Choisir la radio. Au bureau ? Privilégier Internet. Dans la rue ? L'affiche. À la maison ? La télévision. Mais de telles considérations ne sauraient conduire à des choix automatiques. L'éventail des médias offre une flexibilité suffisante pour que d'autres facteurs influent sur la décision finale. Les objectifs ne rendent pas compte de tout.

La sélection par « forces et faiblesses »

Après que l'annonceur aura fixé ses objectifs de communication, il reviendra à l'agence de voir comment les médias sont équipés pour y répondre. Telle est la raison d'être de l'analyse par « forces et faiblesses ».

J'explique à la présidente qu'il n'y a pas *a priori* de média mieux approprié à un produit qu'un autre, encore moins un média de premier rang, susceptible de répondre à n'importe quel objectif de communication. La réflexion est à reprendre pour chaque dossier.

Elle me demande des illustrations. Je lui en présente plusieurs. Chaque média a bien ses avantages et ses limites.

1) La télévision ? C'est un bon média pour atteindre, d'un seul coup, toute la population du Québec. Mais on y trouve déjà une telle abondance publicitaire, que, pour y surnager, il faut multiplier les occasions ; de sorte que le coût risque vite de devenir prohibitif.

2) La radio, alors ? Elle permet, sans doute, de cibler des segments bien précis de population locale. Mais les messages qu'on y diffuse ne s'enregistrent pas toujours bien dans la mémoire.

3) Pour ce qui est du journal, l'un de ses intérêts vient de ce qu'on peut y placer une annonce dans un délai très court. Mais le message sera-t-il seulement vu, quand on considère que, si 80 % des lecteurs parcourent la « une », cette proportion tombe à 26 % pour certaines pages intérieures ?

4) Le magazine ? La publicité y a un effet prolongé. Mais il manque aux lecteurs le sentiment d'urgence dont plusieurs messages ont besoin.

5) Pour sa part, l'affichage a sans doute un impact retentissant, mais le temps d'exposition se limite à quelques secondes.

6) Préférera-t-on le publipostage ? Il assure un ciblage sélectif, taillé sur mesure, quartier par quartier ; mais il se prête moins bien à une campagne d'image d'envergure nationale.

7) Internet permet une communication bidirectionnelle, mais suppose un public hautement motivé et exige généralement un message à dimension ludique.

8) Quant à la publicité dans les transports publics ou à travers les jeux vidéo, on en vantera souvent l'originalité, sans toujours reconnaître qu'elle exige un niveau élevé d'attention.

Il y a la famille de médias (radio, magazines, etc.), sans doute, mais il y a aussi chacun des véhicules d'une même famille. À cet égard, la segmentation des marchés va sans cesse s'amplifiant. Pour ne citer que la télévision, les chaînes spécialisées sont passées, chez nous, en quelques années, de 25 % à 50 % de l'écoute. Aux États-Unis, où les stations numériques se multiplient à l'infini, on parle désormais de **narrow media** et de **narrowcasting**. On a même créé une chaîne, *Plum TV*, qui ne vise que le jet-set de Martha's Vinyard, Aspen et autres centres de villégiatures pour nantis.

Narrow media, narrowcasting
Média, diffusion, qui s'adresse volontairement à un petit nombre.

La sélection par « nombre d'impressions »

Une troisième façon de considérer les médias consiste à mesurer le nombre d'impressions que le message qu'ils présentent inscrit dans les cerveaux. Tout comme on reproduit une matrice sur des feuilles de papier, on crée un contact entre le message et le consommateur autant de fois que la publicité est vue ou entendue. J'attire l'attention sur le fait que la notion d'impression est à manier avec soin. Elle ne dit pas si l'annonce a été retenue, mais seulement si elle a été reçue, c'est-à-dire, saisie par l'œil ou l'oreille, puis acheminée jusqu'au centre de commande de l'attention. Que l'attention ait été distraite à ce moment-là, et c'est foutu !

C'est pourquoi, pour mettre toutes les chances de leur côté, les publicitaires préfèrent-ils parler d'« exposition » plutôt que d'impression. L'exposition se traduit en « portée », qui elle-même se décline en points d'exposition brute (PEB). Les impressions (ou l'exposition) sont considérées en fonction de la « couverture », c'est-à-dire du nombre de consommateurs susceptibles de recevoir le message en une seule fois. La couverture varie selon l'ampleur du marché qu'atteint le média.

Les médias utilisent ces raccourcis pour établir leurs tarifs, alors que les chercheurs s'en servent pour valider — dans une certaine mesure — l'impact d'une campagne. Ainsi, un point d'exposition brut indiquera-t-il qu'un pour cent du public cible était présent au moment — ou à l'endroit — où le message a été diffusé. Combien de ces personnes ont-elles réellement vu (ou entendu) le message et combien de celles-là l'ont-elles retenu ? Il faut des analyses plus poussées pour le savoir.

Car on fait le relevé des impressions (ou de l'exposition) par voie statistique. Or, toute statistique dépend de la qualité des études qui en déterminent les résultats. Ainsi, pour la radio ou la télévision, le nombre d'impressions est estimé à partir de sondages — automatiques à la télé — réalisés auprès de personnes représentatives de la population totale dont on tire un auditoire moyen au quart d'heure (AMQH). Pour les journaux et les magazines, les impressions sont estimées sur la base du lectorat moyen, lui-même établi par sondage téléphonique aléatoire. Pour les panneaux-affiches, on calcule le nombre de voitures (avec un facteur de charge) qui ont roulé devant l'annonce. Pour Internet, on relève le nombre exact de personnes qui ont cliqué sur un bouton les conduisant à telle page publicitaire.

Des méthodes aussi disparates ne peuvent aboutir qu'à des résultats désordonnés. Sans compter que, pour les médias en émergence, comme la télé interactive, la télé nomade par enregistreur numérique personnel, le téléchargement sur *iPod*, le lecteur DVD portable, la vidéo sur demande ou la radio par satellite, les instruments de sondage sont encore assez peu élaborés. Le relevé des impressions sert donc moins à définir l'auditoire réel qu'à établir un ordre de grandeur, moins à trouver le média le plus efficace qu'à sélectionner, dans une famille de médias, le véhicule le plus apte à porter les objectifs de communication.

À ce propos, je fais observer à la présidente qu'il ne suffit pas d'additionner les impressions pour déduire le nombre de consommateurs atteints. Car une même personne peut avoir vu la publicité plusieurs fois, soit dans un même média, soit dans des médias différents. D'où la notion complémentaire de « fréquence », établie par un recoupement des données. Le lien entre portée et fréquence est, d'ailleurs, suffisamment important pour qu'on ait créé un logiciel (Micro BBM) qui estime l'équilibre nécessaire entre l'une et l'autre pour atteindre les objectifs du client.

D'autres mesures découlent de la notion d'impression et de ses corollaires (portée, PEB, fréquence), notamment le taux de rappel à partir duquel on déduira la façon la plus souhaitable de déployer une campagne publicitaire dans le temps. Plus les gens se rappelleront vite d'une annonce, plus on pourra écourter la campagne. L'avocate intervient : « *Mais n'y a-t-il pas un moment où la publicité a atteint son impact maximal et devient donc superflue ?* » Bien sûr ; quand la plupart des consommateurs n'en ont plus besoin pour prendre leur décision, de sorte que le coût requis pour assurer de nouvelles impressions dépasserait les ventes qu'on serait susceptible d'en retirer. On parle alors de **cap de fréquence**.

> **Cap de fréquence**
> Moment où l'addition de nouvelles impressions n'influencerait plus la majorité des consommateurs, soit qu'ils aient atteint l'étape conative (décision d'acheter ou pas), soit qu'ils se détournent du message pour cause de saturation.

La sélection par « retour sur l'investissement »

La recherche en placement média utilise une quatrième piste pour aider à établir un plan de campagne : le retour sur l'investissement. Centrée sur le rapport coût/bénéfice, cette forme d'analyse ne doit apparaître qu'à la fin du processus. Autrement, elle stopperait trop tôt l'évolution de la réflexion. En effet, s'il faut, bien entendu, éviter que l'investissement ne se transforme en vaine dépense — la présidente cligne des yeux —, la question à poser n'est pas d'abord « combien » l'on va dépenser, mais « comment » on le fera. C'est dire qu'avant de parler d'argent, on considérera les aspects que je viens d'aborder... que la directrice traduit dans ses propres mots : « *catégorie du produit ou du service dans laquelle on investit, objectif immédiat poursuivi (maintenir, retrouver ou hausser sa part de marché), place de la concurrence, consommateurs visés, ampleur du marché à couvrir* ».

On aura aussi une vision à long terme : jusqu'à quel point il est important de réinscrire, de façon réitérée, dans la mémoire du public le nom de la marque, de manière à ce qu'elle soit toujours associée à une image positive. « *Alors, comment faut-il budgétiser ?* » insiste la présidente, qui commence déjà à aligner des chiffres. Je lui réponds qu'elle a le choix entre cinq méthodes, de la moins bonne à la meilleure.

1) par fonds disponibles : à oublier, car on ne peut pas mettre une simple somme d'argent en corrélation ni avec le besoin de l'annonceur ni avec l'efficacité du média ;
2) par *A:S Ratio* (le rapport entre le budget affecté à la publicité et les ventes qui s'ensuivent) : permet les ajustements budgétaires qu'impose le réalisme financier, mais suppose qu'il existe une rela-

tion directe entre la publicité et les ventes, ce qui n'est pas toujours le cas ;

3) par part de la tarte publicitaire affectée à chaque catégorie de produits de l'entreprise : permet de prévoir l'effort publicitaire que chacune de ces catégories est susceptible de requérir ; toutefois, ne s'applique qu'à partir d'une certaine durée, après expériences et tâtonnements ; sans compter que les succès d'hier ne sont pas nécessairement garants de ceux de demain ;

4) par modèles mathématiques : s'ils sont précis, ils sont probablement fiables ; mais ils ne s'appliquent, eux aussi, qu'après plusieurs années d'expérimentation ; en outre, l'imprévisibilité de la réaction des compétiteurs peut rendre caduques les conclusions tirées de cette expérimentation ;

5) par impact : autrement dit l'argent requis pour atteindre (1) une proportion précise de consommateurs, (2) un certain nombre de fois. C'est la meilleure, car elle lie l'investissement au résultat publicitaire (l'impact souhaité). Cette méthode n'est toutefois valide que si l'on tient bien en main toutes les variables de la portée et de la fréquence.

Si je choisis la cinquième option, il me restera à mesurer l'investissement publicitaire requis pour atteindre une visibilité minimale, compte tenu : (1) du caractère nouveau de notre projet ; (2) de la clientèle (4 500 000 consommateurs/année) que *À votre bonne santé* doit attirer pour faire ses frais ; (3) des habitudes médias des personnes du public cible (la classe moyenne). C'est dans cette perspective que l'industrie de la publicité a créé les concepts de coût par mille (pour atteindre 1000 consommateurs) et de coût par point (pour atteindre 1 % de la population visée). Cette mesure permet le **trade-off** entre médias ou entre véhicules d'une même catégorie de médias.

Trade-off

En son sens premier, ce mot signifie « compromis par compensation ». En publicité, on lui attribue sa signification dérivée d'« équivalence ». Ainsi, pourra-t-on troquer un temps ou un espace média contre un autre si l'on est statistiquement sûr d'obtenir un nombre équivalent de PEB ou de CPM.

Encore faut-il tenir compte des médias eux-mêmes, qui ont leurs propres règles et contraintes budgétaires. Ainsi, à la radio, la consolidation des grands groupes de diffusion, désormais propriétaires de la plupart des stations de province, a entraîné une augmentation des tarifs, la concurrence étant moindre. Dans le monde des quotidiens, on multiplie les rabais à l'abonnement et les exemplaires gratuits pour hausser le tirage et être en mesure de maintenir des tarifs suffisamment élevés. Par ailleurs, on voit de plus en plus se développer, surtout dans les médias électroniques, une tarification par **gestion de l'inventaire** (*yield management*), sur le modèle des chambres d'hôtel ou des sièges d'avion.

> **Gestion de l'inventaire *(yield management)***
> Exploitation d'une entreprise à partir des biens disponibles.
> On y a surtout recours dans les cas où ces biens consistent en des articles qui ne sont pas soumis à la vente, mais au droit d'utilisation (place de restaurant, siège de spectacle, voiture de location). Puisque ces objets représentent, à plusieurs égards, un coût pour l'entreprise, ils passent de la colonne des revenus s'ils trouvent preneur, à celle des dépenses dans le cas contraire.

Un emplacement non vendu dans une émission télé est un revenu perdu ; ce qui est souvent le cas en basse saison. Toutefois, comme l'agence média ne sait pas quels emplacements restent sans preneur, la négociation donne parfois lieu à une part de bluff.

La présidente de *Québec 805669* a si bien compris mon exposé qu'elle y apporte elle-même la conclusion : « *Tout essentielle qu'elle soit, la sélection par "retour sur l'investissement", à laquelle les entreprises accordent tant d'importance — poussées qu'elles sont, en ce sens, par leurs actionnaires —, risque de nuire au plan média plutôt que de l'aider si on la fait intervenir dès le début du processus.* »

En effet, le but premier d'une campagne consiste à créer un lien affectif entre le message publicitaire et le consommateur. Il ne suffit donc pas de mesurer le nombre d'impressions pour savoir si elle va entraîner un retour sur l'investissement acceptable. Il faut surtout s'assurer que la qualité du message et le média où il sera présenté permettront au consommateur de passer de l'impression sensorielle initiale à une mémorisation de l'information et, de là, à une adhésion positive.

Je laisse à l'avocate le soin de tirer elle-même les conclusions de ma présentation : « *Il ne faut pas avoir peur de mettre de l'argent sur la table si les analyses ont été bien faites. Pour une dépense à peine plus élevée que celle qu'on avait initialement prévue, on parviendra souvent à une hausse beaucoup plus considérable des ventes ; d'où un meilleur retour sur l'investissement. Ce qui est bien le but de la publicité.* »

4. SE FAIRE INVITER

Je crois avoir convaincu la présidente de *Québec 805669* de mes capacités à mener à bien le projet de plan de campagne pour la publicité de *À votre bonne santé*. « *Je comprends votre mode de fonctionnement. Je vois par quel cheminement vous en arriverez sûrement à une proposition alliant efficacité et coût raisonnable.* » Sur ce, elle me donne congé, m'abandonnant à l'ambitieux défi de faire jaillir, de la multitude de renseignements qualitatifs et quantitatifs dont je dispose, un projet réaliste que je pourrai présenter sans gêne à mon responsable de stage, qui me supervise.

Je retrouve le cubicule où j'avais préparé le plan de campagne de la boutique *Sommital* : la même table vide, la même étagère à l'abandon, la même chaise austère. Seuls quelques feuillets, oubliés ici et là, indiquent que d'autres personnes ont occasionnellement occupé ces lieux depuis mon passage. Sans doute m'impose-t-on de telles conditions pour que je rédige mon projet sans me laisser distraire.

Partenaires plutôt que forces opposées

J'ai à peine entrepris de revoir les grandes méthodes de sélection des médias — par objectifs de communication, par forces et faiblesses, par nombre d'impressions, par retour sur l'investissement —, telles que je les avais expliquées à l'avocate, qu'on frappe à la porte. C'est mon guide, mon gourou... que j'avais perdu de vue depuis je ne sais combien de semaines. « *Le colloque de publicitaires qu'on m'avait demandé de préparer se tiendra la semaine prochaine. Tout est au point. Ma contribution est terminée. Je suis de nouveau à vous.* » Il arrive un peu tard pour m'aider, mais un peu tôt pour recevoir ma proposition.

Je lui expose quand même les péripéties que j'ai traversées, ces derniers temps — il savait déjà —, et l'état de ma réflexion sur le dossier *À votre bonne santé.* Il m'écoute autant des yeux que des oreilles. Puis, comme il se plaisait à le faire si souvent lors de nos conversations antérieures, il me sert une réplique inattendue : « *Vous ai-je dit que j'ai déjà été militaire ?* » Où nous entraîne cette petite phrase, je l'ignore encore. Mais je sais qu'elle nous ramènera, après un long détour, à notre propos initial, non sans l'avoir nourri d'idées neuves. « *Oui, j'ai servi à Chypre. J'étais bien jeune, alors. C'est très loin tout ça. Pourtant, cette expédition a profondément marqué la suite de ma vie.* »

L'armée, m'explique-t-il, est, par définition, un outil de guerre, de mort, de destruction. *Kill or be killed.* Abattre l'autre avant d'être abattu. Occuper le territoire. Ne jamais céder de terrain. Vaincre à tout prix. « *Mon entraîne-ment militaire ne visait rien d'autre... détruire — n'oubliez pas qu'on était en pleine Guerre froide — ... jusqu'à ce que notre unité se voie soudainement confier une mission de maintien de la paix pour le compte des Nations Unies. À partir de ce jour, nous n'avions plus le mandat de tuer, mais celui d'empê-cher que d'autres se tuent. En conséquence, il fallait revoir notre formation du tout au tout, substituer au réflexe de combattre celui de séparer deux combattants.* »

Au retour de Chypre, l'homme s'est mis à considérer autrement le monde des affaires où l'on s'entredéchire si facilement. Et, plus précisé-ment, celui de la publicité où le consommateur d'alors lui apparaissait comme une proie que les annonceurs se disputaient. « *C'est ainsi que j'en vins à créer une agence où l'annonceur cesserait de matraquer le consomma-teur, mais le considérerait plutôt comme un partenaire dans le processus de consommation.* » D'où le dicton qu'il m'a si souvent répété : « *Ne pas s'imposer, mais se faire inviter.* » Autrement dit, ne pas prendre les consom-mateurs pour des minus qu'on peut marteler de messages invasifs, mais pour des personnes responsables, qui — habituées à vivre dans un monde où la consommation est incontournable — sauront aussi bien disposer de l'annonceur importun qu'inviter chez elles celui qui les respecte.

L'agrégation de la publicité au contenu

Mon gourou résume alors dans ses mots ce que j'avais déjà longuement analysé. L'expression « se faire inviter » est une façon fine d'exprimer l'idée de « se faire accepter ». Ainsi, à la télévision, pour contrer l'effet négatif de ces séquences de trois minutes de publicité, chaque quart d'heure, une tendance présentement à la hausse est l'agrégation de la publicité au contenu de la programmation. Cette conjonction se fait de plus en plus subtile selon que la publicité (1) s'intègre à une émission, (2) l'envahit ou (3) l'occupe complètement... avec le consentement tacite du téléspectateur.

L'intégration consiste à insérer un message publicitaire, soit dans l'interstice qui sépare deux émissions, soit dans l'émission elle-même. Cette façon de faire ne va pas sans essais et erreurs. Ainsi a-t-on, un jour, fait l'expérience de glisser une publicité — d'abord exclusivement visuelle, puis parlée — pendant le générique des émissions, jugeant que, de toute façon, le public ne regardait pas ce déroulement, aussi rapide qu'illisible, de noms inconnus. Mais les artisans des émissions ont si vivement défendu leur droit à voir leur contribution brièvement soulignée à l'écran que cette pratique a dû être abandonnée.

Toujours inventifs, les publicitaires ont alors inséré dans leur message un chronomètre qui fait le décompte avant l'émission suivante. Ainsi s'assuraient-ils que le téléspectateur ne quitterait pas son siège. D'autres ont construit le message lui-même autour de l'émission à venir. Dans les deux cas, l'accueil fut suffisamment chaleureux pour que les agences, en quête de façons toujours plus ingénieuses de se faire accepter ou inviter, s'en inspirent.

On peut poursuivre l'intégration jusqu'à l'intérieur de l'émission. On le faisait déjà dans les années 1950, mais d'une manière qui ne serait plus jugée acceptable aujourd'hui. Ainsi, dans la célèbre série *Les Plouffe*, la publicité de la cigarette *Player's* prenait la forme d'un sketch où l'un des protagonistes du scénario se rendait prétendument chez un « tabaconniste » (comme on disait alors) et donnait l'impression de prolonger l'intrigue en dialoguant avec le vendeur... qui en profitait pour vanter les mérites de la marque. Le public n'était pas dupe. Il appréciait, au contraire, voir ses comédiens fétiches un peu plus longtemps à l'écran. Et *Player's* savait comment on le remercierait d'avoir ajouté au plaisir de l'émission.

« Aujourd'hui, l'intégration a pris une direction différente, avec le placement de produit. Vous vous rappelez sans doute ce qu'on vous en a dit quand vous avez étudié la télévision. »

Un pas de plus

Pour poursuivre dans l'allégorie militaire, on en est désormais à l'invasion... pacifique, puis à l'occupation... volontaire. Quand on intègre un message, le spectateur distingue clairement ce qui appartient à la publicité et ce qui relève de l'émission elle-même (c'était bien le cas pour *Les Plouffe*). Envahir, c'est autre chose. C'est contraindre de regarder ou d'écouter.

Ce placement de produit exige beaucoup de finesse ; autrement, les gens remarqueront le décalage entre l'intrigue et le message publicitaire. Alors, ce sera raté. Mais, s'il est intelligemment incorporé, c'est dans une ambiance de détente plutôt que de coercition que le spectateur recevra le message. Pour lui, c'est en quelque sorte le prix à payer pour pouvoir se distraire dans une société où la publicité est omniprésente. Il tient pour acquis que l'argent dépensé par l'annonceur pour ce type de publicité servira à produire des émissions de meilleure qualité.

Occuper, c'est aller encore plus loin. C'est construire l'émission elle-même autour de la marque dont elle devient le porte-voix. Pour décrire cette formule publicitaire, on parlera aussi bien de *branded entertainment* que d'*infotainment*. Cela aussi, je l'ai déjà appris ; mais, au moment où je m'apprête à rédiger le plan média d'*À votre bonne santé*, il n'est pas inutile d'écouter mon responsable de stage en faire le rappel. *« Il existe pourtant une importante différence entre l'une et l'autre notion. »*

En *branded entertainment*, l'intrigue d'une émission — dramatique — est construite de manière à ramener inévitablement les protagonistes au produit, qui devient, en quelque sorte, un élément central du récit. Cette formule permet à chacun d'y trouver son compte : le spectateur se distrait en suivant, à l'écran, une action émouvante ou amusante, alors que l'annonceur se faire connaître... et multiplie ses ventes.

L'*infotainment* va plus loin encore en présentant en parallèle de l'information et du placement de produit. À ce point d'imbrication, la confusion risquerait fort de s'installer, dans l'esprit du téléspectateur, entre séduction publicitaire et information relativement objective, si l'une et l'autre n'étaient pas déjà tellement encastrées dans la société d'aujourd'hui. « *Ce qui arrive plutôt, c'est que, au moment où il prend connaissance d'une nouvelle ou de quelque autre sujet qui l'intéresse, le téléspectateur se renseigne aussi sur une marque ou un produit de consommation. Le tout, dans un contexte d'infodivertissement. Il est comblé !* »

Mon mentor ne peut s'empêcher de remarquer le regard inquiet que je lui jette : l'annonceur ne sera-t-il pas tenté d'abuser de la bonne foi du consommateur qui l'a invité ? Il répond, comme d'habitude, en prenant un détour, qui a, cette fois-ci, la forme d'un laissez-passer : « *Voici votre sauf-conduit pour le colloque de la semaine prochaine. L'une des conférences portera précisément sur la déontologie des publicitaires. Vous devriez y trouver une réponse à vos interrogations d'ordre éthique.* »

Le ciblage par fiche signalétique

Il passe aussitôt à une seconde approche — celle-ci, bidirectionnelle — que les annonceurs utilisent pour « se faire inviter ». Il s'agit, par quelque raffinement du marketing direct, d'engager un dialogue d'allure personnalisée avec un certain nombre de consommateurs, pris un à un. On diffusera d'abord, par courrier traditionnel ou dans un site Internet, une information purement objective (par exemple des renseignements sur une maladie), à laquelle on joindra une invitation à se procurer une brochure explicative ou un échantillon de médicament. Pour recevoir ce cadeau, le consommateur devra évidemment fournir son adresse et quelques autres coordonnés. Seules seront retenues pour les échanges suivants les personnes qui auront manifesté de l'intérêt pour le sujet. Le cadeau sera envoyé, tel qu'il a été promis. La confiance s'installera. Le ciblage aura atteint son but sans que le consommateur ne se sente jamais sous pression.

Ce début de dialogue servira essentiellement à dresser une fiche signalétique de l'interlocuteur. L'annonceur s'entraînera à découvrir les besoins, les goûts et les tendances de son correspondant en matière de consommation ; ce qui lui permettra ensuite de proposer de quoi les satisfaire. Il s'agit bien d'un comportement de type publicitaire, non d'une relation véritablement personnelle, en ce sens que l'annonceur confie à une base de données le soin de dresser le profil de chaque interlocuteur et de prévoir la suite des échanges.

Avec cette forme de publicité, on est clairement en *narrow media* ; ce qui n'est pas sans conséquences budgétaires. Alors qu'un message à la télé peut atteindre, d'un coup, un million d'individus, il faudrait envoyer un million de lettres pour entreprendre le ciblage individualisé de toutes ces personnes. Et infiniment plus encore pour le mener à son terme : la vente d'un produit. C'est pourquoi Internet constitue un instrument privilégié pour cette publicité ciblée, tant il y est facile de personnaliser les messages tout en s'adressant au grand nombre, et ce, instantanément et à peu de frais. Par ailleurs, l'aspect ludique que revêt ce média rend les gens plus réceptifs à pareil type de publicité.

Une heure trente pour décider

Mon responsable de stage a terminé son laïus : « *Je suis sûr que votre projet de plan média pour* À votre bonne santé *sera aussi réussi que celui que vous avez préparé pour* Sommital. *Là-dessus, je vous laisse.* » Il me laisse, oui. Mais avec un problème supplémentaire. J'avais déjà assez de pain sur la planche avec les quatre façons classiques de planifier un placement publicitaire ; il vient de m'en proposer une cinquième : comment « se faire inviter » par le consommateur.

Je peux toutefois compter sur la confiance en moi que j'ai acquise au cours de ce stage pour ébaucher un *mix* média conforme au plan marketing de la nouvelle présidente de *Québec 805669* et, ultimement, aux attentes de monsieur Irrighen. Tandis que je commence à rédiger le plan média, j'imagine déjà la petite heure et demie qui me sera accordée pour les convaincre, l'un et l'autre, du bien-fondé de ma proposition. J'aurai :

15 min (1) pour rappeler l'objectif de la campagne, les stratégies privilégiées et les modifications apportées au projet en cours de route ;

45 min (2) pour produire les conclusions de mon analyse sur les raisons qui m'ont conduite à recommander tel ou tel

choix de médias, à la lumière des diverses méthodes de sélection ;

(3) pour décrire synthétiquement le partage de temps et d'espace que je privilégie entre les divers médias, semaine par semaine, compte tenu de la durée de la campagne ;

(4) pour présenter une prévision générale du budget requis ;

20 min (5) pour réviser ce projet de plan avec mes interlocuteurs et considérer des *trade-offs* ;

(6) pour garantir la réalisation du plan, compte tenu de la disponibilité des médias retenus ;

10 min (7) pour entendre les observations complémentaires et répondre aux questions.

NOTE DE L'ÉDITEUR

Tout comme pour le plan média de la boutique *Sommital*, à la fin de la 6e semaine, il est possible pour tout lecteur d'imaginer — à l'instar de la stagiaire — les grandes articulations que pourrait avoir le plan de campagne de *À votre bonne santé*. Il lui suffit d'avoir bien saisi ce qui a été exposé dans cet ouvrage. Il lui est même possible de construire ce plan jusque dans le détail (impressions brutes, coût par mille, portée des divers médias proposés) en s'inscrivant au cours *Gestion des médias publicitaires* (PBT2210D) du Certificat de publicité de la Faculté de l'éducation permanente de l'Université de Montréal. Pour les coordonnées de ce cours, voir à la page 10.

13ᵉ SEMAINE DE STAGE

Les talents d'un planificateur média

« *Vous prenez l'escalier roulant et tournez à droite* », m'a-t-on dit à l'entrée de l'hôtel. Tel que prévu, près d'un panneau qui annonce le colloque des publicitaires, le personnel d'accueil vérifie les inscriptions et distribue une abondante documentation... pour une bonne part publicitaire. Un peu plus loin, des dizaines de tasses empilées attendent l'arrivée de la cafetière.

J'observe ces hommes cravatés, ces femmes bien mises, qui sortent des ascenseurs, cellulaire à la main. Tous se saluent, car tous se connaissent. Je suis bien la seule à ne connaître personne. À l'abri d'une colonne, j'ouvre le programme de la rencontre et m'arrête à l'horaire. Déception : la conférence sur l'éthique, en vue de laquelle mon responsable de stage m'a pourvue d'un laissez-passer pour le colloque, n'a lieu qu'en début d'après-midi. En attendant, il y en a sur d'autres sujets. Pourquoi ne pas en profiter ?

1. UN REGARD BIEN PARTICULIER
SUR LA COMMUNICATION

La première causerie du matin est présentée par une psychologue dont il est écrit, au programme, qu'elle *« aime provoquer »*. J'en suis bientôt convaincue. Tout comme cette foule d'auditeurs — tout publicitaire apprécie la provocation —, massée dans un salon... devenu vite si exigu qu'il faut, en catastrophe, qu'elle déménage dans un lieu plus vaste.

La fonction première de la communication

Sans préambule, la conférencière lance à la ronde : *« À quoi sert la communication ? »* Silence. Le public n'est pas encore pleinement éveillé. Elle se chargera de le secouer : *« À quoi sert la communication ? »* répètet-elle, en élevant le ton d'une tierce. Du fond de la salle, un jeune participant répond à voix à peine audible : « *À transmettre un message.* — *Ah ! ah !* rétorque la psychologue, *je savais bien que vous tomberiez dans ce piège.* »

Et elle se met aussitôt à dérouler sa propre thèse, qui n'est pas sans me forcer à réfléchir. Pour elle, le contenu de la communication, autrement dit, le message, compte pour très peu. Les gens communiquent avant tout pour vaincre la peur de l'autre, pour créer des liens, pour édifier une cohésion sociale. Les gens « *parlent pour parler* » parce que le silence n'est pas supportable et que la parole rapproche.

« *Vous vous assoyez dans un parc. Un inconnu vient occuper la portion de banc que vous avez laissée libre. Aussitôt, il se sent obligé de vous dire quelques mots d'apprivoisement.* » Les auditeurs redressent les épaules ; la conférencière les a réveillés pour de bon. « *Vous assistez à un incident troublant, au coin de la rue. Aussitôt, vous commentez l'événement avec la première personne qui passe. Il vous faut absolument parler, dire quelques mots pour rompre votre anxiété. Ce que vous dites importe peu ; à qui vous vous adressez, encore moins. Pourvu que vous parliez et qu'on vous réponde.* »

À la maison, au bureau, les gens ne cessent de parler « *pour ne rien dire* » ; les personnes taciturnes font peur. Ce n'est pas sans raison. « *Car la parole remplit la même fonction de renforcement des attaches sociales que l'épouillage mutuel chez les autres primates. Telle serait même son origine préhistorique.* » Un murmure monte de la salle et l'auditoire commence à s'agiter, au point où la conférencière doit tempérer en précisant qu'il ne s'agit là que d'une théorie parmi d'autres. Mais elle n'en poursuit pas moins son argumentation : « *Et vous, publicitaires, où êtes-vous dans ce babillage ? Pourtant, c'est bien à travers ces conversations apparemment anodines que se forment les opinions.* »

J'ai compris : il n'y aurait pas de meilleur moment pour promouvoir une marque, un produit, un service, une idée ou un changement d'attitude que lors de ces échanges sans contenu affiché. « *Rappelez-vous les soirées* Tupperware. » La publicité se laisse trop encadrer par une communication de type persuasif. Chaque annonceur veut absolument faire la preuve que son produit est le meilleur, sans se demander si la personne à l'écoute est intéressée par ce qu'on lui dit. « *Il jette ses messages comme des bouteilles à la mer en espérant que quelqu'un, quelque part, les trouvera.* »

« *À propos de bouteilles à la mer, voulez-vous que je vous raconte une histoire ?* » Il n'y a pas d'âge pour aimer les histoires. « *En plus, celle-ci est vraie.* » Il s'agit d'une personne qui avait inscrit son adresse sur un papier glissé dans une bouteille qu'elle avait ensuite lancée dans l'océan. Quelques mois plus tard, la bouteille lui revint par la poste, accompagnée d'un mot provenant d'au-delà des mers : « *Si vous vous amusez à jeter des bouteilles à la mer, moi, je ne trouve pas tellement agréable de voir mon rivage ainsi défiguré.* » Morale de l'histoire : avant de lancer sa publicité à tout vent, s'assurer que les personnes qui la recevront ne la percevront pas comme une pollution de leur environnement, mais l'intégreront plutôt, avec plaisir, au fil de leur discours.

Une publicité qui s'inspire de la conversation

Mais comment faire ? La psychologue se garde bien de le dire. Elle indique toutefois un filon qu'elle déclare prometteur. « *La communication la plus puissante se fait entre deux personnes, trois ou quatre peut-être.* » Dès qu'un groupe s'amplifie, il est possible à quiconque de s'en détacher mentalement à tout instant et, conséquemment, de diluer l'influence des propos qui s'y tiennent. Mais entre deux personnes, il n'y a pas de fuite possible. Même le discoureur au caquetage le plus insignifiant s'attend à ce qu'à un moment donné, on lui donne la réplique. « *Si vous tardez trop à le faire, il ne manquera d'ailleurs pas de réagir avec impatience :* "M'écoutes-tu ?" »

Elle ajoute qu'on n'a plus à prouver l'influence qu'ont ces communications à petite échelle sur la prise de décision. « *Alors que nous n'entendons même plus le baratin des politiciens, des vendeurs de voitures usagées... et des publicitaires... nous nous accrochons, les yeux fermés, aux affirmations d'une personne en laquelle, pour des raisons subconscientes — figure parentale, peut-être ? — nous avons placé une confiance absolue.* » Et de rappeler — mais peu de gens dans la salle sont en mesure de s'en souvenir — l'ascendant médiatique qu'ont eu, autrefois, des personnalités comme Billy Graham ou Bishop Sheen, aux États-Unis, ou le père Desmarais, chez nous.

« *Alors qu'ils s'adressaient à des milliers d'auditeurs, ces orateurs persuasifs savaient donner à chacun d'eux l'impression qu'ils ne parlaient qu'à lui.* »

En conséquence, ajoute-t-elle, les publicitaires devraient se défaire de leur dépendance aux médias de masse pour s'orienter plutôt vers les contacts primaires, interpersonnels : pousser le *narrow media* à sa limite. Comme ces conversations sont non directives, ils devraient modifier le contenu de leurs communications en conséquence : moins chercher à convaincre qu'à être simplement présents là où les gens se parlent. « *Puisque, pour des raisons financières, ils n'auront jamais les moyens d'intervenir dans toutes les conversations de la ville, ils peuvent tout au moins considérer la radio comme un média fluide assez près du babil domestique.* » À preuve : les personnes privées d'échanges du fait de leur solitude ne manquent pas de passer des heures à écouter les bonimenteurs radiophoniques, qu'elles convertissent vite en substituts de confidents. Des confidents si sûrs, d'ailleurs, qu'elles prennent la peine de leur téléphoner en ondes, bavardant sans sujet fixe, se confiant à eux comme à un proche, sans se soucier de ce que des milliers de personnes assistent à l'échange.

La télévision serait en mesure de remplir la même fonction de dialogue. Mais elle le fait peu. Ce qui s'explique pour plusieurs raisons. D'abord, ce média exige un niveau d'attention plus élevé que la radio : bien peu de gens peuvent se permettre de s'asseoir, des heures durant, devant leur poste. Ensuite, on hésite à téléphoner à un animateur qui, au moment de répondre, regarde la caméra, donc semble fixer son interlocuteur des yeux... bonne façon de le désarçonner.

À sa manière, Internet constitue un autre média favorable à des échanges spontanés où il y a quand même place pour l'intervention d'une publicité. « *À condition, évidemment, qu'il ne s'agisse pas de messages préprogrammés qui, tout en ayant l'allure d'une communication interpersonnelle, n'en constituent qu'une imitation vite démasquée.* » Si subtils qu'ils soient, les logiciels à réponses variables finissent toujours par laisser filtrer leurs limites. Ils n'ont pas des phrases pour tout, surtout pas pour les réactions émotives. On s'en lasse vite.

L'assistance se tait, comme s'il manquait des morceaux à cette causerie invitant à la créativité. La conférencière le fait elle-même remarquer : « *Il n'est pas indifférent que les quelques médias que je viens de mentionner soient tous électroniques. Je vais vous dire pourquoi.* »

L'arbre des médias

Elle fait pourtant un long détour pour exposer sa théorie. Comparant les médias à « l'arbre de la vie », elle indique qu'on peut les répartir en règnes, classes, ordres et catégories, tout comme l'humain est un être vivant du règne animal, de la classe des vertébrés, de l'ordre des mammifères et de la catégorie des primates. « *Je m'en tiendrai à la segmentation principale, celle de premier niveau entre les deux règnes médiatiques. Tout le reste découle de là.* » Avec un sens du suspense qui lui a valu d'être si souvent invitée à des tribunes de ce genre, elle prend alors tout son temps pour décrire ces deux règnes.

Un premier règne, la première façon de « *communiquer par d'autres moyens que nos cinq sens* » — telle est bien la meilleure définition du mot *média* —, consiste à graver l'information (texte, son, illustration) sur un support, physique ou chimique, qui la conservera pour l'avenir. De l'imprimerie à la photographie, de l'eau-forte à la taille-douce, les diverses techniques de gravure ont constitué autant de variantes d'un même concept : inscrire des mots et des images sur un support pour qu'ils traversent le temps.

La plus ancienne forme de gravure, celle burinée sur un monument, représentait un personnage ou transcrivait sa parole sur un matériau particulièrement résistant, la pierre. C'est grâce aux stèles, statues et inscriptions que le souvenir des conquérants phéniciens et des pharaons égyptiens a perduré jusqu'à nos jours. Tel est l'ancêtre des médias. Au fil des siècles, on apprit à exploiter des supports plus légers (papyrus, parchemin, papier), puis à multiplier rapidement les exemplaires (imprimerie). Plus récemment, on inscrivit chimiquement les images sur une base de bromure d'argent (film), qui reproduisait beaucoup plus fidèlement le réel, y compris le réel animé. Avec le disque, l'inscription prit la forme de sillons.

Tous les médias de ce règne visaient le même objectif : congeler mots et images (les sons viendront plus tard) qu'on voulait sauvegarder pour l'avenir. Les sociétés de l'écriture ont donc survécu dans la mémoire de l'humanité ; les autres se sont effacées à jamais. Or, avec l'électronique, apparut un concept tellement différent qu'on peut parler d'un règne distinct. En effet, l'électronique ne vise pas à stocker des paroles, mais à les porter — instantanément — aux confins de la planète.

Elle réalisa ce tour de force en combinant les ondes hertziennes d'une manière telle que leur simple vibration simule, par analogie, des sons et des images. Ainsi naquirent la radio, puis la télévision. Plus récemment, la numérisation haussa ce concept d'un cran, en codifiant, en langage binaire, toutes les nuances de la voix, de la musique, de l'écriture et de l'image. « *Le monde virtuel, véritable double du monde réel, était né.* »

La rencontre des deux règnes

Pour le publicitaire, la différence entre ces deux règnes est capitale. Le premier, auquel appartiennent les journaux, les magazines, les films et les panneaux d'affichage, permet de conserver les mots, les sons et les images pour usage futur, ce futur pouvant être tout à l'heure, demain, le mois prochain ou dans mille ans. On n'y parvient toutefois qu'au prix d'une suspension de l'action : le temps défile inexorablement ; l'inscription en saisit un instant.

Le second règne, dont relèvent la radio, la télévision, Internet et les nouveaux médias numériques, permet de porter, à un auditoire illimité, les mots tels qu'ils sortent de la bouche, les paysages tels qu'on pourrait les voir si on y était, les musiques comme si l'orchestre jouait dans son salon. En direct. Avec, toutefois, cette limite non négligeable : le signal électronique passe à la vitesse de la lumière, comme la vie. Il n'a aucune capacité de sauvegarde. Pour l'archiver, il faut donc emprunter aux médias du premier règne, c'est-à-dire, passer par la gravure (sur bande, disque dur, DVD, etc.).

Le jour où un protocole unique parviendra, à la fois à transmettre instantanément des signaux numériques et à les graver sur tout type de support, les deux grands règnes, celui de l'électronique, axé sur l'instantanéité, et celui de la gravure, axé sur la conservation, fusionneront. À l'échelle de la planète, cette harmonisation des techniques de communication contribuera alors largement à l'avènement d'un village devenu véritablement global, c'est-à-dire rassemblant le meilleur de l'humanité, non seulement présente, mais également passée.

La communication horizontale

« *La révolution est déjà commencée*, annonce la conférencière. *Alors que vous utilisez encore Internet comme un média classique, avec des sites, des fichiers et des pages, qui sont autant de moyens de graver l'information et de garder ainsi une distance temporelle avec vos correspondants, d'autres exploitent ce que ce média a de plus novateur : la modification des rapports entre pouvoir et citoyens, entre annonceurs et consommateurs, grâce à l'instantanéité de la communication.* »

Dès ses débuts, Internet a instauré la communication horizontale par le clavardage. Ses premiers essais, hésitants, il les fit dans des groupes de discussion bien encadrés. Puis, il libéra complètement la parole et permit à chacun de communiquer à l'échelle de la planète, avec tous les risques qu'on encourt quand on converse avec des inconnus. Par la suite, il franchit un pas de plus en interpellant les chefs de file de l'information officielle, ceux qui sont habitués à parler à la masse du haut de leur compétence professionnelle, allant jusqu'à s'approprier leur micro. Le peuple a désormais sa voix, ses nouvelles, sa radio, sa musique.

La principale difficulté à laquelle fait face aujourd'hui la cité virtuelle ne vient pas des émetteurs publics, en voie d'être déclassés, mais réside dans le fait que tout le monde veut s'y exprimer en même temps. C'est pourquoi, pour éviter que les internautes ne sombrent dans une cacophonie planétaire, il a bien fallu accepter que de nouveaux leaders s'imposent et qu'une certaine discipline — une **nétiquette** — s'instaure. Tout comme les mouvements de la foule physique, ceux de la foule virtuelle doivent se conformer à un certain ordre de défilement.

Nétiquette

Règles de comportement communément admises quand on communique avec d'autres personnes sur le Net et, par extension, au moyen de tout autre outil numérique de communication.

Le réseau *IP*

Internet est caractérisé par une philosophie égalitariste : personne n'a préséance sur les autres, la *nétiquette* ne servant qu'à assurer un débit harmonieux de la foule virtuelle, comme le font les feux de circulation pour la foule physique. Il rencontre toutefois un autre obstacle. Tout comme les règles de circulation varient d'un pays à l'autre — conduite à gauche ou à droite, etc. —, de même le numérique est constitué de systèmes et réseaux souvent incompatibles. Pourrait-on imaginer une technologie qui saurait traduire les codes de chacun en un langage unique ? Assurément. Et l'on est même près d'y parvenir avec le **réseau *IP*.**

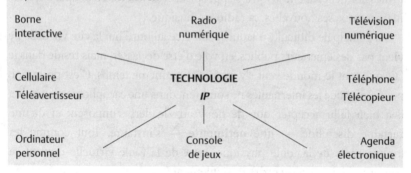

Le réseau *IP*, un pont entre les modes de communication

L'*Internet Protocol (IP)* a été mis au point pour permettre à divers ordinateurs de communiquer entre eux en transférant leurs fichiers sur une plate-forme de transmission commune. Depuis quelques années, cette norme a tendance à s'étendre à d'autres moyens de communication, ce qui permet à chacun d'eux d'interagir de façon immédiate avec les autres.

Borne interactive	Radio numérique	Télévision numérique
Cellulaire Téléavertisseur	**TECHNOLOGIE IP**	Téléphone Télécopieur
Ordinateur personnel	Console de jeux	Agenda électronique

Le réseau *IP* est plein de promesses. Il permet, dès aujourd'hui, de voir à l'écran d'un téléphone cellulaire les images que d'autres regardent à la télévision, ou bien d'imprimer à distance une photo prise d'un appareil numérique, ou encore de recevoir sur son portable, à bord d'un train ou de sa voiture, les fichiers de son correspondant. « *Mais il est loin d'avoir atteint l'universalité.* » L'équipement des centraux téléphoniques ne permet pas partout la transmission en direct. Le protocole des entreprises de câble n'est pas encore uniformisé. Les ordinateurs n'utilisent guère le langage *IP* pour autre chose que la transmission d'Internet, les autres logiciels demeurant le plus souvent incompatibles. Quant à la radio et à la télévision numériques, elles ne sont pas encore implantées partout, tandis que les DVD ont multiplié les formats. Que dire alors des consoles de jeux, qui font appel à des langages concurrents ?

La conférencière ne perd pas la foi pour si peu : « *Tout porte à croire que le monde tient dans la technologie IP cette "pierre philosophale" depuis si longtemps recherchée et que c'est le peuple, la masse, le consommateur, qui s'en emparera. Et vous, où êtes-vous pendant que s'effectue cette révolution ?* »

Une publicité qui prend le risque démocratique

Jusqu'à tout récemment, la publicité n'avait pas pris la mesure de la « cité virtuelle ». L'annonce qu'affichait un moteur de recherche ou un portail ne différait guère de celle transmise par la télévision, sauf pour sa capacité à renvoyer l'internaute de site en site. La circulation démocratique de l'information en technologie *IP* impose aux publicitaires de refaire leurs devoirs.

Ainsi, la firme *Anheuser-Bush* a-t-elle créé son propre réseau vidéo, *Bud TV*, de manière à contourner les limites des médias traditionnels. Ce système permet à n'importe qui de télécharger sur son portable ou son baladeur des émissions commanditées par *Bud*, le tout évidemment soutenu de messages publicitaires. D'autres entreprises, notamment General Motors, envisagent de faire de même. La conférencière va plus loin : « *Je me permettrai une hypothèse plus audacieuse encore en vous proposant la création d'un poste de courtier virtuel.* » Au lieu d'essayer de sensibiliser une masse indifférenciée de consommateurs à un produit (l'approche verticale du processus publicitaire classique), dans l'espoir que certains d'entre eux fassent ensuite la démarche d'aller se le procurer, je mettrais plutôt les internautes en contact avec un interlocuteur spécialisé en consommation, par voie de clavardage (approche horizontale).

Le courtier virtuel

Sur le modèle de l'agent immobilier, ce courtier virtuel représenterait plusieurs marques. Il répondrait aux questions, orienterait les choix parmi les produits qu'il aurait reçu mandat de promouvoir, dirigerait vers d'autres

sources de renseignements, et, le cas échéant, bouclerait la vente et se char-
gerait de la distribution. En complément, il tiendrait les entreprises concernées au courant des tendances du marché, à la lumière de ses échanges avec
les consommateurs.

À compétence égale, il ne ressemblerait pourtant guère à ces vendeurs,
associés ou conseillers, auxquels on s'adresse dans les magasins. Car issu de
la jeune tradition Internet, il aurait non seulement le vocabulaire et les
codes d'échange propres aux gens de ce média, mais aussi leur aptitude à
changer rapidement de support (de l'imprimante au téléphone cellulaire,
au télécopieur, à l'appareil photo, tous *IP*). « *Dans ce lieu de virtuelle
affluence que constitue l'univers* IP*, il apporterait sa convivialité souriante. Je
le vois bien accueillir sur son site — mais après élagage, quand même — les
observations de ses correspondants et, pourquoi pas, des propos plus personnels, comme en font régulièrement les clients, en magasin, au terme d'une
transaction réussie.* »

Représentant de commerce ? Oui, sans aucun doute ; mais avec — en
filigrane — cette chaleur qui caractérise les échanges entre internautes.
Une publicité qui s'approche du « bouche à oreille » dont chacun sait qu'il
constitue le véhicule publicitaire le plus efficace qui soit. « *Entre-temps, je
ne comprends pas pourquoi la publicité n'exploite pas plus le potentiel
d'instantanéité des médias électroniques.* » La plupart des messages publicitaires sont rédigés, vérifiés, fignolés et inscrits sur un support de conservation à la manière des médias du premier règne, alors qu'ils pourraient tant
profiter de l'avantage concurrentiel des médias du second règne, soit cette
immédiateté qui les rapprocherait du contact sans intermédiaire, « *dont j'ai
bien dit, tout à l'heure, qu'il était nettement le plus influent* ».

La radio utilise occasionnellement ce concept pour ses publicités *remote*,
réalisées en direct du point de vente. La télévision y a timidement recours
dans ses émissions de téléachat. Internet s'y risque un peu plus avec les
transactions en ligne. « *Mais on a l'impression que vous avez peur du direct.
C'est pourtant de cette façon que vous pourriez le mieux* "parler pour parler",
*vous aussi, de manière à entrer dans le processus d'intégration sociale que
facilite la parole. La publicité est une conséquente de la consommation, elle-
même sujet fréquent des échanges interpersonnels. Il y a place pour vous dans
ces dialogues… si vous n'essayez pas, comme vous le faites trop souvent,
d'occuper toute la place.* »

Dans la discussion qui suivit, la politesse des paroles n'arrivait pas toujours à cacher l'opiniâtreté des opinions divergentes. Heureusement qu'une seconde causerie était prévue et qu'on avait décidé de la présenter dans le même salon. Avec peine fit-on évacuer les lieux pour permettre d'aérer la salle. Car le second sujet ferait, lui aussi, le plein d'auditeurs.

2. LA CONVERGENCE DES MÉDIAS

Ils se mirent à deux, un planificateur et un représentant des ventes, pour expliquer la convergence des médias. À trois, si on ajoute la présentation *PowerPoint*. Dans la salle, je reconnus le directeur des achats section imprimés de notre agence (celui qui m'appelait sans cesse « ma fille ») et le représentant des ventes en télévision qui s'était montré si attentif à mes questions. Je pus également entrevoir, de loin, le jeune homme de l'agence concurrente qui avait failli faire échouer mon stage. Je m'en tins à distance.

L'intégration des entreprises de communication

Depuis plusieurs années, la tendance dominante des affaires est à l'instauration de pyramides d'entreprises, qui débordent désormais les frontières des pays. C'est ainsi qu'un même consortium acquerra des filiales sur tous les continents, au gré de transactions visant à exploiter au mieux les capitaux qu'il a accumulés. Il essaiera — quoique pas de façon systématique — de mettre la main sur des entreprises du même domaine ou d'un domaine voisin, de manière à étendre sa domination sur l'ensemble d'un secteur économique.

Dans celui de la communication, l'intégration portera tout autant sur le contenant (papeterie, imprimerie, réseau hertzien ou satellitaire) que sur le contenu (stations de radio ou chaînes de télé, journaux, magazines, sites Internet, etc.). Or, pour ce qui est des industries centrées sur un contenu communicationnel, il faut savoir que la plus grande partie de leurs revenus provient de la vente non du produit lui-même (ex : l'abonnement à un magazine), mais d'une partie de ce produit (une page, une colonne) à un tiers, qui l'utilisera pour faire connaître son propre produit par la publicité.

Au motif habituel d'édifier des conglomérats — augmenter les profits — s'ajoutera donc, dans ce cas précis, celui de susciter une synergie entre plusieurs de ces véhicules publicitaires.

Il n'est pas facile de maintenir l'équilibre entre le motif qu'ont les consommateurs de s'intéresser à un média — se distraire en s'informant — et la nécessité pour ce média de leur imposer des messages publicitaires — leur source première de revenus. Trop de publicité, et les consommateurs protestent ; pas assez, et le média perd de son impact. C'est pourquoi la propriété de plusieurs médias, relevant de diverses familles, permet, à la fois, d'étaler la publicité et de créer un effet de levier, tout en proposant un choix de médias pour tous les goûts.

Au Québec les regroupements les plus considérables comprennent Radio-Canada, Quebecor Media, Power Corporation, BCE, Can West, Transcontinental, Rogers, Corus, Cogeco, etc.

Il est presque impossible, aujourd'hui, pour un média de faire ses frais s'il fonctionne en autarcie. Le journal *Le Devoir* est l'une des rares exceptions à cette contrainte. Pour y parvenir, il a dû faire supporter par l'abonné une portion élevée des coûts de production (ce quotidien se vend plus cher que les autres) ; ce dont il l'a moralement récompensé en lui garantissant « *un journal indépendant* ».

En quoi consiste la convergence des contenus

Si la notion de convergence peut être appliquée à la propriété d'entreprises ou à l'exploitation technologique, on doit plutôt l'entendre ici comme la mise en commun, sous un même chapiteau, d'un processus publicitaire multimédia dont le conglomérat sera toujours l'ultime bénéficiaire. « *Voyez le long détour qu'il faut prendre, dans l'industrie de la communication, pour atteindre l'objectif financier ultime.* »

1) En offrant une tribune multimédia aux annonceurs, le conglomérat garantira cohérence et complémentarité à une campagne publicitaire, le tout dans la simplicité d'une seule négociation « clé en main ». « *Un forfait multimédia permet d'annoncer à la fois dans un journal, une chaîne de télévision et un magazine du conglomérat, ce qui entraîne tout autant une réduction des coûts qu'une hausse d'effi-*

cacité du message. » L'annonceur est satisfait et le conglomérat engrange.

2) En assurant une convergence de l'information entre ses divers diffuseurs, le conglomérat contrôle l'ensemble de la chaîne de communication. Une émission populaire, comme *Star Académie,* fera aussitôt tache d'huile dans Internet, dans les quotidiens et dans les magazines du conglomérat ; ce à quoi seront également associées ses maisons d'édition de livres, de disques et de DVD. Une telle cascade d'impacts médiatiques provoquera, en retour, une hausse de l'auditoire et, par voie de conséquence, une exposition plus considérable de l'annonceur. Le conglomérat pourra dès lors augmenter les coûts des futurs messages publicitaires durant cette émission.

3) En faisant connaître, l'un par l'autre, les divers médias dont il est propriétaire, le conglomérat multiplie, à peu de frais, les occasions publicitaires mettant de l'avant ses propres produits. « *C'est ainsi que vous trouverez des annonces publicitaires du magasin de musique* Archambault *et de la revue féminine* Clin D'œil *dans la facture du câblodistributeur* Vidéotron. » Si, grâce à ces interactions, les médias se vendent mieux, leur espace publicitaire vaudra plus cher. « *De quelque côté que l'on se tourne, le conglomérat en sort toujours gagnant.* »

La convergence, vue du côté des agences

Pour une agence média, il y a là de quoi s'inquiéter. En effet, si un consortium de communication tient en main la chaîne presque entière de son produit, depuis la papetière jusqu'au contenu des publications, pourquoi se priverait-il de l'ultime maillon que constitue un lien immédiat, sans intermédiaire, avec ses annonceurs ? « *Sur quelle base une agence de média indépendante saura-t-elle alors démontrer qu'elle est toujours incontournable ?* » Regard panoramique des deux présentateurs sur l'assemblée, attentive, mais muette. Ils apporteront donc eux-mêmes une triple réponse à leur question.

1) D'abord, si un bon plan de campagne publicitaire comporte un *mix* média, aucun conglomérat ne possède le *mix* complet : « *Certains n'ont pas de stations de radio, d'autres ne possèdent pas de réseaux*

d'affichage. Même les médias dont ils sont propriétaires n'atteignent pas la totalité des consommateurs. »

2) Ensuite, un seul groupe de médias ne saurait atteindre toutes les cibles : « *Qu'il se centre sur le créneau "populaire" ou sur le "haut de gamme", il y aura toujours un segment du marché qui lui échappera, des quintiles constitués de gens qui regardent d'autres émissions ou lisent d'autres publications. L'annonceur a besoin d'atteindre ce marché-là aussi.* »

3) Enfin, le fait de confier l'exclusivité de sa publicité à un seul fournisseur de services risquerait d'entraîner la dépendance de l'annonceur à son endroit. « *La concurrence ne joue pas seulement pour le produit, mais aussi pour les tarifs publicitaires. Un courtier, qui n'a aucune obligation à l'endroit de tel ou tel conglomérat, est sûrement mieux placé pour négocier les coûts en toute indépendance.* »

Mais l'agence média ne vient pas seulement au secours de l'annonceur. Elle sert aussi l'intérêt des consortiums. « *Car la concentration, c'est comme la coupe à blanc. À force d'occuper un secteur, on risque de tarir peu à peu les sources de renouvellement de ses médias, réduisant ainsi leur potentiel publicitaire. Les agences médias peuvent servir de paratonnerre aux consortiums qui, esclaves de leur logique commerciale, risqueraient autrement d'assister à l'émergence d'autres modèles à côté d'eux, sans eux, contre eux.* »

La convergence, vue du côté de l'annonceur

Quant à l'annonceur, à première vue la convergence l'avantage, du fait qu'on lui propose, à bon compte et sans intermédiaire, dix médias d'un seul coup. Mais il découvrira bientôt que les patrons du conglomérat sont plus renseignés que lui sur les éléments de sa propre campagne. En effet, puisqu'il s'en remet à eux pour proposer les meilleures émissions ou pages de magazines où placer sa publicité, il leur laisse le pouvoir de recommander celles qui leur conviennent d'abord à eux.

L'annonceur aurait intérêt à se sensibiliser aux « 4... ou 5 P » (*product, price, place, promotion... people*). On impose trop souvent à la publicité de fonctionner en vase clos, comme si le succès d'une vente ne dépendait pas d'une interaction bien dosée entre tous les éléments du *mix* marketing. « *Il faut savoir que la communication intervient de plus d'une manière dans la mise en valeur d'une marque. Elle s'adresse directement au consommateur, sans doute ; mais elle atteint également les leaders d'opinion. C'est ainsi que la publicité interagit avec les relations publiques, en plus de contribuer à la promotion des produits et aux autres activités de marketing.* »

On peut aller plus loin encore : « *Même la fixation du prix de vente doit tenir compte des économies d'échelle qu'une bonne publicité favorisera. Tout cela est interrelié.* » Pour ces raisons, concluent les conférenciers, l'annonceur doit résister à la tentation d'abandonner sa publicité au nom de quelque solution que ce soit, et ainsi perdre l'autonomie de son portefeuille publicitaire.

Dans l'échange qui suit l'exposé, les participants insistent surtout sur l'importance qu'une source neutre — ni les médias convergents ni les agences —, permette aux annonceurs de voir de quel côté se trouve leur avantage. Il faudrait donc porter cette question à une autre tribune, comme une chambre de commerce ou une association d'entreprises. Là-dessus, c'est l'heure de passer à table, en attendant que commence enfin la conférence pour laquelle mon responsable de stage m'a offert un laissez-passer, celle sur l'éthique.

3. L'ÉTHIQUE DU PLACEMENT MÉDIA

Début d'après-midi. Dehors, le soleil invite à l'évasion. Certains participants n'y résistent pas. Quant à moi, j'attends depuis si longtemps cette causerie que je ne suis pas disposée à la manquer pour quelques fugaces rayons, si chauds soient-ils. Ce n'est toutefois pas sans étonnement que je vois la directrice générale de mon agence monter les marches de l'estrade pour remplacer au pied levé, l'orateur prévu au programme. De toute évidence, elle connaît bien son sujet, car elle n'aura pas besoin de notes pour nous en entretenir durant une heure.

Éthique envers l'annonceur et les médias

Jusqu'à ce jour, les agences de placement média n'ont mis au point ni code d'éthique ni normes déontologiques. La raison en est simple : le placement média n'est qu'une activité de courtage commercial entre une entreprise (le média), qui vend un produit (espace ou temps), et une autre (le producteur ou le distributeur), qui achète ce temps ou cet espace pour se faire connaître du public. Elles ont raison d'affirmer qu'un bien matériel (une annonce que nul n'est tenu de regarder) n'a pas besoin d'une aussi grande protection morale qu'un service où des personnes sont en cause. On ajoutera que ce n'est pas à l'agence — simple courroie de transmission — qu'il importe, au premier chef, d'avoir un comportement éthique, mais plutôt aux entreprises concernées (annonceurs, d'une part, médias, de l'autre).

« *Cela ne signifie pas que l'agence ne doit pas se comporter de manière honnête à l'égard de sa double clientèle (annonceurs et médias).* » Comme toute organisation qui se respecte, elle s'assurera, non seulement d'observer les lois qui régissent le commerce, mais également d'y ajouter opportunément cette touche de droiture qui humanise le monde des affaires. « *Qu'en toutes circonstances, elle se montre intègre, irréprochable, insoupçonnable : c'est essentiel si elle ne veut pas être traitée de "fly-by-night". Mais il n'y a rien, là, qui soit spécifique au monde du placement média.* » De sorte que l'éthique générale des affaires lui suffit, sans qu'elle ait à y ajouter un « code » qui lui soit particulier.

« *C'est à chacun des professionnels que nous sommes de se comporter de façon éthique. Nous évoluons quotidiennement à la fois dans le* show business *et dans le* big business. *De part et d'autre, des sommes considérables sont en jeu. Affamés, certains médias pourraient être tentés de fausser les règles par toutes sortes de cadeaux et d'avantages, alors que des annonceurs pourraient nous inciter à des manœuvres douteuses. N'oublions jamais que nous avons comme mandat de protéger l'investissement de l'annonceur tout en assurant des revenus convenables aux médias.* »

La conférencière fait alors une série de distinctions entre ce qui est correct et ce qui l'est moins. Le troc, qu'elle préfère appeler « contrat d'échange », est une façon acceptable de rémunérer une activité autrement qu'en argent. Ainsi, pour régler les frais de leur publicité, des entreprises de spectacles ou de voyages offriront à l'agence un certain nombre de places gratuites. À son tour, l'agence distribuera ces tickets à diverses personnes avec lesquelles elle fait des affaires (annonceurs ou représentants de médias) en gage de bonnes relations.

Ce qui est contraire à l'éthique, c'est que ces menus cadeaux deviennent des obligations. Ainsi, l'exclusivité d'un emplacement publicitaire est sans doute monnayable. *« Mais dans les règles ! Si l'on exige une commission occulte pour garantir ce privilège, l'on sort du cadre admissible. »* On pourrait en dire autant à propos de la rupture d'une entente de positionnement que provoquerait l'apparition soudaine d'un concurrent prêt à payer plus cher pour l'emplacement. *« Vous avez assez de sens moral pour faire les distinctions qui s'imposent. »*

Avec un brin d'hésitation, la conférencière ajoute : *« Oui, je sais... vous aimeriez que je vous parle de commissions d'enquête... des fausses factures... des abus provoqués par l'absence de contrôle financier... Permettez que je ne m'y attarde pas. Votre expérience vous aura tout de même permis de reconnaître que, dans un domaine d'activité où tant l'annonceur que le média investissent considérablement, la pression peut se faire forte sur les intermédiaires que nous sommes. »* Oui, j'ai pu m'en rendre compte, le jour où l'on tenta de me débaucher au profit d'une firme concurrente.

Éthique envers les consommateurs

La bonne gestion des interrelations entre annonceurs et médias, c'est bien. Mais n'est-ce pas se défaire un peu vite de sa responsabilité à l'égard du consommateur ? À cette question, la directrice générale apporte une réponse que je connaissais déjà : *« Les artisans du placement publicitaire défendent les achats d'un annonceur auprès du représentant des ventes d'un média. C'est leur tâche immédiate. Mais voyons les choses d'un peu plus haut : le publicitaire est d'abord un intermédiaire entre l'entreprise, le point de départ, et le consommateur, le point d'arrivée. »* C'est, mot pour mot, l'argument qu'elle m'avait exposé lors de notre première rencontre, au tout début de mon stage.

Elle poursuit. Le public cible n'est jamais invité aux transactions que l'agence facilite entre l'annonceur et les médias. On ne lui demande pas son avis. Ni sur le message lui-même (est-il honnête ? dit-il la vérité ?) ni sur la façon de l'exposer dans les médias (impose-t-il un produit d'une manière telle que le libre arbitre du consommateur en serait affecté ?). Laisser croire que le produit est plus grand ou plus beau qu'en réalité, c'est une faute publicitaire commise par l'agence de création, mais que l'agence média ne doit pas laisser passer. De toute façon, les organismes de protection des consommateurs agissent déjà comme chiens de garde de la législation, elle-même sévère. Les plaintes sont traitées rapidement, les amendes peuvent être lourdes et l'entreprise fautive ne se remettra pas facilement d'une réputation salie.

« *Comme je ne traite ici que du placement média, je laisserai à d'autres le soin d'en dire plus sur l'éthique du message lui-même. Qu'il me suffise de rappeler qu'un message que le consommateur moyen aurait peine à interpréter correctement peut être considéré comme contrevenant à l'éthique.* » Quant au questionnement d'une agence de gestion média, il se situe ailleurs. Car en définitive, c'est au moment où l'annonce paraît qu'elle produit son impact ; auparavant, elle n'est qu'une esquisse inoffensive.

Quatre modèles de consommateurs

La responsabilité spécifique d'une agence de publicité à l'égard des consommateurs provient de l'influence que les messages peuvent avoir sur eux. « *À cet égard, je distinguerai quatre catégories de consommateurs* » : (1) les "j'en veux encore" ; (2) les "surtout pas" ; (3) les "je ne peux pas me décider" ; (4) les "c'est bien tentant" ».

Les « j'en veux encore » sont les consommateurs compulsifs. Ils semblent ne vivre que pour consommer et passeraient bien leurs vacances dans les centres commerciaux. Ils sont du genre à acheter des magazines « *pour les publicités* ». L'hiver, dans les Laurentides, ces personnes-là s'attarderont dans les boutiques au lieu de faire du ski. D'un voyage à l'étranger, elles ne rapporteront pas le souvenir d'un monument célèbre, mais celui d'un souk. Ce sont de vraies mines de renseignements pour leur entourage, mais aussi un danger pour quiconque les accompagne : elles ne sauraient visiter le moindre village sans entrer dans une boutique et y acheter quelque chose d'inutile.

À l'autre extrémité du spectre, les « surtout pas », promoteurs de la simplicité volontaire, proclament, à l'instar de nombreux sages, notamment Épicure, que le bonheur et la consommation sont mutuellement exclusifs. Adeptes du magazine *Adbusters*, ils achètent le moins possible, recyclent beaucoup, empruntent encore plus aux copains. « *Ce qui n'est pas très bon pour le commerce !* »

> La quête des biens matériels, qu'Épicure nomme les biens périssables (par opposition aux biens impérissables que sont, par exemple, l'amitié ou la philosophie), détourne notre âme du bonheur et nous plonge dans un perpétuel état d'insatisfaction. Nous consommons mais nous ne sommes jamais rassasiés. [...] Que prescrit le médecin de l'âme Épicure à ceux qui souffrent de ne pouvoir satisfaire leurs nombreux désirs ? La réponse peut sembler triviale : limiter les désirs !
>
> Patrick Daneau, *Le Devoir*, 25/26 février 2006.

De leur côté, les « je ne peux pas me décider » souffrent d'une maladie bien particulière que certains ont dénommée « anorexie consommatoire ». Le besoin est là, le désir aussi. Mais, dès qu'ils se présentent devant les étalages, ils ne savent plus quel modèle choisir ; ils ne savent même plus s'ils veulent toujours de cet article-là. Passant d'une boutique à l'autre, ils découvrent constamment de nouvelles marques, de nouveaux formats. Il leur faut alors rationaliser leur indécision : « *Celui-ci comporte une composante que l'autre n'a pas… mais aussi une faiblesse par rapport au précédent.* » Ils n'arrivent jamais à dire « oui », sans pour autant dire « non », et rentrent à la maison les mains vides et honteux de leur attentisme pathologique.

« *Ces catégories de consommateurs sont, de quelque façon, en porte-à-faux avec la philosophie même de la consommation, issue de l'hédonisme contemporain : s'entourer de belles et bonnes choses, tout autant pour se libérer de l'aria des tâches ennuyeuses que pour se donner un cadre de vie agréable.* » En conséquence, ces trois anticonformismes échappent à toute publicité : les hyperconsommateurs achèteront bien sans elle, les allergiques à la consommation n'en subiront pas l'influence, les indécis non plus.

C'est avec la quatrième catégorie de consommateurs que la publicité doit faire preuve d'éthique, ceux qui, devant une affiche aguichante, ne manqueront pas de s'exclamer intérieurement : « *C'est bien tentant !* » C'est pour eux que la publicité a été inventée. C'est à eux qu'elle s'adresse, jour après jour, multipliant les tentations. « *La question qu'il faut se poser est la suivante : y a-t-il des situations où le média va jusqu'à ankyloser la lucidité du consommateur ?* »

La persuasion subliminale et le neuromarketing

Car tel est bien l'enjeu de la publicité : influencer la conscience de manière à susciter une quadruple réaction : (1) sensitive ; (2) cognitive ; (3) affective ; (4) conative. Il s'agit d'une opération exigeante pour le publicitaire, qui n'a que peu de stratégies pour la réaliser, la principale étant la répétition du message tant que l'opinion de la majorité du public cible ne s'est pas formée, ce qui peut prendre des semaines. Il y a donc des annonceurs qui seront tentés de choisir une route plus courte pour pousser le consommateur à acheter. Ce serait si simple si l'on pouvait contourner la conscience pour s'adresser directement au subconscient ! C'est précisément ce qu'a prétendu réaliser la **persuasion subliminale**.

> **Persuasion subliminale**
> Façon d'influencer la prise de décision en contournant l'étape de prise de conscience, ce qui créerait des automatismes aux dépens du libre arbitre.

Issue des travaux du chercheur russe Boris Sidis (1898), la persuasion subliminale n'est intervenue en publicité qu'une soixantaine d'années plus tard (1957) quand Vance Packard publia, sous le titre *La persuasion clandestine* (en anglais : *The Hidden Persuaders*), un ouvrage soi-disant scientifique qui frappa les esprits. Il y prenait pour exemple un message (« *Drink Coca-Cola* ») qu'on avait inscrit sur la pellicule d'un film, au cinéma. Marquant une seule des vingt-quatre images/seconde, ce texte s'affichait trop brièvement pour être saisissable par l'esprit conscient. Mais non par le subconscient, puisque la vente de Coca-Cola aurait soudainement grimpé de 57,7 %, au comptoir, à la fin des représentations.

Les résultats étaient trop précis pour ne pas soulever le doute chez les chercheurs, surtout que l'auteur refusait de révéler ses sources. Mais l'idée était si belle pour la crédulité populaire, si proche de la pensée magique, qu'elle ne manqua pas de faire du chemin. En 1973, Bryan Key prit le relais de Packard en affirmant que les publicitaires utilisaient encore plus astucieusement cette approche pour promouvoir leurs ventes. Ainsi, en observant attentivement les glaçons dans une certaine annonce de gin, on pouvait, affirmait-il, y lire le mot « sex ».

On a eu beau rappeler que le subliminal est omniprésent (l'œil saisit des formes familières jusque dans les nuages) et expliquer qu'un message de cette sorte ne peut pas plus donner le goût du *Coke* ou du sexe qu'un message en clair, rien n'y fit ; la thèse continua de s'enraciner. Si bien qu'à la campagne électorale américaine de 2000, certains prétendirent avoir aperçu le mot « *rats* » dans une publicité électorale.

Le spectre de la persuasion subliminale, qui s'opposerait à notre jugement, a récemment évolué vers une formulation légèrement différente, le **neuromarketing**.

> **Neuromarketing**
> Stratégie publicitaire visant à activer, à l'insu du consommateur, diverses zones du cerveau repérées grâce à l'imagerie cérébrale et présumément aptes à pousser inconsciemment à l'action.

Ici encore, l'idée découla d'une recherche scientifique interprétée de façon tendancieuse. Ici encore, le témoin s'appelait *Coke*. « *Pour mieux duper les jobards, il vaut mieux recourir à une caution célèbre.* » C'est ainsi que Samuel McClure et Read Montague, du Laboratoire de neuro-imagerie humaine du *Baylor College of Medicine* de Houston, conclurent que les consommateurs préféraient le goût du *Pepsi* à celui du *Coca Cola* — et inversement —, selon que l'expérimentation se faisait à l'aveugle ou non. La raison, concluaient-ils ? À l'aveugle, c'est la zone cérébrale du plaisir qui réagissait en faveur de *Pepsi*, alors qu'autrement, c'est plutôt une réaction rationnelle à la notoriété de *Coke* qui prévalait dans le cortex préfrontal médian.

Les tenants du neuromarketing s'appuient sur le fait que le cerveau humain est composé de trois éléments : néocortex, cervelet et cerveau reptilien. Chacun de ces cerveaux remplit une fonction qui lui est propre : le premier pense, le deuxième ressent et le troisième décide. Il suffirait donc de titiller la zone du plaisir du reptile en nous pour multiplier les consommateurs. De quoi donner à George Orwell, s'il vivait encore, l'idée de rédiger une nouvelle version de *1984*.

L'espoir de leurrer, un jour, le consommateur

« Si chatoyante que soit cette "démonstration", poursuit la conférencière, elle tient difficilement la route. Comme pour l'image subliminale, le neuromarketing simplifie à l'excès un processus à facettes multiples. Il laisse croire que, sous l'action d'un stimulus, chacune des parties du cerveau réagira automatiquement selon un modèle préétabli. » Ce n'est pas le cas : soumis à un message publicitaire, le néocortex « pense » à diverses considérations et le cervelet « ressent » des émotions contradictoires, de sorte que le cerveau reptilien ne sait plus quoi « décider ». Le plus souvent, d'ailleurs, il s'abstiendra, attendant que les paliers supérieurs se soient entendus, autrement dit, qu'ils aient fini de réfléchir. Ce qu'on fait toujours, en fin de compte, lorsque l'on est exposé à un message publicitaire.

Même le principal promoteur de cette nouvelle façon de concevoir la publicité, le *BrightHouse Institute* d'Atlanta, se montre de plus en plus prudent dans ses conclusions. En 2002, il écrivait qu'il utiliserait les résultats de ses analyses sur le mode de fonctionnement du cerveau pour aider le monde du marketing à concevoir des campagnes plus efficaces. Quatre ans plus tard, il réduisait cet objectif à la simple recherche de ce que les gens aiment ou n'aiment pas dans les messages publicitaires, précisant même que la relation entre les préférences des consommateurs et l'achat est complexe et dépend du contexte. En 2010 l'organisme ne parlait plus que d'investigation, d'incubation, d'illumination et d'illustration.

En fait, il n'existe pas d'onde cérébrale magique ou de bouton « acheter » qui permette de prédire la réponse des consommateurs dans toutes les situations. C'est dire que la capitulation de la liberté sous les coups du cerveau reptilien n'est pas pour demain. Ce qui inquiète, toutefois, dans l'insistance qu'on met à poursuivre quand même des travaux de ce genre, c'est l'espoir qu'ont certains publicitaires d'en arriver, un jour, à manipuler les consommateurs à leur guise.

Persuasion, séduction et manipulation

Pour une agence média, les frontières qui séparent la persuasion de la séduction et celle-ci de la manipulation sont minces... et constamment repoussées. L'as, toutes catégories, en cette matière est la Société Reader's

Digest, qui y a recours depuis des décennies, avec un succès qui ne se dément pas. Son opération charme commence par un envoi postal collectif proposant, comme pour tout marketing direct, un abonnement au magazine, à une collection de disques, à des cours de langues ou un ouvrage d'intérêt général et même l'inscription, sans autre obligation, à sa loterie promotionnelle rapportant au-delà d'un million de dollars. Il suffit de remplir la fiche-réponse pré-affranchie, en indiquant son adresse (c'est évidemment l'élément capital), pour que débute le processus d'envoûtement.

Aucune entreprise ne manie aussi bien que Reader's Digest l'art de faire saliver le consommateur par des envois postaux dont la présentation se renouvelle constamment — avec une richesse d'imagination impressionnante — et par des messages qui savent entretenir le sentiment d'urgence. Quel est son secret pour transformer ses interlocuteurs en clients fidèles ? Il est simple, mais génial, et comporte deux étapes.

La correspondance, d'abord. Aucune lettre n'exige quelque achat — le consommateur ne se sent donc pas contraint —, mais chacune impose qu'il réponde, simplement pour maintenir son droit au fameux prix d'un million de dollars et autres récompenses subsidiaires. Le correspondant est sans doute libre de mettre un terme au dialogue à tout moment ; mais il ne le fera pas, vu le mal qu'il s'est déjà donné, à tant de reprises, pour maintenir son droit au prix.

Les ventes, ensuite. Un certain nombre d'envois — pas tous, pour ne pas effrayer — proposent aussi des achats ou un abonnement aux publications de Reader's Digest. Les produits offerts correspondent évidemment au profil que la base de données aura progressivement dressé du consommateur, à mesure que celui-ci répondait aux lettres antérieures. Inévitablement, chacun finira bien par trouver quelque chose qui correspond à sa personnalité. Il remplira le bon de commande, et la roue recommencera à tourner. Certes, Reader's Digest a été sérieusement rappelé à l'ordre, il y a plusieurs années, parce que sa loterie promotionnelle ne répondait pas aux critères de protection des consommateurs pour ce genre de concours. Mais l'entreprise prétend avoir redressé la barre.

Des consommateurs moins perméables

Tout comme la Cour suprême l'a reconnu à propos de la sexualité, ce qui, en publicité, était inadmissible, il y a une génération, est devenu socialement acceptable. « *Les publicitaires osent. Les gens encaissent, s'habituent, s'endurcissent.* » Pourtant, ils sont plus résistants à la propagande. Le célèbre ouvrage de Serge Tchakhotine *Le viol des foules* n'a plus la signification politique qu'il avait, au moment de sa rédaction en 1939, époque où Hitler et Staline se disputaient le trophée du meilleur fanatiseur de la plèbe. La publicité était alors un moyen de désinformation recherché.

Plus instruits, les gens d'aujourd'hui « *voient venir les racoleurs de loin* ». C'est pourquoi l'endoctrinement contemporain prend généralement d'autres voies que la publicité. Comme l'ont bien montré les récents conflits militaires, on exploite plutôt le relais des médias d'information, soit en les nourrissant de communiqués mensongers mais vraisemblables, soit en s'assurant d'y faire placer des éditeurs fidèles à la cause, soit en intoxiquant les correspondants de guerre.

« *Pourquoi préfère-t-on ce détour ? Je suis désolée d'avoir à vous l'avouer : parce que la profession de journaliste est encore jugée quelque peu crédible, alors que celle de publicitaire ne l'est plus tellement.* »

Baromètre des professions		
	2006	*2010*
Pompiers	96 %	97 %
Infirmières	95 %	96 %
Médecins	89 %	91 %
Enseignants	88 %	86 %
Policiers	81 %	72 %
Juges	78 %	65 %
Journalistes	49 %	44 %
Banquiers	72 %	40 %
Gens d'église	64 %	40 %
Publicitaires	40 %	19 %
Politiciens	14 %	9 %

Source : Léger Marketing, 2006 / 2010
Sondages menés auprès de 1500 Canadiens.

Si la confiance à l'égard des publicitaires tend à se détériorer, ce mouvement n'est pas nouveau, comme le montre un article du *Devoir* de 2006, faisant lui-même allusion à des périodes plus anciennes.

> CROP révèle que 34 % des Québécois ont « beaucoup » ou « assez confiance » en la publicité alors que 51 % ont peu confiance et 15 % pas confiance du tout. Cette confiance était de 36 % en 2000 et de 42 % en 1995. « *Une distance critique s'est définitivement installée* », a fait remarquer Alain Giguère (président de CROP). [...]
>
> À l'affirmation « *Je prends toujours beaucoup de plaisir à regarder la publicité* », 32 % des Québécois répondent positivement, une proportion qui était de 35 % en 2000 et 39 % en 1995. « *Vous avez une difficulté grandissante à plaire aux gens* », a lancé Alain Giguère aux représentants de l'industrie.
>
> Paul Cauchon, *Le Devoir*, 19 janvier 2006.

Pourtant, à mesure que se ferment les canaux traditionnels de manipulation, il s'en ouvre d'autres. Le plus actif, à l'heure présente, gravite autour du placement de produit. La tentation y est particulièrement forte de s'introduire dans la tête du consommateur, à l'improviste et à son insu, pour susciter chez lui un réflexe pavlovien. Au cinéma, cette tendance ira même jusqu'à montrer le produit que l'on veut annoncer dans une scène à connotation positive et le produit concurrent dans une scène négative.

Faute d'analyses suffisamment rigoureuses, les annonceurs s'inquiètent de l'efficacité de cette forme de publicité. « *Ne devraient-ils pas plutôt s'inquiéter de son éthique ? Tant qu'ils n'auront pas cessé de penser en termes de conditionnement, d'envoûtement, de mainmise, de domination, ils n'auront à s'en prendre qu'à eux-mêmes si les consommateurs perdent confiance dans la publicité.* »

Les rigueurs de l'offre et de la demande

Le problème éthique de la publicité n'est, au fond, qu'une facette de l'éternelle tension entre l'offre et la demande. En situation de demande, quand le consommateur cherche désespérément un produit, il n'est pas nécessaire de recourir à des subterfuges pour en vanter les mérites. Dans le cas contraire, quand le fabricant et son distributeur cherchent à imposer comme nécessaire un produit que personne n'a jamais réclamé, l'on sera tenté de prendre des raccourcis pour modifier l'attitude du public. Or, puisqu'une modification d'attitude ne se réalise qu'au terme d'un long processus mental, il est bien tentant, pour les entreprises, de chercher des chemins de traverse en court-circuitant la prise de conscience du cerveau. Par ailleurs, tout comme l'annonceur et les médias, l'agence de gestion est soumise, elle aussi, à la loi de l'offre et de la demande. Certains jours, on accourt vers elle ; à d'autres moments, c'est elle qui doit aller à la chasse à la clientèle. Dans ces moments-là, elle est confrontée, comme toute entreprise, à la dimension éthique. « *En conséquence, un engagement explicite d'honnêteté ne serait pas superflu pour susciter la confiance, qui, à son tour, garantirait la fidélité, tant de l'annonceur et des médias que du consommateur.* » Une charte de bonne conduite contribuerait à rassurer le public quant à l'intégrité de l'agence.

« *Ce que je peux affirmer, au moment de conclure, c'est que probité et efficacité ne s'opposent pas. Au contraire, elles travaillent de concert. Une entreprise dont l'éthique publicitaire laisse à désirer, tant dans la description de son produit que dans la façon de le faire connaître dans les médias, ne peut, à long terme, qu'être perdante. Elle laisse toujours à découvert un défaut de sa cuirasse.* »

4. LE PLANIFICATEUR MÉDIA

Je m'empressai d'aller féliciter la directrice générale pour son exposé. C'est plutôt elle qui me félicita. « *Car,* prit-elle plaisir à me souligner, *monsieur Irrighen et son avocate sont très heureux du plan média que vous avez préparé pour* À votre bonne santé. » Mon responsable de stage, qui avait assisté comme moi à la conférence... mais je ne l'avais pas vu, tout attentive que j'étais à l'exposé, vint aussi me serrer la main.

L'un et l'autre m'amenèrent à l'écart et, répétant que j'avais fait un excellent stage, s'excusèrent de ne pouvoir m'offrir d'emploi à l'agence : « *Vous savez, s'il nous fallait embaucher tous les stagiaires qui passent chez nous... Mais vous avez un peu de chance quand même. La planificatrice média avec qui vous avez travaillé revient, dans les prochains jours, de son congé de maladie. Elle aura besoin d'aide pour le prochain projet auquel elle sera affectée. Vous nous semblez tout indiquée pour l'assister.* »

Les exigences de cette carrière

Avec déférence, ils me conduisirent vers l'un des responsables du colloque, qui s'apprêtait à entreprendre un atelier à l'intention de planificateurs médias débutants, et lui demandèrent de bien vouloir m'accueillir dans son groupe. Puis, se tournant vers moi, mon mentor conclut, avant de disparaître : « *Vous étiez venue à ce colloque pour une seule présentation. Au final, vous aurez eu droit à quatre. Considérez-les comme autant de "valeurs ajoutées" pour votre future carrière !* »

Je m'assieds encore une fois à l'arrière de la salle. Devant moi, une dizaine de personnes attentives tendent l'oreille au présentateur de l'atelier, qui ouvre l'entretien par un résumé des qualités qu'on attend d'un professionnel de la communication. Il insistera sur un point inattendu : si le communicateur doit savoir parler, il doit aussi savoir écouter. Car toute communication est un dialogue où les deux participants ont la parole, à tour de rôle.

« *Lorsque vous écoutez, ne passez pas tout votre temps à préparer votre réplique. Essayez de comprendre ce que l'autre veut vous dire. Faites-le reformuler sa phrase s'il ne s'est pas exprimé de façon suffisamment claire pour que vous soyez en mesure de bien interpréter ses propos. Vous devrez peut-être indiquer votre désaccord, et c'est déjà beaucoup ; qu'au moins, ce désaccord, purement rationnel, ne conduise pas à un malentendu relationnel. Cela vaut pour tous vos contacts, tant avec les annonceurs qu'avec les représentants commerciaux des divers médias.* » J'ajoute, en pensant à ce que j'ai appris au cours de mon stage, que c'est une attitude générale à adopter à l'égard de la publicité elle-même, qui doit devenir de plus en plus un dialogue avec le consommateur.

Le responsable de l'atelier poursuit par une brève présentation des tâches qui attendent un planificateur média, ce dont j'ai maintenant un peu l'expérience. En effet, lorsque l'annonceur frappe à la porte d'une agence, il s'attend à ce que son vis-à-vis manifeste sa compétence sur trois points :

1) Cibler les placements médias et recommander — puis superviser — le déploiement stratégique de la campagne ; car c'est à lui qu'il revient de faire les bons choix.

2) Bien connaître l'ensemble des médias et les dernières tendances, ainsi que les habitudes d'écoute et de lecture de la clientèle visée, toujours dans la perspective d'effectuer un choix média judicieux.

3) Contrôler le déroulement de la campagne à titre de responsable de la partie de son budget qu'un annonceur consacre au placement média ; faire le suivi jusqu'à l'évaluation finale.

Le métier en est donc un de sensibilité et d'ingéniosité, mais tout autant de calculs et de chiffres. Ce qui suppose diverses dispositions quelque peu contradictoires, qu'il n'est pas facile de trouver, toutes à la fois, chez une même personne : curiosité intellectuelle, bonne connaissance des statistiques, sensibilité, créativité. *« Et ajoutez à cela l'amour du travail et une disponibilité de tous les instants. Préparez-vous à étirer vos semaines... parfois jusqu'au dimanche ! »*

Les défis du planificateur média

Comme tout stratège, le planificateur trouve dans la qualité de l'information qu'il consulte la clé du succès de ses campagnes. Or, au moment de choisir le média le plus approprié, il se retrouve souvent avec des renseignements non standardisés, avec une terminologie nébuleuse, avec des façons diverses de rassembler le résultat des études, des banques de données mal organisées. C'est particulièrement flou pour les nouveaux médias. Sans compter l'information non officielle et les rumeurs urbaines qui vont parfois à contresens des rapports de sondages. Il doit pourtant prendre une décision. Et vite !

Voilà pourquoi un bon jugement, basé sur un mélange de renseignements mesurables et d'intuition, est capital pour un planificateur. *« Quel média devez-vous choisir dans tel ou tel contexte ? Ce panneau-affichage devant lequel défilent quotidiennement des milliers de passants... qui n'y sont exposés que quelques secondes ? Ou plutôt ce magazine qu'un nombre bien moindre de personnes feuillettera pendant un mois ? La quantité de consommateurs ou la qualité d'attention ? Ce n'est pourtant là qu'un seul des multiples aspects à considérer pour juger de l'efficacité probable d'un message. »*

J'imagine déjà, pour avoir été témoin d'une situation de ce genre, les réactions d'un annonceur aux résultats d'un sondage BBM radio. Presque toutes les stations s'étaient proclamées « numéro un ». Elles n'avaient pas tort ! Elles avaient tout simplement choisi le standard d'évaluation qui les favorisait le plus face à leurs compétiteurs. Or, voilà que l'annonceur téléphone à l'agence et demande pourquoi le planificateur n'a pas choisi de placer sa publicité dans telle station, car c'est la plus performante d'après ce qu'il a lu dans les journaux. Il faut donc reprendre, point par point, une explication qu'on croyait pourtant bien intégrée à propos du public cible, du rapport qualité-prix, des tranches horaires, etc. « *Ce n'est qu'au prix de cette patience que vous maintiendrez sa confiance.* »

Le présentateur va plus loin : la compétence du planificateur média doit dépasser le cadre immédiat de son travail. Il connaîtra à fond tant les principes du marketing (pour mieux dialoguer avec les annonceurs) que le fonctionnement des médias (pour comprendre leur logique interne). Mieux encore, il saura démontrer de l'intérêt pour l'ensemble des sciences humaines et, plus particulièrement, pour la psychologie sociale. Une curiosité pour tout et une culture générale étendue lui permettront de situer son domaine de travail dans une perspective suffisamment vaste pour qu'il soit en mesure de percevoir les grands enjeux avant tout le monde.

Le signifiant et le signifié

Ce rappel des compétences générales qu'on attend d'un planificateur média amène maintenant le modérateur de l'atelier à nous parler des rapports que le spécialiste des médias doit entretenir avec un autre spécialiste, celui des messages, à qui, dans le milieu, on a donné le nom de créatif. À son avis, les responsables de la conception d'un message, d'une part, et du choix des médias, d'autre part, ont souvent peine à travailler de concert pour cause de méconnaissance de leurs tâches respectives ; ce qui prive l'annonceur d'une publicité bien ficelée, dont les volets bien fusionnés s'enrichiraient l'un l'autre « *à la manière de l'architecte et de l'ingénieur dont les talents, différents, se complètent pour construire un bâtiment "fonctionnel", c'est-à-dire, pensé pour le bien-être des utilisateurs sans que la robustesse de la structure ne soit sacrifiée.* »

Sans avoir une compétence poussée en conception publicitaire, les planificateurs médias chercheront donc à en connaître suffisamment pour échanger intelligemment avec le créateur des messages. Comme l'explique le présentateur, ils savent bien — d'expérience, du seul fait des bons ou mauvais résultats des publicités dont ils ont eu la charge —, que certaines façons de présenter les messages conviennent mieux que d'autres dans le contexte de tel ou tel média. Mais ils doivent approfondir leurs connaissances.

Texte percutant, choix adéquat des mots et du lettrage, tout cela contribue à l'élan d'une publicité, mais de façon différente selon que l'annonce sera présentée à la télévision ou au cinéma, dans un journal ou un magazine, sur un panneau-affiche ou sur Internet. Le planificateur a une certaine perception de ces nuances. Il lui reste à transformer cette perception en savoir. En effet, l'aspect iconographique d'une publicité comporte des exigences qui, si l'on n'y prend garde, peuvent donner lieu à des faux pas.

C'est par ce biais que le responsable de l'atelier aborde le lien, essentiel en publicité, entre « signifiant » (ce qu'on voit) et « signifié » (ce qu'on comprend). Son discours se fait de plus en plus technique, comme s'il voulait nous faire saisir l'importance, pour un directeur de compte, de comprendre suffisamment le métier de son vis-à-vis, le créatif. Pour illustrer son propos, il prend l'exemple du vêtement blanc : « *Ce signifiant peut générer un concept différent (signifié) pour des personnes qui ne partagent pas le même contexte culturel — en Occident, le mariage ; en Orient, le deuil.* »

Deux lectures différentes d'un même signifiant

Deux agences de voyages, dont l'une est spécialisée dans les vacances pour gens cossus et l'autre est plus tournée vers l'exotisme sensuel, présentent exactement la même annonce. On y voit, côte à côte — au-dessus de la signature de l'annonceur —, une chaussure de femme et un collier posés sur un tapis de sable. Les habitués de l'agence haut de gamme y associeront aussitôt le concept de luxe, ceux de l'autre agence celui de luxure !

Il est donc essentiel que, du responsable du marketing au représentant publicitaire — mais, plus immédiatement encore, du concepteur de messages au planificateur média —, tous les artisans soient sensibles à la signification que le consommateur visé donnera spontanément au signifiant. Car la confusion est toujours possible, comme le démontre la célèbre histoire d'une annonce de Tide qui se voulait accessible à la planète entière.

Tide, de gauche à droite
Pour promouvoir son produit de la même façon à travers le monde entier, Tide produisit une publicité sans texte, sous la forme d'un tableau à trois volets : à gauche un t-shirt sale, au centre une boîte de Tide, à droite un t-shirt propre. Le message ne pouvait être plus clair… sauf quand on commença à l'afficher dans les pays arabes où la lecture se fait de droite à gauche !

Métaphore et métonymie

Il n'y a pas que les différences culturelles entre les peuples qui affectent le rapport signifiant-signifié ; il y a aussi celles entre les groupes sociaux d'un même pays. « *On reconnaît depuis longtemps que les annonces pensées pour un public canadien-anglais perdent une bonne part de leur efficacité quand on les adapte, telles quelles, au Québec.* » De même, certains Québécois particulièrement sensibles à leur héritage européen n'interpréteront pas un texte de la même façon que leurs concitoyens plus marqués par l'appartenance au Nouveau Monde. On sait bien, par ailleurs, que, sous toutes les latitudes, les personnes cultivées ne comprennent pas les images de la même manière que les moins instruites, ni les plus jeunes comme les plus vieilles.

Ce sont de telles différences qui, parmi d'autres facteurs, ont conduit les analystes des médias à segmenter les marchés en catégories socioéconomiques, car chaque sous-groupe d'une société a ses signifiants. Ainsi, pour représenter l'idée de richesse, on utilisera le signifiant « pièces de monnaie », si l'on veut se faire comprendre du « petit peuple », mais le signifiant « voiture de luxe », si l'on s'adresse plutôt à l'élite financière.

Ce rapport délicat entre signifiant et signifié s'appuie principalement sur deux figures de style : la métaphore et la métonymie. Un bon concepteur sait jouer habilement de l'une et de l'autre. Le spécialiste des médias lui donnera la réplique en considérant l'opportunité de telle ou telle façon de dire les choses, compte tenu du média choisi pour transmettre le message aux consommateurs.

La métaphore est un *comme* ; la métonymie est un *donc*. Par exemple, pour parler d'un rasoir, on peut le comparer à une voiture de sport qui épouse les courbes du visage tout comme l'auto épouse les courbes de la route. C'est une métaphore qui puise dans les sens potentiels communs du rasoir et de l'auto. Par contre, on peut opter pour la métonymie pour évoquer l'effet du rasage. Dans ce cas, on montrera une femme qui caresse avec plaisir les joues de l'homme fraîchement rasé. La peau est douce, donc le rasage est réussi, donc le rasoir est performant. Ce qu'on voit (la satisfaction) découle logiquement de ce dont on veut parler (le rasoir). On a évoqué la cause en présentant l'effet.

Saint-Hilaire Luc, *Comment faire des images qui vendent*, Montréal, Les Éditions Transcontinental, 2005, page 129.

Trois mois pour saisir l'essentiel

En communication, il existe un vaste vocabulaire pour décrire le dialogue que l'esprit humain établit entre le signifiant et le signifié : algorithme/paradigme/syntagme, sémiologie/sémiotique, dénotation/connotation, icône/iconème/graphème. Le planificateur média a intérêt à connaître les rudiments de cette grammaire pour échanger plus facilement avec le créatif. Seule une compréhension minimale de ces divers termes lui permettra d'apporter une contribution enrichissante à l'inspiration du concepteur publicitaire. « *Il lui restera à espérer que le créatif fasse aussi un bout de chemin dans sa direction en se familiarisant avec le dictionnaire de la gestion média* »... tous ces mots que j'ai appris au cours de mon stage : portée, fréquence, impressions totales, duplication, CPM, CPP, PEB, AMQH, quintiles, et tant d'autres.

Le rappel de ces termes me fait découvrir qu'il m'aura fallu trois mois pour les ancrer dans mon cerveau... et que ce temps de formation a maintenant atteint son point final. Le présentateur a terminé son exposé. Tandis que la discussion s'engage, je cherche vainement des visages familiers autour de moi. Ni responsable de stage pour m'encourager, ni directrice générale pour me superviser. Je suis désormais seule, mais, grâce à ces quelques semaines chargées, pleinement sûre de mes aptitudes professionnelles. Dès le début de ce stage, je pressentais que j'avais une personnalité média. Désormais, j'en ai la conviction.

ÉPILOGUE

Me voici de nouveau devant l'immeuble du Vieux-Montréal dont je franchissais pour la première fois le portail imposant, il y a quelques semaines, au début de mon stage en gestion média. En montant les trois marches en pierre usées qui conduisent à l'agence, en traversant le hall aux lambris d'acajou, en observant le fauteuil de cuir dans lequel j'ai attendu lors de mon premier rendez-vous, avec la raideur des bourgeoises d'une époque révolue, je mesure le chemin parcouru en si peu de temps.

Tous ces visages qui me remontent à la mémoire : mon chaleureux responsable de stage aux idées visionnaires, la planificatrice média qui m'a appris les rudiments du métier, les directeurs des achats, aux styles si différents mais tous attentifs à mes besoins, les annonceurs qui m'ont fait confiance, les représentants des ventes des divers médias qui m'ont dévoilé une face différente de l'univers publicitaire. Et, s'inscrivant à l'avant-plan : la directrice générale. Oui, celle qui m'a dit mes quatre vérités.

Elle s'était longtemps tenue à l'écart, mais ne manquait pas d'observer. Quand elle m'a fait prendre conscience qu'une formation ne servait pas à enrichir seulement le savoir et le savoir-faire, mais aussi le savoir-être, j'ai compris que, pour devenir une bonne planificatrice, il ne suffisait pas de connaître le vocabulaire du placement média et la dizaine d'équations utilisées pour calculer les cotes d'écoute ou la distribution de la fréquence. Il fallait aussi avoir atteint une maturité que seule enseigne l'expérience quotidienne. C'est justement parce que mon stage m'a fait plonger dans un milieu de vie réel, avec ses défis, ses succès, ses risques, qu'il m'aura été si utile.

Je reviens aujourd'hui à l'agence, non plus comme stagiaire, mais comme employée... pour trop peu de temps. Tout au moins suis-je sûre que ces semaines seront tonifiantes. Déjà, la planificatrice, qui rentre, ce matin, de son congé maladie, m'a décrit le projet qui l'attend. *« Je tiens à t'avoir avec moi »*, m'a-t-elle dit au téléphone. Des mots qu'on aime entendre quand on entreprend une carrière.

Mais que ferai-je ensuite? Vendeuse chez *Sommital*? Serveuse dans un restaurant *À votre bonne santé*? Pourquoi ne pas en profiter plutôt pour parfaire ma formation? Plus j'enrichirai mon savoir et mon savoir-faire, plus je m'imposerai dans le monde de la publicité qui, en retour, raffermira mon savoir-être. Étudier encore, donc? Un filon à suivre. Il faut que j'en parle à ma cousine.

BIBLIOGRAPHIE

Balloffet, Pierre et François Coderre, *Communication marketing. Une perspective intégrée*, Montréal, Chenelière McGraw-Hill, 2005. (À partir d'une traduction, par Jean-Robert Saucyer et Miville Bourdreault, de l'ouvrage canadien-anglais de George Belch, Michael Belch et Michael Guolla.)

Barban, Arnold M., Steven M. Cristol et Frank J. Kopec, *Essentials of Media Planning*, Lincolnwood (Illinois), NTC Business Books, 1993.

Bédard, Sylvie, *Nouveau « P » du marketing : la présence*, Montréal, Quebecor, 2010.

Cesvet, Bertrand *et al.*, *Le capital conversationnel*, Montréal, Éd. Transcontinental, 2010.

Cossette, Claude, *Éthique et publicité*, Québec, PUL, 2009.

Cossette, Claude, *Un loup parmi les loups*, Québec, Septentrion, 2005.

Dagenais, Bernard, *Le plan de communication*, Québec, PUL, 1998.

Dayan, Armand *et al.*, *Marketing et Publicité en anglais*, Paris, BMS, 2003.

Filiatrault, Pierre, *Si notre service à la clientèle fait pic, pic, appuyez sur le 1*, Montréal, Éd. Transcontinental, 2009.

Filiatrault, Pierre, *Comment faire un plan de marketing stratégique*, Montréal, Éd. Transcontinental et Éd. de la Fondation de l'entrepreneurship, 2005.

Goodrich, William B. et Jack Z. Sissors, *Media Planning Workbook*, New York, McGraw-Hill, 2001.

Hiam, Alexander, *Le marketing pour les nuls*, Paris, First, 2008.

Katz, Helen E., *The Media Handbook. A Complete Guide to Advertising Media Selection, Planning, Research, and Buying*, Mahwah (N.J.), Lawrence Erlbaum Associates, 2003.

Kelley, Larry D. et Donald W. Jugenheimer, *Advertising Media Planning. A Brand Management Approach*, New York, M. E. Sharpe Inc., 2003.

Morin, Raymond, *Comment entreprendre le virage 2.0*, Montréal, Éd. Transcontinental, 2010.

Plummer, Joseph *et al.*, *The Online Advertising Play Book,* Hoboken, N.J., John Wiley & Sons, 2007.

Surmanek, Jim, *Advertising Media A-to-Z. The Denitive Resource for Media Buying, Planning, Research, and Account Management*, New York, McGraw-Hill, 2003.

Tapscott, Don, *Grown up digital,* Toronto, McGraw-Hill Ryerson, 2009.

Zimmerman, Jan, *Le marketing sur Internet pour les nuls,* Paris, First, 2009.

WEB

Advertising Age : *adage.com*

Infopresse : *infopresse.com*

eMarketing (France) : *e-marketing.fr*

Journal of Advertising Research : *jar.warc.com*

Marketing : *marketingmag.ca*

Media Week : *mediaweek.com*

Slogans publicitaires : *slogandepub.fr*

Stratégies (France) : *strategies.fr*

Strategy : *strategyonline.ca*

VOCABULAIRE DU PLACEMENT MÉDIA

Chaque mot ou expression renvoie à la page de sa définition.